POURQUOI

LA NOUVELLE

CRITIQUE

SERGE DOUBROVSKY

POURQUOI LA NOUVELLE CRITIQUE

Critique et objectivité

MERCURE DE FRANCE

MCMLXXII

A SMITH COLLEGE

ET A TH. C. MENDENHALL

en toute gratitude

et avec mes très vifs remerciements

à la Fondation

John Simon Guggenheim

S. D.

« ...la fonction du critique est de critiquer, c'est-à-dire de s'engager pour ou contre et de se situer en situant... »

JEAN-PAUL SARTRE
Situations I

POSTFACE EN GUISE DE PRÉFACE

I

On s'est beaucoup inquiété, ces derniers temps, de la critique et, par un curieux paradoxe, cette discipline austère et académique suscite des passions infiniment plus vives que le sort du roman ou de la poésie. On pourrait s'étonner, à première vue, que l' « affaire Barthes-Picard » ait provoqué de tels remous dans un public qui, d'ordinaire, se moque bien d'un bon ou d'un mauvais ouvrage de plus sur Racine. Or, avant de lire le dernier livre de Barthes, Critique et Vérité, alors que je terminais le mien, je ne m'étais pas vraiment rendu compte de l'étendue et de la violence de ce déchaînement collectif : car, comme Barthes le note lui-même, « ce qui frappe, dans les attaques lancées récemment contre la nouvelle critique, c'est leur caractère immédiatement et comme naturellement collectif. Quelque chose de primitif et de nu s'est mis à bouger là-dedans. On aurait cru assister à quelque rite d'exclusion mené dans une communauté archaïque contre un sujet dangereux. D'où un étrange lexique de l'exécution. On a rêvé de blesser, de crever, de battre, d'assassiner le nouveau critique, de le traîner en correctionnelle, au pilori, sur l'échafaud. Quelque chose de vital avait sans doute été touché... ». Quoi? La réponse de Barthes nous éclaire : le nouveau critique a enfreint certains tabous, en touchant à l'ordre des langages. Arrêtons-nous un instant sur ce point.

Barthes a raison. Dans un pays, bien entendu, « cartésien », la langue et la littérature ne peuvent être que celles de la « raison ».

On sait assez que notre admirable « clarté », qui ne fait d'ailleurs qu'un avec notre non moins admirable « classicisme », sont les vertus « françaises » par excellence. Déjà, Nisard et Maurras l'avaient infatigablement répété, l'un contre les romantiques, l'autre contre les symbolistes. Picard ressort à présent ces grandes vérités du tabernacle pour en foudroyer la « nouvelle critique », étrangement associée, en l'occurrence, à Rimbaud, à Dada et au surréalisme. Rien de plus ancien, comme on voit, que cette querelle, qui à son niveau premier, je veux dire fondamental, est une querelle de mots. Le même reproche revient sans cesse chez les adversaires de Barthes et de ses confrères en nouvelle critique : ils ne sont pas « clairs », ils emploient un « jargon », ils ne disent pas « simplement » les choses, ils « compliquent » tout, et Racine en particulier, qui est si simple. Cette inquiétude est fondée : les mots, si l'on n'y veille, ils iront jusqu'où ? Jusqu'aux idées. C'est là le drame.

*Quand Hugo croyait faire la révolution, il commençait par vouloir mettre «un bonnet rouge aux vieux dictionnaires». Et effectivement, la grande percée de la littérature moderne, de Rimbaud et Mallarmé à Proust et à Breton, sans parler de Céline ou de Beckett, s'est faite au prix d'une immense bousculade du langage conventionnel, baptisé « classique », sans doute pour lui donner ses lettres de noblesse. Il s'agit là d'un abus. Il y a des raisons historiques à la constitution d'une certaine langue, au XVII*e* siècle; vouloir maintenir intact, au XX*e* siècle, un idiome appauvri et stéréotypé ne relève plus que d'un culte idolâtre. Avoir l'amour de sa langue, rien de mieux; souhaiter en perpétuer l'excellence, rien de plus louable. Mais quand l'amour se transforme en nécrophilie et que l'excellence se confond avec la convention, rien de plus suspect. La « clarté » d'une langue n'est pas innée et immobile : elle évolue en fonction des normes qu'imposent les développements de la culture. Les catégories, donc les vocables, changent. On n'empêchera pas les changements de la pensée, en prétendant immobiliser le vocabulaire à l'époque de Littré. La façon dont une partie de la critique et du public bourgeois cajole, bichonne, dorlote la fausse « clarté » d'une langue figée et malthusienne, comme si la langue française était une vieille dame souffreteuse à laquelle*

*le moindre néologisme pouvait être fatal, est purement et simple-
ment une attitude réactionnaire, sur le plan politique comme sur
le plan culturel. La bonne société se mire et s'admire dans les
clichés de sa langue, gage d'une hiérarchie éternelle des vérités et
des valeurs. Richelieu savait ce qu'il faisait en créant l'Académie :
l'ordre absolu doit commencer par régner sur les mots, pour régner
sur les esprits. Valéry exalte la belle ordonnance du style et de la
pensée classiques, vante la bienfaisante contrainte des règles, qui
seule assure la liberté poétique, et finit par admirer Salazar. C'est
bien connu. On comprend donc mieux la nature de la transgression
commise par « le progressiste Barthes », comme l'appelle signifi-
cativement l'un de ses détracteurs.*

*Mais, direz-vous, la révolution du langage, reflétant les boule-
versements profonds des rapports de l'homme et du monde à notre
époque, elle existe déjà : dans les sciences, dans les arts, dans la
littérature elle-même. Après tout, le Goût, la Tradition, l'Ordre,
la Clarté, tous ces mythes éculés, toutes ces fadaises qui sentent le
moisi, ont depuis longtemps été balayés du roman, de la poésie,
du théâtre. Il y a sans doute les nostalgiques d'Henri Bordeaux
et les fidèles de Marchel Achard, mais est-ce qu'ils comptent, sur
un autre plan que numérique? C'est vrai. Mais alors, voici le
problème : pourquoi de bons esprits, qui accueillent Robbe-Grillet
avec sympathie, se récrient-ils d'horreur devant Barthes, qui ne
fait qu'accomplir, dans son domaine, le travail de révision que
Robbe-Grillet a accompli dans le sien? Bref, pourquoi tout ce tin-
tamarre autour de la critique, et pourquoi maintenant?*

*La critique n'est une activité inoffensive et lointaine qu'en appa-
rence. Elle est, en fait, l'appareil de contrôle, la police ultime qu'une
société se donne pour surveiller l'expression de la pensée et la
conservation des valeurs. De cette double fonction, la critique traditionnelle s'emploie de son mieux à s'acquitter. Pour le passé,
elle recense, veille aux collections, met des étiquettes, maintient le
patrimoine national en bon état, sous vitrine. Pour le présent,
bien entendu, en régime démocratique, elle ne censure pas, elle
informe; elle tient, comme on dit, le public « au courant » de ce
qui se fait ailleurs : dans la littérature, dans les arts, dans la phi-*

losophie. Nouvelle ou passée, la contestation fondamentale qu'est toute œuvre de l'esprit a toujours lieu ailleurs que dans la critique. Assimilées, digérées par la « clarté » d'une langue banale et immuable, les entreprises les plus révolutionnaires d'hier ou d'aujourd'hui sont désamorcées, désarmées; on leur retire leur charge explosive. On les tient à distance. Barthes osait parler de « sexualité » dans le théâtre de Racine, comme si l'on pouvait parler de jambes devant la reine Victoria : Picard réplique que le théâtre racinien est « violent, mais pudique ». On respire. Le cliché n'est pas inutile : pour le langage courant, la « pudeur » est l'inverse de la « sexualité »; refoulée, celle-ci est inexistante. On ne saurait plus naïvement révéler la malice cousue de fil blanc du langage pré-freudien. A l'autre bout, Robbe-Grillet, c'est l'obsession des objets; Ionesco, un délire onirique, et Le Clézio que sais-je encore : catalogués, sertis dans les lieux communs, les voilà devenus inoffensifs. Si le cœur vous en dit, vous pouvez, après cela, aller les lire vous-même. Vous savez à quoi vous en tenir. L'Absurde, convenablement traduit, rien, au fond, de plus clair. Car la critique traditionnelle, et c'est le rôle essentiel que la société lui assigne, est, dans tous les domaines, une immense machine à traduire l'original dans le banal. A cette fin, elle dispose d'un instrument bien au point, cette « belle langue » sacro-sainte, où les jeux sont faits, les dés pipés, les rapports humains consignés à jamais par Vaugelas et par Littré. La critique donc informe le public, mais tant qu'elle reste elle-même hors du coup, tant qu'elle lui reflète son langage, elle le protège : le lecteur est vacciné contre le choc d'une rencontre trop brutale avec l'œuvre. On comprend que la critique tienne à ce précieux instrument, et une large portion du public avec elle. « L'âge du fondamental recommence », disait un personnage de Malraux en pleine guerre civile espagnole. Dans notre époque de prospérité, tant que la vieille critique tient bon, le fondamental ne commence pas.

On voit donc mieux en quoi Roland Barthes et, avec lui, la « nouvelle critique » sont, selon le mot révélateur de Raymond Picard, dangereux. Ils violent un double tabou ou, si l'on veut, ils prennent, d'un seul coup, deux bastilles. A une extrémité, ils touchent soudain à Racine, dernier bastion de la clarté, dernier symbole de la grandeur; sur cet auteur lauré et vétuste, ils portent une main moderne et sacrilège, ils pénètrent par effraction dans une chasse jalousement gardée. A l'autre extrémité, ils mettent en question le sens de l'acte critique lui-même, ils en dénoncent l'exercice traditionnel. Avec l'éclatement de ce double verrou de sûreté avec la rupture de ce barrage, tout saute. On passe, sans crier gare, du XVIIe siècle ou du XIXe, en plein XXe siècle. Cette langue, que l'on maniait avec une assurance intrépide, il faut soudain la contester : impossible de parler désormais de la littérature, sans s'être interrogé sur le langage; impossible de s'interroger sur le langage, sans connaître les travaux de la linguistique et de la psychanalyse; impossible aussi d'en rester à ces travaux, sans les intégrer à une philosophie totale de l'homme. En définitive, c'est donc la conception toute faite de l'homme, constituée et déposée historiquement dans le langage quotidien, qui bascule. Le bon sens, les évidences naturelles, la psychologie, tout chavire. Bref, c'est le « délire », c'est-à-dire une nouvelle raison qui tente de se conquérir. L'hystérie collective, le déchaînement de la horde vouant Roland Barthes au bûcher, au pilori, à la décapitation, c'est, tout simplement, à chaque époque, la haine de l'Intellectuel qui met en cause le confort intellectuel. C'est la révolte des gagne-petit de la plume et de la pensée, le poujadisme culturel. Eh quoi, pour prétendre parler de Racine aujourd'hui, il ne suffirait plus de mettre la main sur le cœur en criant : « Que c'est beau! » Il ne suffirait plus de connaître les règles de la tragédie au XVIIe siècle, ni de savoir avec qui Racine a couché, quand et comment. L'histoire de la littérature ne serait plus une suite d'anecdotes attendrissantes ou croustilleuses : pour comprendre Racine, il faudrait pouvoir confronter toute une conception de l'homme, la nôtre, avec toute une conception de l'homme, la sienne; et s'il convient, bien sûr, d'être au courant de la culture du XVIIe siècle, il faudrait également être imprégné de celle du XXe. Or, ce qui caractérise la culture de notre temps, c'est le profond renouvellement qu'elle a subi : l'image de l'homme ne peut plus être fournie par les humanités traditionnelles et la pensée classique. D'innombrables sciences

*humaines ont surgi; la philosophie, à la suite de Husserl, a changé
de visage et s'est tournée tout entière vers l'élucidation du concret,
délaissant les grands systèmes. Notre culture, tout en assumant
intégralement le passé (et c'est pourquoi Barthes s'intéresse à
Racine), est devenue anthropologique; elle est le lieu d'une confrontation entre les sciences humaines et les philosophies de l'existence,
dont un esprit comme Merleau-Ponty esquissait une réconcilia-
tion et une synthèse possibles.*

*La compréhension de la littérature doit, elle aussi, entrer dans
le XXe siècle. On ne s'étonnera pas que certains s'indignent ou
crient « casse-cou », qu'ils serinent à qui mieux mieux « Patience-
Modestie-Prudence » : ce conservatisme de la pensée n'est qu'un
dérisoire combat d'arrière-garde. Ici, patience veut dire piéti-
nement; modestie, médiocrité; prudence, paralysie. On conçoit
sans peine les grincements de dents des gens en place, qui, de
leurs positions établies, entendent faire des positions retranchées :
leur culture est en grande partie à refaire. Le professeur doit
retourner à l'école. Dans l'étude de la littérature comme des sciences,
c'est d'une réorientation complète qu'il s'agit, d'un véritable
« recyclage ». Mais là où la modestie réelle du savant accepte sa
perpétuelle remise en cause, la modestie feinte de nos « huma-
nistes » sert surtout d'alibi à leur paresse et d'excuse à leur ignorance. Il existe, Dieu merci, des forces contraires. Un groupe
d'assistants et de maîtres-assistants appartenant à plusieurs facultés ont récemment demandé que l'enseignement de chaque discipline
ne soit pas fermé sur lui-même, mais qu'il soit, au contraire,
adapté aux réalités contemporaines : « Il faut renforcer les disciplines récentes (sociologie, psychanalyse, linguistique, logique
moderne, sans parler de la pédagogie, discipline fort ancienne,
mais encore inconnue de nos facultés), dépoussiérer les pro-
grammes... situer chaque discipline dans des perspectives contemporaines » (Le Monde 6-7 mars 1966). On ne saurait mieux dire,
et ce qu'on appelle la « nouvelle critique » n'est rien d'autre qu'un
commencement d'application de ce programme, dans le champ de la
littérature. Certains préfèrent fermer résolument le couvercle et donner
un tour d'écrou. Qu'ils se méfient : la marmite finira par exploser.*

II

Une chose paraît fort claire : le débat « pour ou contre » la nou-
velle critique est déjà périmé, comme les débats « pour ou contre »
le jazz, l'art abstrait, la musique sérielle, le nouveau roman.
Lorsqu'une nouvelle forme de pensée existe (et telle est bien désor-
mais la critique moderne, dans ses manifestations les plus notables),
il est absurde et inutile de combattre son existence au nom d'habi-
tudes révolues : si l'on n'en est pas satisfait, il convient, certes,
de la discuter, de l'aménager, voire de l'attaquer, mais de l'intérieur,
en la dépassant, non en la niant. Pollock ou Mondrian, ce n'est
pas le dernier mot de la peinture, et l'on peut vouloir un retour au
figuratif, mais en tenant compte de leur expérience, et pas à la
manière de Courbet. D'une mise en question étayée par des argu-
ments solides, on a toujours beaucoup à apprendre et tout à gagner.
Faites avec un minimum de compréhension envers de nouvelles
recherches, encore tâtonnantes, les remontrances de Raymond
Picard eussent été profitables : tout n'est pas faux dans ce qu'il dit.
Mais sa façon de dire est à la fois si tranchante et superficielle,
qu'elle détruit le bien-fondé de certaines remarques, la justesse de
certaines intuitions. Comme toute tentative novatrice, la critique
d'aujourd'hui appelle maintes objections : elle prête largement le
flanc elle-même à la critique. Une critique de la critique, voilà
précisément ce dont on aurait besoin. Au lieu de cela, Picard fait
un procès, dans le grand style, avec jeu complet de manchettes :
il condamne par amalgame, il se prend pour le bon sens, la droite
raison, l'Université et presque pour la France, dont Roland
Barthes, par des textes « plus ou moins diffamatoires » (p. 84)
aurait terni la réputation à l'étranger. On demandait une réflexion
vive, certes, mais sérieuse : on a un maximum de sarcasmes faciles
et d'indignations vertueuses, avec un minimum d'arguments. Peu
encombré d'idées, Picard est tout naturellement léger. Bien entendu,
cela titille et rassure, cela amuse et ameute certains vieillards pré-

maturés. Mais croit-on que cette provende satisfasse les nouvelles générations d'étudiants, qui sont, elles, de leur époque, et demandent une compréhension du monde qui soit de leur temps?

Au pamphlet de Raymond Picard et au déferlement de sottises, dont l'auteur n'est pas personnellement responsable, mais que le style de sa discussion a encouragé, il fallait répondre. L'enjeu est de taille. Il fallait répondre d'autant plus que les « nouveaux critiques », en l'occurrence, se sont tenus étrangement cois, laissant souffler sur le seul Barthes le vent d'une bourrasque destinée, je le vois encore plus clairement à présent, à les emporter tous en bloc. Pour ma part, je ne crois pas à la vertu du mépris ou de l'indifférence; je ne partage pas non plus, sur bien des points, les idées et les attitudes de Roland Barthes : mais, puisqu'il a reçu les coups qui nous visaient tous, puisque, à travers lui, le défi et l'anathème s'adressaient à chacun des chercheurs qui veulent sortir des chemins battus, il fallait retrousser ses manches et faire la besogne; il fallait répondre. Mais pas au même niveau. Cette querelle, vouée d'avance à n'avoir d'autre intérêt qu'historique (malgré cette diversion bruyante, la critique moderne n'en continuera pas moins son chemin), il convenait de l'élever en débats d'idées. Il convenait de transformer la dispute en examen de conscience, et la polémique en contestation.

Le présent travail n'est donc rien d'autre qu'une longue et générale contestation des attitudes critiques contemporaines : une contestation est rigoureuse et systématique, elle est universelle, ou elle est sans intérêt. « Répondre à Picard », c'était se répondre à soi-même. Ce n'était pas simplement contre-attaquer, mais s'interroger, et à la question, radicalement posée naguère par Sartre : Qu'est-ce que la littérature?, tenter de faire écho en se demandant honnêtement et sans concession à personne (aux « nouveaux critiques » pas plus qu'aux autres) : Qu'est-ce que la critique? Les deux questions sont évidemment liées : c'est la même question, sous deux faces différentes, la création et l'interprétation. Réfléchir au statut de la critique, c'était donc, par une autre voie, revenir à mettre en cause le statut même de la littérature. Depuis le livre fameux de Sartre, beaucoup d'eau a coulé sous beaucoup de ponts.

*On semble être bien loin de la « littérature engagée » : c'est une illu-
sion. Vouloir « dégager » la littérature, c'est vouloir chercher la
voie de son engagement à une autre époque. Ce que l'on a appris
depuis Sartre et ce que l'on ne peut plus oublier, c'est* l'engagement
profond que constitue tout acte d'écrire : *l'acharnement avec
lequel certains marcassins s'en prennent au vieux sanglier témoigne
assez que les questions qu'il posait étaient les bonnes, puisqu'elles
les hantent encore et qu'ils essaient en vain de s'en défaire. La
critique est aussi une forme d'écriture : en quoi, à quoi nous
engage-t-elle? Et qu'est-ce qui est en question dans ses questions?*

   *On voit donc assez quelle est la pente de cette enquête : il ne
s'agit nullement d'établir un état présent, de brosser un tableau
d'ensemble, de prendre une vue panoramique des tendances actuelles
de la critique. En un mot, cette entreprise n'est pas d'ordre historique, mais épistémologique. Si la littérature est expression de
l'homme dans des œuvres écrites, quel est le sens de cette expression?
Qu'est-ce donc au juste que ce « sens littéraire », que toute critique s'efforce de comprendre, et que l'ancienne critique reproche à
la nouvelle de violer? Et, une fois ce sens établi, pour le définir,
pour le dégager, de quels moyens dispose donc la critique? Quel*
type de compréhension, *quel* modèle d'intelligibilité *peut-elle
légitimement se proposer? Ce sont ces types, ces modèles, que j'ai
voulu successivement examiner, sur des exemples qui m'ont paru
les plus représentatifs, mais qui ne prétendent pas être exhaustifs.
Des noms, parfois fort connus, manqueront ici à l'appel : encore
une fois, je n'ai eu l'intention de faire ni un catalogue ni une
galerie de portraits. Il s'agit bien plutôt d'une « expertise » : que
vaut la conception conjointe de la création littéraire et de l'acte
critique que nous offrent les principales écoles de pensée contemporaines? Celles-ci se divisent en deux groupes distincts, non
point tant selon leur appartenance à la « nouvelle » ou à l' « ancienne » critique (laissons enfin cette controverse), que suivant
l'idée qu'elles se font de l'œuvre littéraire. Les critiques étudiées
dans ce premier volume voient dans l'œuvre littéraire un* objet
particulier, *relevant, par conséquent, d'une élucidation de type*
objectif, *appuyée sur des techniques appropriées : analyse histo-*

rique, psychologique, esthétique traditionnelles; ou, plus récemment,
avec le remarquable développement des sciences humaines, approches psychanalytique, sociologique, linguistique, structuraliste, etc.
Sans nier un instant l'apport décisif de ces diverses disciplines, peu-
vent-elles, toutes ensemble ou chacune séparément, fournir le principe du déchiffrement critique ou, ce qui revient au même, de la compréhension littéraire? Ma réponse est non. J'ai dit pourquoi en
détail; et puisque toute critique est toujours faite à un point de vue
(même celles qui se croient « objectives »), j'ai exposé le mien, aussi
nettement et radicalement que possible, dans la partie de ce livre
consacrée à ce que j'ai appelé le « Cogito critique » et la « psychanalyse existentielle ». Dans la confrontation fondamentale de notre
temps entre culture anthropologique et culture philosophique, je
crois que seule la seconde peut fournir le principe d'une compréhension unitaire de l'homme, car elle englobe la première, alors
que l'inverse n'est pas vrai. Si l'homme n'est pas, ultimement,
objet pour l'homme, mais sujet, l'œuvre littéraire est un faux
objet; c'est le chiffre d'une existence subjective, qui doit être inter-
prété comme tel, au-delà, ou en deçà des signes extérieurs, dans
la perspective d'une véritable philosophie de la subjectivité. Nous
verrons ces « critiques de la subjectivité » en action dans le second
volume. Nous ne serons pas pour autant tirés d'affaire : les difficultés ne manqueront pas. La contestation continue.

Un dernier mot sur la nature et le but de cette contestation.
L'essence même des problèmes impliqués par cette analyse touche
à la réflexion philosophique : on débouche forcément sur elle,
dès qu'on veut dépasser le simple bavardage. J'ai fait ce que j'ai
pu pour être le plus clair possible, car j'aime autant la clarté que
mon prochain, mais elle ne se confond pas avec les truismes, quand
il s'agit de questions aussi complexes et difficiles. Même avec cette
fin de communication maximale sans cesse présente à l'esprit,
des passages de ce livre, sans la préparation nécessaire, paraîtront
à certains ardus. C'est bien à tort qu'on croit pouvoir entrer dans
la littérature comme dans un moulin. Faire l'autocritique de la
critique m'a amené forcément à affronter les grands courants de
pensée contemporains : marxisme, structuralisme, freudisme,

existentialisme. J'ai pris, à chaque fois, position en mon nom propre, et cet engagement de la critique, que je réclame, n'engage ici que moi. Je n'ai été mandaté par personne, et surtout pas par la « nouvelle critique », qui n'existe point en tant qu'école. Mais le proverbe dit qu'un chien a bien le droit de regarder un évêque : ce droit, je m'en suis prévalu, et j'ai regardé une activité dont j'ai moi-même quelque pratique, convaincu qu'une exploration, systématiquement menée, est toujours profitable à tous. Curieusement, j'ai souvent dû me tailler un sentier à travers les ronces. Car, s'il existe, bien entendu, chez nous, de nombreuses théories et une longue histoire de la critique (que Roger Fayolle nous a succinctement rappelée fort à propos), il n'y a aucun corps moderne de recherche fondamentale, comparable à celui qui existe dans le domaine anglo-saxon. Le new criticism précède de vingt ans la « nouvelle critique ». Par ailleurs, il est incroyable que les travaux d'un Leo Spitzer, d'un Auerbach ou d'un René Wellek attendent toujours chez nous un traducteur. L'insularité n'est pas nécessairement où l'on pense. Quoi qu'il en soit, c'est dans son propre contexte culturel que la critique française doit trouver ses voies propres : Qu'est-ce qu'une expression ou une structure « spécifiquement littéraire » ? Qu'est-ce que « comprendre » ou « expliquer » un texte ? Quel est le rapport de l'écrivain avec son œuvre, du critique avec l'écrivain, du lecteur avec l'écrivain et le critique ? Et qu'est-ce qu'écrire, lire, critiquer ? Ces problèmes essentiels, qui posent des questions non seulement de méthodologie, mais de déontologie, à la critique littéraire, et qui n'intéressent pas seulement la réflexion théorique sur la littérature, mais son enseignement même, on serait surpris de savoir combien ils ont été abordés chichement et par la bande, au lieu d'être examinés de front, avec ampleur et rigueur, dans un cadre de pensée contemporain.

Ce livre, écrit en cinq mois, dans l'ardeur d'une querelle, ne saurait prétendre épuiser un sujet qui demanderait cinq ans de réflexion, dans le calme de la retraite. Il ne veut qu'amorcer un débat, mais à la hauteur nécessaire. Qu'il y ait, dans ce travail, des lacunes, des partis pris, des insuffisances, c'est l'évidence même. La recherche sur les différents ordres de symbolisme, scien-

tifique, imaginatif, linguistique, et sur leurs relations, est dans son enfance. Et un homme capable, comme Merleau-Ponty, de faire converger les divers savoirs en une compréhension unifiée manque cruellement. J'ai fait, dans le temps qui m'était accordé et dans la limite de mes moyens, ce que j'ai pu, non point, bien sûr, pour résoudre, mais au moins pour poser les problèmes de façon cohérente et systématique. J'ai essayé, en tout cas, de faire un travail honnête. La preuve, c'est que certains ne manqueront pas de trouver, dans cet essai écrit pour défendre la nouvelle critique, des armes qu'ils retourneront contre elle. Tant pis pour eux. Il ne s'agissait pas de proclamer que tout est pour le mieux dans la nouvelle critique, de s'entre-congratuler ni d'entonner des louanges mutuelles. Il s'agissait de faire face à des contradictions réelles et de les assumer, en montrant que, malgré tous ses défauts, la nouvelle critique ouvre à la compréhension des horizons inédits, alors que l'ancienne critique, malgré toutes ses qualités, ne fait que jeter un vain regard en arrière.

Je n'ai ménagé personne et ne demande aucun ménagement : ce que je demande, c'est qu'on réponde à des arguments par des arguments, et à une réflexion par une réflexion plus exigeante et plus rigoureuse. Un livre de contestation est fait pour être contesté à son tour. Si cette longue prise de conscience appelle des prises de conscience inverses, loin de m'en plaindre, j'aurai atteint mon but. Tous seuls; tous les uns contre les autres; et tous ensemble : telle est, dans le domaine de la pensée, la condition même du progrès.

La querelle des Anciens
et des Modernes

I. AIMEZ-VOUS BARTHES ?

Dis-moi qui tu aimes, je te dirai qui tu es. La question posée,
sur un ton comminatoire, par Raymond Picard dans son pamphlet récent, *Nouvelle critique ou nouvelle imposture* (J.-J. Pau-
vert, 1965), sert donc pour l'heure à départager les bons et les
méchants en ce qu'il est désormais convenu d'appeler la « querelle de la nouvelle critique », rapidement devenue, en fait,
une querelle des Anciens et des Modernes. Une première fois,
Raymond Picard s'en était pris à Roland Barthes, au nom de
l'Université, dans les colonnes du *Monde* (14 mars 1964),
déclenchant la première phase des hostilités, toute bruissante
déjà de lettres et de contre-lettres. Avec la publication de ce
pamphlet, c'est maintenant la guerre totale. On se tire de
bordées dans des interviews hebdomadaires; on fait explos
de part et d'autre, des indignations vengeresses dans les quo-
tidiens; bref, on s'atomise. Bien entendu, quand il s'agit de
personnalités que l'importance de leur talent (ou de leur position) met en vue, la presse a intérêt à attiser ces sortes d'af-
faires : cela fait vendre et cela fait rire. Molière savait déjà

toutes les ressources comiques des affrontements entre pédants qui se traitent de Turc à More, et Ionesco s'en est souvenu dans *L'Impromptu de l'Alma*. Pourtant, on aurait tort de ne voir, en l'occurrence, dans tout ce « bruit et fureur », que les démêlés de Trissotin-Picard et de Vadius-Barthes autour de Racine, savamment entretenus et gonflés pour la plus grande joie du public et le plus grand profit des éditeurs. Ne nous y trompons pas : nous sommes en présence d'un phénomène culturel important, où les querelles d'individus sont de loin dépassées par les cristallisations idéologiques et collectives qu'elles suscitent. Nous en avons parlé. A présent, entrons dans le vif de la polémique. De quoi s'agit-il? De rien moins que de la façon de comprendre la littérature. On conçoit aisément qu'un tel débat qui, au-delà des affirmations intellectuelles, engage la personne tout entière, soulève vite les passions. Définir la littérature, c'est pour la société et pour les hommes qui la composent, l'occasion de se juger. Notre époque, moins stable que les précédentes, connaît de ces remises en question périodiques, dont le *Qu'est-ce que la littérature?* de Sartre (1948) et *Le Degré zéro de l'écriture* de Roland Barthes (1953) constituent des étapes capitales. Pourquoi, au juste, cette nouvelle flambée?

S'il s'agit de comprendre ce qu'est la littérature, c'est, ici, afin de savoir comment l'enseigner. La question que Sartre se posait auparavant en écrivain et Barthes en critique, Picard la pose aujourd'hui comme professeur. D'où le tour particulier de la présente dispute et la source précise de sa virulence. Cette querelle d'enseignants est, avant tout, une querelle d'enseignement : c'est assez dire sa portée, à un moment où, dans notre société (et dans toutes les autres), l'enseignement est en crise, c'est-à-dire doit résoudre, radicalement et cruellement, le problème des moyens immédiats et des buts ultimes de la culture. D'ailleurs, l'évolution même des disciplines commande leur communication. C'est ainsi que l'on fait grand bruit, aux États-Unis, autour de l'introduction récente des *new maths* dans les écoles secondaires, laquelle met en œuvre, dès le début, les notions du savoir moderne et, renversant la vapeur, commence désormais par la fin. Y aurait-il une « nouvelle critique », au sens où il y a une « nouvelle mathématique »? Ce serait trop dire. Il y a plutôt une « nouvelle critique » comme il y a un « nouveau roman », formule à mi-chemin entre la conscience légitime d'une innovation et le slogan publicitaire, — à prendre, en tout cas, *cum grano salis*. Ce dont on doit parler, c'est, comme l'a fait Jean Starobinski, de « directions nouvelles de la recherche critique [1] », directions qui sont elles-mêmes bien souvent contradictoires. Apparemment, malgré ces disparates, il faut croire que cette recherche a une cohésion et une ampleur suffisantes pour influencer un large secteur du public et obliger, par contrecoup, les tenants de la tradition à partir en croisade contre la « nouvelle critique », prise en bloc.

Il s'agit bien, en effet, d'un contrecoup ou, si l'on veut, d'une contre-attaque. Pour être juste, notons que les premières flèches semblent parties du camp des Modernes, déclenchant en retour un foudroyant barrage d'artillerie. Raymond Picard accuse la nouvelle « école » de « se poser en s'opposant », d'avoir « une réalité moins intellectuelle que polémique » (p. 10). Et c'est vrai, puisque Roland Barthes, par exemple, distingue « critique universitaire » et « critique idéologique » en termes nets [2]. Mais comme Picard ajoute aussitôt que la critique universitaire n'existe pas, que c'est un fantôme inventé pour les besoins d'une mauvaise cause, on ne comprend plus du tout à quoi ni en quoi la critique récente s'oppose, ni quel est le sens d'un débat où, en fin de compte, l'on renvoie dos à dos « critique universitaire » et « nouvelle critique » comme deux êtres de raison, ou plutôt de déraison. Entendons-nous. Si, en parlant de « critique universitaire », on implique une méthode uniforme, invariablement appliquée, ne laissant place à aucune diversité ou divergence de points de vue, il est bien évident que Picard

---

1. Jean Starobinski, « Les Directions nouvelles de la recherche critique », *Preuves*, juin 1965. Une étude lumineuse et précise, qu'il faut lire et que j'aurai plaisir à citer.

2. « Les Deux Critiques », dans *Essais critiques*, Le Seuil, 1964.

a raison et qu'il n'y a point de « critique universitaire ». Mieux
vaut laisser en paix le « lansonisme », d'abord parce que Lanson
reste un bon maître, qui n'est pas responsable des excès de ses
épigones [1], ensuite parce que, jusqu'à présent du moins, l'Université n'a jamais, Dieu merci, proposé ni imposé de doctrine
unique, résumable en un « isme » quelconque. Ceci dit, tout est-il
faux dans les remarques de Barthes? On voit mal comment
l'Université échapperait à la règle commune et comment
cette superstructure idéologique n'aurait aucune orientation
dominante, sinon dominatrice, dans une société elle-même fortement structurée. Bref, s'il y a dans l'Université des divergences, c'est au sein d'une certaine convergence, ou, si l'on
préfère, d'une certaine tradition. Entendue ainsi, non comme
doctrine, mais comme état d'esprit, il existe sans nul doute,
dans l'Université française, une tradition d'enseignement littéraire et de recherche critique (le simple examen statistique des
thèses de doctorat soutenues depuis le début du siècle le prou-
verait facilement). Cette tradition se fonde avant tout, bien
qu'avec des points d'application très divers, sur la connaissance
historique de la littérature, justement appelée « histoire littéraire ». Il faut se garder de simplifier. L'histoire littéraire elle-
même est multiforme, ici analyse biographique, là lexicographique, là encore étude des genres ou des générations, ou, plus
récemment, examen rigoureux de l'évolution des techniques littéraires. A côté de ceux qui semblent s'intéresser aux auteurs plus
qu'à leurs œuvres, et au contexte plus qu'au texte, il y en a
d'autres qui, comme Raymond Picard, et à juste titre, affirment
la primauté absolue de l'œuvre par rapport à l'événement, et
de la valeur esthétique par rapport au sens historique. Nul ne
contestera la validité et la nécessité de ces recherches dans le
domaine qui est le leur, et qui est essentiel. Nécessaire, cette
approche traditionnelle, de tendance généralement érudite
ou, en tout cas, empirique, s'est révélée, à l'usage, insuffisante.

1. Signalons l'opportune réédition, par les soins du professeur Henri Peyre, de
textes importants et parfois difficilement accessibles de Gustave Lanson (Hachette,
1965).

Cela, non en vertu de je ne sais quelle perversité d'âme chez des zélateurs de la nouveauté à tout prix, mais par l'effet du mouvement même de l'histoire contemporaine et par la contagion des problèmes qui se posent à la conscience d'aujourd'hui.

Parfaitement accordée aux valeurs idéologiques qui dominent la fin du xixe siècle et le début du xxe (raison, science, positivisme métaphysique et psychologique), la critique traditionnelle, prise non comme point de départ, mais comme point d'arrivée de la recherche, non comme enquête préalable, mais comme langage ultime, n'est plus à présent qu'une pensée vieillie, égarée dans la seconde moitié du xxe siècle et maintenue par la force d'inertie propre aux structures intellectuelles comme aux ensembles matériels. Il serait faux d'en conclure que la « nouvelle critique » est pour autant « anti-universitaire », pour la bonne raison que ceux qui tentent de la pratiquer sont des universitaires eux-mêmes. Ce qui frappe, au contraire, c'est qu'un Roland Barthes, un Lucien Goldmann, un Georges Poulet, un Jean Starobinski, un Jean-Pierre Richard, pour ne citer qu'eux, ont même vocation et même métier que Raymond Picard. Si guerre des critiques il y a, ce ne peut être qu'une guerre civile. Loin d'être une machine lancée contre l'Université, la nouvelle critique, pour employer désormais sans guillemets ce terme un peu vague et ambitieux, mais commode, est née du désir, chez certains universitaires, de mettre leur recherche à l'unisson de leur temps : d'où l'hostilité de nombreux collègues. Il existait, en effet, un étrange décalage entre l'académisme de l'enseignement littéraire et les activités de la littérature vivante. Au xviie siècle, les préoccupations des critiques et des dramaturges ou des poètes étaient les mêmes. Au xxe, il était difficile d'imaginer que Mornet fût le contemporain de Proust ou de Joyce. Or, on ne saurait perpétuellement vivre *décalé* par rapport à son époque, fût-ce dans l'enceinte protectrice de la Sorbonne. C'est donc dans la Sorbonne elle-même que la littérature, constituée comme mythologie avec Joyce ou Kafka, produisit, chez Bachelard, une critique des mythes. Comment voulait-on que l'écriture, conçue depuis Mallarmé comme contestation radicale du langage, ne trouvât enfin, chez Blanchot, sa mise en question critique? Ou que le renouvellement complet de la connaissance de l'homme apporté par Freud et les diverses psychanalyses n'eût ses échos dans l'analyse existentielle de Sartre ou l'analyse thématique de J. Starobinski ou J.-P. Richard? Fût-on décidé à rester sur le terrain même de l'histoire, voire de l'histoire littéraire, pouvait-on faire semblant d'ignorer Marx et de continuer à prendre l'histoire de la littérature pour une mystérieuse succession d'œuvres et d'auteurs, enfilés les uns à la suite des autres dans les manuels, comme les grains d'un chapelet, séparés des contradictions et des luttes réelles de leur époque? Bref, la nouvelle critique n'est rien d'autre, dans ses divergences évidentes, dans ses disparates criantes, que l'ouverture, longtemps différée, de la recherche universitaire au monde moderne.

On s'étonnera donc, à première vue, qu'un homme aussi intelligent et cultivé que Raymond Picard jette soudain l'anathème sur *toute* la nouvelle critique, prise en gros et sans la moindre nuance. Car enfin, cette nouvelle critique, où Raymond Picard aperçoit tout juste quelques talents fourvoyés, c'est Sartre, c'est Bachelard, c'est Blanchot, c'est Poulet, c'est, en un mot comme en dix, tout ce qui compte, depuis trente ans, dans l'effort de rénovation de la pensée française. Faudrait-il gratter trop loin pour découvrir que les ennemis mortels de la nouvelle critique n'ont souvent guère plus de tendresse pour le nouveau roman? Gageons qu'ils n'aiment pas à la folie la poésie ou le théâtre d'aujourd'hui. Imposteurs? C'étaient, ce sont toujours, pour les bien-pensants de l'Ouest et de l'Est, les abstraits en peinture, les concrets en musique. Bref, pour certains professionnels de l'humanisme, traditionnellement en retard d'une culture comme la France l'était d'une guerre, la République est toujours plus belle sous l'Empire, et l'on préfère toujours par goût l'art et la philosophie de Papa. On le sait. Pourtant, le misonéisme militant ne paie pas, et il faut à Raymond Picard, pour s'y livrer sans mesure, un certain courage, quand on connaît le sort que l'histoire réserve d'ordinaire aux Nisard et aux Doumic. Mais, diront les Anciens, est-ce qu'on est tenu d'aimer le neuf, s'il n'est pas raisonnable, et le nouveau, s'il est mauvais? C'est vrai, on ne saurait juger que sur pièces. Aussi bien les remarques précédentes ne constituent pas une réplique, mais un prélude. A la question impérieuse et tonitruante de l'accusation lancée à la cantonade : « ...dans quelle mesure la solidarité intellectuelle, affichée de façon si complaisante par les tenants de la nouvelle critique, doit jouer ici : se sentent-ils engagés dans le *Sur Racine*? S'y retrouvent-ils? On serait heureux de le savoir » (pp. 86-87), il est temps à présent de répondre.

II. BARTHES, L'UNIQUE OBJET
DE MON RESSENTIMENT...

Au commencement donc était Barthes. Il s'agit là d'une primauté qui n'est d'ordre ni logique ni chronologique, mais téra-
tologique, en quelque sorte. Le *Sur Racine* de Roland Barthes
— et c'est très racinien — nous introduit d'emblée à un pa-
roxysme : « Tu vas ouïr le comble des horreurs... » Ces horreurs,
Raymond Picard va consacrer plus de la moitié de son pamphlet à les dénombrer. Chef-d'œuvre à rebours, le livre de
Barthes apparaît comme « l'un des efforts les plus significatifs »
pour élaborer une nouvelle critique (p. 12), dont on commence
(pp. 9 et 10) par souligner le caractère inconsistant et rhapso-
dique. On pourrait alors se demander naïvement en quoi *un*
ouvrage peut bien représenter un mouvement auquel on refuse
au préalable toute unité, et en quoi ce qui incriminerait Barthes
viserait Goldmann ou Richard. La seconde partie du pamphlet
nous éclairera : cette unité, introuvable, mais postulée, des
nouveaux critiques, est une unité privative, celle des « erreurs
communes qui les rassemblent » (p. 87). En confondant l'héré-
tique par excellence, ce sont toutes les hérésies qui seront du
même coup démasquées, puisque aussi bien, sous leurs hypo-
crites divergences, elles s'éloignent toutes également de la
vérité. On ne saurait dénier à Raymond Picard une certaine
logique inquisitoriale.

Suivons de près l'accusation. Et d'abord, comment procède-
t-elle? Eh bien, comme au xviie siècle. La Sorbonne (au sens

théologique de Raymond Picard) va extraire un certain nombre de propositions coupables de l'œuvre de Jansénius, je veux dire de Roland Barthes. Les voici : « Néron est l'homme de l'enlacement »; « l'action tragique se définit par une relation entre le soleil et l'ombre »; « la tragédie racinienne est centrée sur la figure du Père »; utilisation d'une « sexualité obsédante, débridée, cynique »; hérésie de l'*homo racinianus;* péché stylistique de l'« habitat eunuchoïde ». Les six propositions ainsi extraites, il ne reste plus à la défense qu'à se demander 1º si elles se trouvent bien chez Jansénius, 2º si elles sont impies. Il faudrait ici un Pascal. Nous ne pourrons, hélas! que prêter nos modestes lumières.

Convoqué devant ce tribunal ecclésiastique, voici ce que je dirai. Je ne nie pas que Raymond Picard ait le droit absolu de n'aimer point le style de Roland Barthes. J'éprouve moi-même, de temps à autre, en lisant Barthes, un certain agacement, et si Picard ne goûte guère l'« habitat eunuchoïde » de Bajazet ou l'« imagination descensionnelle » de Racine, je ne prise pas particulièrement certains adjectifs éminemment barthiens : « informationnel », « événementiel », « viriloïde »... Picard a donc le droit, à l'occasion, d'être exaspéré et, si cela lui chante, de faire une crise de nerfs. On réagit au style comme aux hommes, par la sympathie ou l'antipathie. Roland Barthes lui-même est le premier à souligner, dans *Le Degré zéro de l'écriture*, ce qu'il y a d'humeur personnelle, biologique, dans le « style ». Pour répondre à la mise en demeure de l'accusation, qui fait grand cas de ces humeurs stylistiques, je réponds donc que je n'en saurais être « solidaire », ce qui serait littéralement absurde. Le style de Barthes, c'est lui, et il ne regarde que lui. Puis-je, cependant, faire observer que si toute écriture précieuse a ses inévitables ridicules, à commencer par Racine et à finir par Giraudoux, c'est être bien myope qu'avoir des yeux pour les seuls excès, sans jamais voir les réussites. « Brûlé de plus de feux que je n'en allumai... » Certes. Mais : « Dans l'orient désert, quel devint mon ennui... » L'un est la rançon de l'autre. Or, Barthes est un critique précieux, comme il y a des poètes pré-

cieux, qui confie volontiers à la pointe les prolongements de la
réflexion, et au paradoxe l'expression ironique de la vérité. Je
trouve remarquables (et parfaitement claires) des formules
telles que « il semble que chez Racine, le verbe aimer soit par
nature intransitif »; ou, dans son univers tragique, « l'ingratitude est la forme obligée de la liberté »; ou encore, « le possible
n'y est jamais rien d'autre que le contraire », et dix autres
traits de la sorte. « *Eunuchoïde?* Est *ovoïde* ce qui a la forme d'un
œuf. Le *deltoïde* a la forme d'un delta. Il s'agit donc d'un habitat
qui a la forme d'un eunuque. » Et Picard de s'esclaffer (p. 48).
Continuons ce beau raisonnement. Est « schizoïde » ce qui a la
forme de quoi? Se moquer de Barthes est bien, et sur ce point
précis, il le mérite un peu. Essayer de comprendre pourquoi ce
critique, que d'excellents esprits, à tous égards les pairs de
Picard, considèrent comme un grand styliste, tombe parfois
dans certains travers, serait encore mieux. De toute évidence,
Barthes est fasciné par les sciences, en particulier les sciences
humaines, dont il estime, à juste titre, l'apport capital. De là,
pour lui, la tentation permanente de mêler aux eaux pures de ses
diamants classiques les impuretés des vocables scientifiques. Les
aspérités du style ne font ici que refléter les difficultés d'une pensée qui aspire à réunir, par une épineuse synthèse, le bien-dire de
la littérature et le vrai-dire de la science. Je ne prétends pas que
Barthes ne soit point critiquable — qui ne l'est? Je prétends que,
pour critiquer son style *valablement*, c'est-à-dire autrement que
par simple réaction personnelle (car, en ce cas, qui s'intéresse aux
réactions de Raymond Picard, plus qu'à celles d'X ou d'Y?),
il fallait tâcher de saisir son intention première et de replacer
les mots incriminés dans le contexte d'un propos général.

Or, sur le plan de la discussion théorique autant que sur celui
de l'examen clinique, je trouve, dans l'essai de Raymond Picard,
la même carence. Il semble que Picard s'ingénie à justifier
Flaubert pestant contre les critiques : « *...au lieu d'entrer dans
l'intention de l'auteur*, de lui faire voir en quoi il a manqué son
but et comment il fallait s'y prendre pour l'atteindre, on le
chicane sur mille choses en dehors de son sujet, en réclamant

toujours le contraire de ce qu'il a voulu ». Ce qui me frappe, dans cette attaque systématique, c'est justement l'absence de tout système de pensée; dans cette dénonciation de l'incohérence chez autrui, le manque total de cohérence. Car enfin, la question, pourtant élémentaire, qui consisterait à se demander quel est le *sens* général de l'entreprise de Roland Barthes, fût-ce, en fin de compte, pour la condamner sans appel, l'accusation ne semble pas se l'être posée une seule fois. Tout irrité qu'il était, Raymond Picard eût pu se dire que ce Roland Barthes, auquel il reconnaît, çà et là, du talent, n'est ni un parfait imbécile ni un pur exhibitionniste, et que l'auteur du *Degré zéro de l'écriture*, qui avait si bien su saisir le mouvement de la littérature moderne, avait, en se tournant vers la classique, un certain dessein. Ce dessein, il eût fallu commencer par le chercher et le cerner, si l'on voulait comprendre (je ne dis pas justifier) les détails montés en épingle. Cet effort, Picard ne le fait pas un instant. Il prend ici une formule (l'homme de l'enlacement), là un concept (solarité, paternité), là encore, nous l'avons vu, un simple mot (eunuchoïde), et il glose, il épilogue, il ironise ou foudroie, selon l'humeur du moment. Cette critique qui grappille à droite et à gauche pour extraire, au petit bonheur, des propositions impies, qui s'en prend aux détails de style ou de pensée, sans jamais chercher un centre, cette critique à la fois bavarde et tranchante, tombe elle-même, la tête la première, dans le double péché d'« impressionnisme » et de « dogmatisme » qu'elle vitupère chez Roland Barthes.

En étudiant le théâtre de Racine, Barthes a une intention bien précise : appliquer une méthode « structuraliste » qui en permette une lecture nouvelle. Toute analyse implique un certain point de vue, un certain langage, et c'est l'impardonnable naïveté de la critique traditionnelle de croire qu'elle domine l'histoire littéraire en une sorte de survol absolu. Le « vrai Racine », le « Racine-en-soi », est le rêve aberrant de la métaphysique réaliste qui sommeille sous tant de travaux dits positifs. Barthes a donc décidé (et c'est un choix qui l'engage radicalement) d'étudier la dramaturgie racinienne structura-

lement, au sens que ce mot prend dans l'anthropologie de Lévi-
Strauss, c'est-à-dire comme un « jeu de figures purement rela-
tionnelles », dont il s'agit de comprendre le fonctionnement.
Or, puisque les structures dont il est question ne sont pas
sociologiques, mais psychiques, elles devront être décrites en
termes psychanalytiques (Père, Éros, etc.), étant bien entendu,
à la différence de ce que prétend faire la psychocritique de
Charles Mauron, qu'il s'agit uniquement de décrire les relations
objectives de l'univers racinien telles qu'elles se manifestent
dans les pièces, et non de les rattacher aux hypothétiques
aventures de l'inconscient chez l'auteur. L'économie extrême
des types de personnages et de situations dans le théâtre de
Racine, la constance de ses obsessions affectives, dont Charles
Mauron avait déjà remarquablement analysé la dynamique,
autorisaient Roland Barthes à tenter cette recherche [1]. Ou alors,
si on lui en refusait le droit, il fallait donner de solides raisons
théoriques, dont il n'y a pas trace chez Raymond Picard. Je
sais bien que celui-ci condamne, et là je suis d'accord avec lui,
l'emploi abusif des psychanalyses posthumes, basées sur des
renseignements incomplets; mais il y a une différence radicale
entre la douteuse autopsie mentale des auteurs morts depuis
des siècles, et la simple description, en termes psychanalytiques,
des rapports effectivement décelables entre les personnages de
leurs œuvres. Les arguments employés dans le premier cas n'ont
aucune portée dans le second. Et si l'on dénie toute valeur à
la psychanalyse comme langage, ce qui me semble une absurdité, la charge de la preuve incombe, en tout cas, à l'accusation,
non à la défense. Juger Barthes équitablement, ou même intel-
ligemment, c'était donc dégager d'abord le sens de sa tentative,
quitte à se demander ensuite, mais avec de solides raisons à
l'appui, si elle était valable, et s'il lui a été, en fin de compte,
fidèle ou infidèle. Rien de tel dans l'essai de Raymond Picard,
qui demeure, de ce fait, une simple diatribe.

---

1. Le linguiste Spitzer avait noté depuis longtemps que « Racine a peu de personnages sur la scène, mais il épuise toutes les possibilités de relations entre eux ».
Linguistics and Literary History, 1948.

Cela dit, les propositions incriminées sont-elles dans l'*Augustinus*, oui ou non? Je répondrai qu'elles y sont sans y être, puisqu'elles y sont bien, mais avec un sens dans le contexte duquel on n'a pas pris la peine de les replacer. Prenons les trois exemples sélectionnés par Picard : « Éros », le « Soleil », le « Père ». Il eût aussi bien pu choisir la Chambre, la Horde, le Trouble. Picard donc reproche amèrement à Barthes de faire intervenir partout une sexualité « obsédante, débridée, cynique » (p. 30). Et il est vrai qu'on trouve souvent des adjectifs tels que « sexué » ou « désexué », « phallique » ou le fameux « eunuchoïde ». Mais cette sexualité, qu'une vertueuse indignation nous présente comme débridée et cynique, Roland Barthes a précisément (et, selon moi, exagérément) pris soin de la vider de tout contenu sexuel : « C'est leur situation dans le rapport de force qui verse les uns dans la virilité et les autres dans la féminité, sans égard à leur sexe biologique » (*Sur Racine*, p. 25). L'abus que commet Barthes, si abus il y a, c'est de continuer à parler le langage psychanalytique, après en avoir ainsi changé le contenu sémantique, ce n'est pas d'être trop freudien, mais pas assez. L'indignation de Raymond Picard est, en tout cas, sans objet, et provient d'une simple erreur de lecture.

Le second point est plus complexe. D'après Barthes, « tout fantasme racinien suppose — ou produit — un combinat d'ombre et de lumière » (*op. cit.*, p. 18). « Partout, toujours, la même constellation se reproduit, du soleil inquiétant et de l'ombre bénéfique » *(ibid.)*. Cette constatation en soi n'a rien de révolutionnaire. Barthes note lui-même que le problème du « fétichisme des yeux » chez Racine avait été déjà abordé par G. May et J. Pommier. Et, dans son étude sur « Racine et la poétique du regard », J. Starobinski avait déjà fort bien montré l'importance centrale du fantasme lumineux, du jeu de l'ombre et de la lumière. Ce que Barthes essaie de faire ici, c'est de passer du plan de la signification psychologique, où ses prédécesseurs s'étaient arrêtés, à celui de la signification mythique. Une fois de plus, nous retrouvons Raymond Picard à l'œuvre, selon une méthode, ou absence de méthode, que nous connaissons bien à présent. « Partout... » « Toujours... » Il compte sur ses doigts; il en manque deux. « Alexandre, solaire, aime en Cléofile sa prisonnière; Pyrrhus, doué d'éclat, trouve dans Andromaque l'ombre majeure, etc. » (*Sur Racine*, p. 30.) Et *Bérénice?* Et *Iphigénie?* Picard triomphe. Un peu vite. Il serait facile à Barthes de retrouver un même rapport ombre-soleil entre l'empereur romain et la reine de Palestine, qui demande « Hélas! plus de repos, Seigneur, et moins d'éclat » (II, 4), ou une Ériphile captive et attirée invinciblement par un Achille incendiaire de Lesbos. Simplement, la relation va ici de la femme à l'homme, ou, en langage barthien, c'est l'ombre qui aspire à boire le soleil, non le soleil à se noyer dans l'ombre. Mais admettons que ce rapport existe de façon patente dans neuf tragédies sur onze : sa validité n'est en rien infirmée; ce qui reste à comprendre, ce sont les raisons de son absence dans les deux tragédies manquantes. Une absence, c'est aussi un mode de signification, quand on trouve, dans le reste de l'œuvre, une relation aussi constante. Pour ruiner la thèse de Barthes, il faudrait montrer qu'il n'y a aucun rapport significatif du solaire et du nocturne dans la thématique racinienne, bref, qu'un sens mythique est ici impossible à dégager.

Par deux fois, Raymond Picard approche du véritable problème, sans l'aborder carrément. Ne pouvant nier, et pour cause, une certaine présence obsédante des jeux d'ombre et de lumière chez notre poète, il reproche à la « solarité » de Barthes d'être une catégorie faussement explicative, puisqu'elle varie en fonction de ce qu'elle est censée expliquer. L'objection était presque juste : formulée ainsi, elle devient absurde. La catégorie « solaire » de Barthes n'est pas vraiment explicative, parce qu'elle est insuffisamment élaborée, parce qu'elle reste constamment allusive, parce qu'elle n'articule pas intelligiblement les structures du mythe personnel, chez Racine, aux structures constantes des mythologies solaires. Coupée de sa dynamique propre, et faute aussi d'un lien qui la rattache aux autres forces propulsives de l'imagination racinienne, la « solarité » devient une pure catégorie descriptive et statique, qui, en effet, n'éclaire pas suffisamment. Mais l'objection de Picard est tout autre : la solarité est un attribut moral chez Alexandre, un état de fait chez Néron, une particularité de la mythologie grecque chez Phèdre, etc. Un *concept* qui varie ainsi en fonction de ce qu'il vise est illogique. Mais il ne s'agit pas ici de concept, ni de relations logiques mesurables avec le mètre de platine déposé au pavillon de Breteuil. On se demande si Raymond Picard soupçonne l'existence de la pensée *poétique* ou tout simplement affective, qui trouve dans les éléments naturels la matière même dont se nourrissent imagination et sensibilité. Il est pénible d'avoir à rappeler de tels truismes, après les travaux de Bachelard. Que la catégorie émotive du « solaire » varie de signification selon qu'elle désigne divers niveaux d'activité (amoureuse, sociale, politique, voire intellectuelle, avec le *Midi le Juste* valéryen ou le *Partage de Midi* claudélien), c'est l'évidence même. La perception métaphorique, qui est au cœur de toute poésie, est une perception vraie du réel, simplement située sur un autre plan que la perception pratique ou scientifique. On ne saurait reprocher à une compréhension de la poésie de modeler ses catégories sur son objet, ni refuser à une critique de la métaphore d'être elle-même en partie métaphorique [1]. Barthes a donc raison de suivre, de pièce en pièce, le développement du mythe solaire chez Racine, aux différents étages et sous les différentes faces de son expression; son seul tort, c'est de ne pas l'avoir fait avec assez de précision et de rigueur. A cette réserve, toutefois, Raymond Picard ne trouve pas son compte,

1. Si la critique de R. Barthes se présente consciemment et fréquemment comme un enchaînement de métaphores, cela est vrai de toute critique, à commencer par celle de R. Picard, lorsqu'il nous dit, par exemple, que, dans *Andromaque*, « le trait de l'événement recouvre immanquablement le pointillé de la fatalité ». Quand Barthes donc dit de Néron qu'il est « l'homme de l'enlacement », point n'est besoin qu'il passe son temps, sur la scène, à enlacer ses partenaires. Il suffit que l' « enlacement » rende compte, comme c'est le cas, d'une certaine manière dont Néron s'agrippe aux êtres et aux choses, à la fois pour s'y affermir et pour les étouffer. On s'en veut d'avoir à donner de telles précisions, mais, apparemment, c'est le niveau où Raymond Picard a choisi de placer la discussion.

et l'on voit vite où il veut en venir. « Et puis, si M. Barthes
était arrivé à nous faire voir dans la tragédie racinienne un
mythe solaire, en serions-nous plus avancés? Il s'agit moins ici
d'une réflexion philosophique que d'un divertissement du type
Question : Qu'est-ce qui brûle? *Réponse :* L'incendie, le soleil,
mon cœur, le rôti... » (p. 23). A lire de pareilles balivernes, les
bras vous en tombent. Cela rappelle ce qu'il y a de plus niais
dans certain rationalisme à la mode au xviiie siècle, où l'on
croyait se débarrasser de la « métaphysique » par des plaisan-
teries. Car ce qui est, en définitive, reproché à Barthes, ce n'est
pas, reproche plausible, d'avoir insuffisamment poussé son
enquête, c'est de l'avoir entreprise. Or, il est proprement aberrant de ne pas savoir ou de refuser de savoir, en 1965, ce que
l'expression poétique et tragique, en particulier, doit à la pensée
mythique [1]. Si le tragique racinien, malgré ses dorures de cour,
nous émeut encore, c'est qu'il a su atteindre à ce « tuf archaïque », comme dit si bien Roland Barthes, c'est qu'il a su toucher
les grandes fibres archétypales qui commandent nos émotions.
Point n'est besoin d'invoquer ici Bachelard, ni Jung, ni Mircea
Eliade, ni Gilbert Durand : il n'est que d'avoir lu Aristote.
Comment veut-on qu'il y ait la moindre « catharsis » au théâtre,
si le drame n'est pas psychodrame, s'il ne projette pas, sur le
jeu de figures légendaires qu'il suscite, ce qu'il y a de plus
profond, de plus primitif dans nos « terreurs » et nos « pitiés »?
Il faut croire que ce n'est pas pur hasard, que Racine ait été
fasciné par certains thèmes de la mythologie grecque, comme
Corneille par l'histoire de Rome; ni simple coïncidence, si les
mythes grecs ont précisément servi d'illustrations au langage

---

1. Comme George Steiner le rappelle dans son récent essai, *La Mort de la tragédie*, « le déclin de la tragédie est inséparablement lié au déclin d'une vision organique du monde et de son contexte mythologique, symbolique et rituel » (p. 212).
On s'étonnera d'autant plus que Raymond Picard puisse écrire de pareilles inepties,
qu'il déclare, dans son introduction à *Phèdre* : « ...comme Platon dans *Er* ou *La
Caverne*, il (Racine) a mis en action sur le théâtre, servie par toute musique et toute
poésie, une explication métaphorique de la condition humaine : en vérité, la tragédie
de *Phèdre* est un mythe dramatique ». Mais il n'y a pas deux vérités, une pour
Picard, et une autre pour Barthes. *Phèdre* est bien un « mythe dramatique », et
Picard a raison, — *contre Picard.*

de la psychanalyse, voire de modèles à son enquête. Si tout
poète a toujours ressenti, depuis le début des temps, que la
condition humaine est, d'une certaine façon, le lieu d'une lutte
entre le Jour et la Nuit, l'Ombre et la Lumière (et plus que tous,
le poète admirable qui a pu écrire : « Et la mort, à mes yeux
dérobant la clarté, / Rend au jour, qu'ils souillaient, toute sa
pureté... »), tenter d'élucider le sens particulier que ce grand
affrontement cosmique prend dans l'univers racinien, c'est, de
toute évidence, nous faire parvenir à son centre vivant, au
foyer de son rayonnement intime. Que la tentative de Barthes
soit réussie ou non, cela reste, certes, ouvert à la discussion.
Rejeter comme insignifiante cette tentative elle-même, alors
qu'elle constitue le moyen d'accès à l'une des significations
essentielles, c'est, pour le critique d'aujourd'hui, une impardonnable cécité.

C'est, je crois, sur un point précis comme celui-ci, et mieux
que par tous les manifestes théoriques, que l'on saisit ce qui
oppose les nouvelles tendances critiques aux anciennes, et que
l'on touche du doigt les raisons mêmes de leur naissance et de
leur développement. La nouvelle critique vaut moins par ses
réponses, toujours contestables, que par les questions, essentielles et jusque-là méconnues, qu'elle pose : si nouveauté il y a,
elle est tout entière dans l'interrogation. Tous les commentateurs ont noté l'importance de l'hérédité et du « sang » dans le
théâtre de Racine : il s'agit d'en apprécier le sens exact. Roland
Barthes, pour sa part, voit dans le sang, « qui tient une place
éminente dans la métaphysique racinienne », « un substitut
étendu du Père » (pp. 48-49). Mais paternité comme sexualité
ont ici, pour Barthes, une signification particulière [1] : « Dans
un cas comme dans l'autre, il ne s'agit pas d'une réalité biologique, mais essentiellement d'une forme : le Sang est une anté-
riorité plus diffuse et partant plus terrible que le Père... Le

---

1. On comprend d'autant moins le reproche de R. Picard : « On ne sait donc exactement quelle signification donner aux termes de *Père* (avec une majuscule), d'*Éros*,
de *Faute*, de *Loi*, de *Sang* qui reviennent sans cesse » (p. 25).

Sang est donc à la lettre une Loi, ce qui veut dire un lien e une légalité. Le seul mouvement qui soit permis au fils est d rompre, non de se détacher » (p. 49). Loin donc d'avoir « décid de découvrir une sexualité déchaînée », ainsi que l'en accus Picard (p. 34), on peut dire que Roland Barthes fait juste l contraire : il épure les relations de la chair jusqu'à leur donne une transparence métaphysique : « La lutte inexpiable du Pèr et du fils est celle de Dieu et de la créature » (*Sur Racine*, p. 49) Si Barthes pèche, c'est par l'excès inverse de celui qui lui es reproché, et je crois personnellement que Mauron, en prenan plus littéralement les relations parentales, arrivait à une des cription plus précise et plus exacte : la faiblesse, à mon sens, d l'analyse « structuraliste », c'est de penser pouvoir rendr compte, par un combinat de figures et de signes opératoires, d mouvement concret de l'existence réelle, c'est de reposer su l'illusion que la réalité humaine est justiciable, en dernier res sort, d'une compréhension *scientifique*, alors qu'elle ne saura relever que d'une compréhension *dialectique* [1]. Quoi qu'il en soi Roland Barthes nous fait découvrir, au fond du rapport d paternité, une relation d'autorité, qu'il estime fondamentale, e c'est au niveau des luttes de puissance qu'il situe la contradi tion tragique de l'univers racinien. On peut ou non être d'a cord avec cette interprétation : personnellement, je la cro juste, mais avec d'importantes réserves dans les détails d l'analyse. Si je retrouve cette conclusion, c'est par d'autres ci cuits, et j'admets fort bien qu'on puisse la juger fausse.

Raymond Picard ne l'entend pas de cette oreille et, une fo de plus, ce n'est nullement la *validité* des interprétations d Roland Barthes qu'il conteste, en fin de compte, mais le *utilité* : « ...quel intérêt y a-t-il à constater que dans la tragédi comme dans n'importe quelle société humaine, tel individ pour des raisons politiques, familiales, spirituelles, a du pouvo ou de l'influence sur tel autre? » (pp. 39-40). Quel intérêt? I

---

1. Nous reviendrons en détail sur ce problème, dans nos seconde et troisièr parties.

question est plaisante, et confirme, si besoin était, la totale
incompréhension, déjà amplement manifestée à propos de l'importance du mythe. Il n'y a d'action tragique, chez les Grecs
comme chez Shakespeare, chez Corneille comme chez Racine,
que dans un univers de la *grandeur*. Les jeux tragiques sont
ceux de princes et de rois; et les malheurs humains, Corneille
le note, fût-ce à regret, dans sa préface de *Don Sanche*, « l'histoire dédaigne de les marquer, à moins qu'ils n'aient accablé
quelqu'une de ces grandes têtes... ». Ce n'est nullement par
hasard que la dignité tragique demande, comme le même Corneille l'enseignait ailleurs, « quelque grand intérêt d'État, ou
quelque passion plus noble et plus mâle que l'amour... ».
Comme nous le rappelait récemment encore George Steiner,
il n'y a rien de démocratique dans la vision tragique. Les personnages royaux et héroïques que les dieux honorent de leur
vengeance se situent plus haut que nous dans la hiérarchie... »
(*p. cit.*, p. 175). Pour qu'il y ait *chute* (et c'est, selon la définition d'Aristote, l'essence de la tragédie), il faut, en effet, qu'il
ait *hauteur* : le personnage comique, valet ou marchand, ne
saurait « tomber », puisqu'il est, par nature, « bas ». George
Steiner a bien montré que la vision tragique est toujours liée
à une civilisation aristocratique, et que le déclin de celle-ci
entraîne la mort de celle-là : quand le xixe siècle verra l'essor
de l'optimisme bourgeois et quand, fidèles disciples de Rousseau, les Romantiques auront décidé que le crime ne mène plus
à châtiment, mais à la rédemption, la tragédie aura vécu. Au
viie siècle, en tout cas, le sens de la grandeur se confond avec
ordre monarchique. Métaphysique et histoire ici coïncident :
est dans la mesure même où l'homme se veut « grand », politiquement et éthiquement, que plus grande sera la chute. Le
rapport d'autorité », la « relation de force », dont parle Barthes,
sont donc au cœur de l'univers tragique, comme ils sont au
cœur de l'univers monarchique. La crise du pouvoir sous-
tend les angoisses de l'orgueilleux Œdipe, roi de Thèbes; elle
imprime son sens au sacrifice de sa fille, Antigone; elle aiguise
agonie de Lear, dépossédé de sa raison par la dépossession de

son royaume. Il n'en saurait être autrement chez Racine. No[n]
en vertu d'une quelconque « loi du genre » relevant de l[a]
simple histoire littéraire : cette « loi », loin d'être un princip[e]
d'explication, doit être elle-même expliquée. Et c'est dans l[a]
rigueur avec laquelle il l'a précisément comprise, que réside, ic[i]
le génie de Racine. Que ce soit chez Pyrrhus ou chez Titus, che[z]
Agamemnon ou chez Mithridate, la crise du sentiment n'a d[e]
sens que dans le contexte d'une crise de pouvoir, moral et poli[-]
tique, sur soi et sur les autres. L'art suprême de Racine, c'es[t]
de nous montrer, dans le personnage de Néron, la quête amou[-]
reuse inextricablement liée à la volonté de puissance : c'est dan[s]
la mesure où il peut impunément s'approprier Junie, que Néro[n]
se libère effectivement de la double tutelle d'Agrippine et d[e]
Burrhus et qu'il s'affirme empereur; mais juste au moment o[ù]
il croit atteindre au pouvoir, son empire lui échappe dans l'alié[-]
nation érotique. Il n'est pas une tragédie de Racine qui ne soi[t]
fondamentalement, le spectacle d'une « relation de force » au[x]
prises avec un Éros subversif, qui compromet l'Ordre.

Tel est, finalement, le sens de l'« équation » de Barthes

A a tout pouvoir sur B

A aime B, qui ne l'aime pas,

laquelle irrite si fort Picard. La présentation peut déplaire, e[t]
j'avoue, tout comme Picard, la trouver inutilement mathéma[-]
tique : la critique, à aucun moment, n'est une « algèbre [»]
contrairement aux espoirs secrets des structuralistes. Mai[s]
encore une fois, si l'on peut trouver à redire à la lettre de l'inter[-]
prétation, on ne saurait condamner l'esprit qui l'anime, et q[ui]
doit guider toute recherche désireuse d'aller au-delà des su[r-]
faces. De la « horde » primitive à la Cour de Louis XIV, ave[c]
certes, des différences importantes, voire essentielles, qu[e]
Barthes ne marque pas assez (c'est ce que j'appellerai le *nivea[u]
politique*, où le *Sur Racine* ne se place jamais), il n'en reste pa[s]
moins que l'essence de la tragédie demeure fixée sur un confl[it]
primordial. Familial ou politique, moral ou théologique, d[u]
Père au Prince et du Prince à Dieu, un principe d'Autorité [et]
d'Ordre veut se soumettre la Nature, provoquant chez celle[-]

un désir inverse de révolte et de libération [1]. La tragédie, c'est l'échec radical de ces deux tentatives qui se heurtent et s'annihilent. On peut ou non être d'accord sur l'usage que Roland Barthes fait de la « relation d'autorité », voire sur la définition qu'il en donne ou qu'à mon tour, je propose; par contre, dire, avec Raymond Picard, que les rapports de « pouvoir ou d'influence » sont sans intérêt dans la tragédie, c'est, tout simplement, proférer une énormité.

« Se sentent-ils engagés dans le *Sur Racine* ? », demandait R. Picard aux « tenants de la nouvelle critique ». « S'y retrouvent-ils? On serait heureux de le savoir. » Les remarques précédentes me permettront de répondre. La nouvelle critique n'est ni une école, ni un club, ni une franc-maçonnerie. Il ne s'agit, pour ceux que tentent et qui tentent les chemins non battus, ni de se faire des sourires ni de se sentir les coudes, mais de confronter, au besoin, de contester librement, au grand jour, leurs découvertes. Charles Mauron n'aime guère la critique inspirée de Bachelard, et il le dit; entre l'intimisme de Georges Poulet et l'objectivisme de Lucien Goldmann, il y a un abîme; Jean Starobinski marque avec force ce qui sépare sa critique, résolument liée à la démarche de la philosophie, des travaux, psychanalytiques ou marxistes, à prétention scientifique. Je viens moi-même de montrer mes divergences, mes réserves sur maints aspects du *Sur Racine*, lesquelles, pour n'être certes pas celles de Raymond Picard, n'en sont pas moins importantes et réelles. « Solidarité intellectuelle affichée de façon si complaisante », s'écrie R. Picard. Complaisance? On vient de voir le contraire. Solidarité? De son style et de sa pensée, du contenu de ses analyses et de leur forme, j'estime, c'est évident, Roland Barthes seul responsable. Il ne parle ni pour moi ni pour d'autres, mais, comme tout écrivain, il ne parle que pour lui,

---

1. Les schémas dégagés par Ch. Mauron, dans son *Inconscient dans l'œuvre et la vie de Racine*, montrent bien la constance de cette double tension de domination et d'arrachement, également impuissants (notamment, pp. 25-26). Est-il besoin de souligner qu'il y a là description, en langage moderne et psychanalytique, d'un conflit dont était parfaitement consciente, au xvii⁰ siècle, la pensée janséniste, et qu'elle exprimait en ses propres termes? *Vide infra*, p. 233.

et c'est assez. Et pourtant, en un certain sens, oui, je me tiens pour solidaire. Quand, par des méthodes qui nous font régresser de trois siècles, on extrait des « propositions coupables », soigneusement dissociées de leur contexte; quand on ergote sur la lettre, sans s'élever franchement à l'esprit; quand on sépare des affirmations, des phrases ou des mots de la signification générale qui les porte, et qu'ils en deviennent dérisoires et absurdes, comme tout geste coupé de son intention, alors, à coup sûr, je me sens solidaire de Roland Barthes. La carence même du procédé par lequel on l'attaque me prouve le bien-fondé de sa propre recherche, entièrement tendue vers un sens global, considérant chaque élément d'un vaste théâtre comme une pièce d'un ensemble, et chaque partie comme liée à un tout. Mais il y a plus. Lorsqu'on incrimine non plus les conclusions, toujours discutables, de cette enquête, mais son objet; lorsqu'à chaque fois que, poussant au-delà des sens obvies du théâtre de Racine, elle indique des significations, existentielles et mythiques, plus profondes, on s'écrie : « inutile! sans intérêt! », alors je me sens, cette fois, tout à fait solidaire de Roland Barthes. Car, dans cette querelle que les Anciens cherchent ici aux Modernes, je vois pointer, sous le bicorne académique, l'oreille de l'obscurantisme.

III. ENFIN MALHERBE VINT...

Assez parlé de Barthes :

> *L'Académie en corps a beau le censurer,*
> *Le public révolté s'obstine à l'admirer.*

Puisque aussi bien la meilleure forme de défense, selon les stratèges, est l'attaque, portons un peu la guerre chez l'adversaire. Je veux dire, allons voir un peu ce qui se passe du côté de chez Picard et de ses amis. C'est, d'ailleurs, l'un de ceux-ci qui nous y invite, lorsqu'à la critique « prétentieuse » de Roland Barthes, il oppose les travaux de Raymond Picard, et nous les propose en modèle [1]. Si l'on estime bouchées les voies récemment ouvertes, et si le mot de la fin, selon Raymond Picard, c'est qu'il faut « chercher ailleurs — et surtout chercher mieux », qu'a-t-on à nous offrir? Je ne sais s'il y a une nouvelle critique, mais ce qui est certain, c'est qu'il y en a une ancienne, et qui a largement fait son temps. L'impressionniste prend une œuvre, la renifle; il va de sensation en sensation; il se raconte; il bavarde; suivant son talent, il nous intéresse ou nous assomme : de toute façon, ce n'est pas sérieux. La critique de chic tourne toujours au chiqué. L'érudit, lui, reste résolument à l'extérieur : il se défend d'entrer dans l'œuvre; il la tâte, il la soupèse; installé parmi ses fichiers, il cherche sources et influences; apprécier le sentiment de la nature chez Rousseau, c'est, d'abord, connaître le système des transports et les modalités du voyage au

1. Édouard Guitton, Lettre au *Monde* (13 novembre 1965). Nous retrouverons plus tard cette lettre.

xviiie siècle : le « sentiment » vient après, et plus tard, s'il en
reste. Ce n'est pas une caricature, c'est le sujet d'un cours
célèbre. Cette « intuition » et cette « érudition » sont, depuis
cinquante ans, les deux mamelles de la critique traditionnelle.
Encore qu'elles soient intarissables, il faut croire que leur lait
n'est plus guère nourricier. On s'aperçoit soudain qu'il y a les
œuvres elles-mêmes, et qui existent. Par une révolution de
palais, certains vont jusqu'à proclamer leur primauté, et je suis
heureux de constater que Raymond Picard est de ce nombre.
Je regrette seulement que, se faisant le champion du primat
des valeurs « esthétiques » et « proprement littéraires », il ait
surtout consacré jusqu'ici ses énergies à suivre, avec une inlas-
sable patience, la « carrière » de Racine dans tous ses méandres.
Passons. Ce qui compte ici, c'est moins la pratique, de toute
évidence, que la théorie.

Par opposition au délire subjectiviste et paralogique, pour
ne pas dire paranoïaque, de Roland Barthes, Raymond Picard
se propose de dire tout bonnement et modestement (ses amis et
lui, nous le verrons, sont de grands modestes), quoi? La *vérité*.
Ni plus ni moins. La vérité, s'il vous plaît, *objective*. Citons ce
passage d'anthologie : « Il y a une vérité de Racine, sur laquelle
tout le monde peut arriver à se mettre d'accord. En s'appuyant
en particulier sur les certitudes du langage, sur les implications
de la cohérence psychologique, sur les impératifs de la structure
du genre, le chercheur patient et modeste parvient à dégager
des évidences qui déterminent en quelque sorte des zones
d'objectivité : c'est à partir de là qu'il peut — très prudemment — tenter des interprétations » (p. 69). On se sent tout de
suite rassuré, on est en pays de connaissance. Car R. Picard ne
veut pas dire simplement qu'avant de faire des interprétations
littéraires, il faut une compréhension littérale et des connaissances indispensables, ce qui serait trop évident et quand même
trop modeste; non, il va plus loin, il va très loin, et nous présente une philosophie complète. La vérité, définie comme « l'accord des esprits entre eux »; l'objectivité, obtenue par l'accumu-
lation des faits d'où finit par émerger une hypothèse : c'est

Brunschvicg et c'est Lalande. Nous respirons, au bon temps
retrouvé du Spiritualisme et de l'Induction. Depuis, bien sûr...
La science moderne, devenue elle aussi délirante, n'attend plus
grand-chose de l'empirisme baconien; loin de construire des
concepts avec des fragments de réalité, visionnaire, elle invente
son propre univers en même temps que ses propres signes. Mais
la « cohérence psychologique »? Hélas! des Freud, des Jung,
des Adler sont venus compliquer, j'allais dire complexer, les
choses : avec les ambiguïtés, les ambivalences, l'« inconscient »
ou la « mauvaise foi », on ne sait plus trop bien ce qu'*est* un
sentiment ou un caractère. Quant aux « certitudes du langage »,
quel langage? Celui de Racine? A part le sens lexicographique,
qu'on arrive le plus souvent à définir, sa fausse transparence est
trompeuse et renvoie, nous le verrons bientôt, à de multiples
sens, ambigus, eux aussi, et malaisés à fixer. Notre langage?
Celui de Tout le Monde? Peut-on sans rire, à l'époque où, de
Joyce à Beckett, de Ionesco à Pinget, la littérature elle-même
est contestation absolue de ce langage, s'en remettre, pour la
critique, à ses pseudo-certitudes? Le ferait-on, peut-on impunément « comprendre » Racine avec les lumières de Joseph
Prud'homme? Peut-on s'écrier, avec Antoine Adam, que cite
Roland Barthes, que telle ou telle scène de *Mithridate* « émeut
ce que nous avons de meilleur »? De « meilleur », nous voilà
renseignés. Et qui, « nous »? Ce digne professeur? Le bourgeois
du xxᵉ siècle? Les Papous? A moins, bien sûr, que ce ne soit
l'Homme éternel. Il n'y a pas, et Roland Barthes l'a déjà dit
avec raison, de langage « innocent » ou « neutre ». L'imposture
de la critique ancienne, puisqu'on nous parle d'imposture, c'est
de prendre à tout bout de champ les lapalissades pour des
Idées platoniciennes et les platitudes pour des Vérités intelligibles. « La plupart des critiques s'imaginent qu'un coup d'arrêt
superficiel garantit une plus grande objectivité : en restant à
la surface des faits, on les respecterait mieux, la timidité, la
banalité de l'hypothèse serait un gage de sa validité » (*Sur
Racine*, p. 160). On ne saurait mieux dire. Il n'y a pas de certitudes *du* langage, mais celles de *divers* langages, que l'on est

amené, spontanément ou délibérément, à choisir. Mais, plutôt
que de discuter théorie, voyons les « vérités objectives » de
Raymond Picard à l'œuvre.

Un exemple nous éclairera. Pudiquement irrité par l'interprétation « sexuelle » que R. Barthes donne des relations d'Hippolyte et d'Aricie, selon laquelle Aricie « veut faire éclater dans
Hippolyte le secret de sa virginité, comme on fait sauter une
carapace », R. Picard rectifie cette erreur. La réalité est beaucoup plus simple et plus saine : « Son attitude est claire. Elle
aime Hippolyte, et, pour se justifier, elle observe qu'elle a toutes
les raisons de préférer, par exemple, à un coureur d'aventures
un héros fier qui n'est jamais tombé dans les faiblesses de
l'amour » (pp. 31-32). Donc Aricie aime *d'abord*. C'est un fait
brut, un peu comme un phénomène naturel. Elle aime, tout
bonnement, parce que c'est ainsi, sans savoir trop qui ni pourquoi. Un beau et noble sentiment, irrationnel, nous le savons
tous. Et *ensuite*, puisque l'être humain est *aussi* une conscience
et qu'il ne se met pas tout à fait à aimer comme le temps se
met à la pluie, Aricie se cherchera des raisons : l'amour du
chaste Hippolyte deviendra *rétrospectivement*, et selon le code
galant de l'époque, une « victoire » d'Aricie. Cette analyse,
dont son auteur semble croire qu'elle relève du sens commun,
implique, en fait, une position idéologique, une certaine métaphysique : les phénomènes mentaux sont des *données* de la
conscience, qui n'ont aucun sens intrinsèque, et sur lesquelles
se greffent *a posteriori* des significations postiches. Or, depuis
Brentano, on sait que toute conscience est intentionnelle;
depuis Freud, que toute conduite est signifiante; depuis Marx,
que toute pensée est intériorisation d'une situation objective.
Racine n'avait, certes, pas lu ces bons auteurs, mais, ce qui
revient au même, il avait du génie, c'est-à-dire la connaissance
intuitive de l'homme concret. Que l'on relise la longue confi-
dence d'Aricie à Ismène (*Phèdre*, II, 1), et l'on verra que
Racine, moins simple que ses exégètes, a réuni, avec un art
extraordinaire, toute la complexité, toute l'ambiguïté qui sont
au cœur de tout sentiment. Aricie commence donc par évoquer

en détail, avec insistance, sa *situation* : « Je suis seule échappée aux fureurs de la guerre. » Elle rappelle l'interdit politique que Thésée fait peser sur elle : défense de l'aimer. C'est dans cette situation que se produit ce qui ressemble le plus à un « phénomène naturel », le « coup de foudre » physique, que les bienséances s'emploient à souligner négativement :

> *Non que par les yeux seuls lâchement enchantée*
> *J'aime en lui sa beauté, sa grâce tant vantée...*

Mais l'attirance physique elle-même n'est pas sans signification : le corps parle. Tout comme l'impulsion soudaine qui pousse l'un vers l'autre la princesse de Clèves et M. de Nemours, dans le roman de Mme de La Fayette, *makes sense*, ainsi que dit si bien l'anglais, sécrète son propre sens [1], le pur élan de la chair vers Hippolyte est aussitôt pénétré, chez Aricie, d'un sens qui n'est nullement dissimulé, mais qu'avec une parfaite lucidité, elle nous découvre :

> *Mais de faire fléchir un courage inflexible,*
> *De porter la douleur dans une âme insensible,*
> *D'enchaîner un captif de ses fers étonné,*
> *Contre un joug qui lui plaît vainement mutiné :*
> *C'est là ce que je veux, c'est là ce qui m'irrite.*
> *Hercule à désarmer coûtait moins qu'Hippolyte,*
> *Et vaincu plus souvent, et plus tôt surmonté,*
> *Préparait moins de gloire aux yeux qui l'ont dompté.*

Le martèlement même des vers communique cette contention de tout l'être, cette volonté proche de l'irritation physique, qui poussent Aricie à se saisir d'Hippolyte, presque comme d'une proie. C'est cet aspect de violence que Roland Barthes a traduit, sur le plan sexuel, par la métaphore d'un viol. Mais le viol d'Hippolyte n'est pas sexuel; plus exactement, la sexualité est ici porteuse d'un sens complexe, puisque aussi bien toute motivation est surdéterminée. La victoire amoureuse

---

1. Cf. mon article, « *La Princesse de Clèves* : une interprétation existentielle », dans *La Table Ronde*, juin 1959.

d'Aricie sur le héros légendaire (ne l'oublions pas) de la chas-
teté n'est pas simplement celle d'une femme sur un homme,
mais d'une princesse captive sur un fils de roi vainqueur.
L'affrontement amoureux est aussi un *combat* : il s'agit de
« faire fléchir », de « porter la douleur », d'« enchaîner un captif »,
d'imposer un « joug ». Métaphores galantes tant qu'on voudra :
ce langage conventionnel, que le génie de Racine est d'avoir su
utiliser, comme toutes les autres conventions de son temps, à
ses propres fins, prend, dans une situation donnée, une signification précise. Ce combat amoureux est une *revanche* qui va
miraculeusement transformer la condition d'Aricie : de captive
humiliée (« triste jouet », « reste du sang d'un roi »), traitée par
Thésée en « criminelle » (V, 3), la voilà devenue toute « glo-
rieuse », supérieure à Phèdre, sa maîtresse réelle (« Phèdre en
vain s'honorait des soupirs de Thésée »), supérieure même au
héros des héros, Hercule (« Hercule à désarmer coûtait moins
qu'Hippolyte »). Le triomphe de ces « armes » galantes rétablit,
— grâce au seul de ses « neveux » échappé à la mort, — Érech-
tée, détrôné, dans son lustre. L'amour d'Aricie, comme toute
conduite, se comprend à partir de ses intentions : il est à la fois
rêve (retournement magique d'une situation, assouvissement
symbolique) et début d'entreprise (renversement du joug de
Thésée, couronné de succès, d'ailleurs, puisqu'elle en devient,
au dernier vers de la pièce, « la fille »). Aimer Hippolyte, pour
Aricie, c'est donc aimer *à travers Hippolyte* (au besoin, *contre*
Hippolyte), c'est nouer à travers lui, comme en tout amour,
des liens à la fois réels et imaginaires au monde, qui, d'un seul
et même coup, intègrent les élans de la chair à un destin personnel et intériorisent une situation historique. Bref, aimer, ce
n'est jamais un fait brut, c'est une conduite qui projette spontanément des possibles et qui se comprend à partir d'eux [1].

1. Je me séparerai sur ce point de l'interprétation de R. Barthes, qui rejoint
curieusement ici celle de R. Picard : « Il semble que chez Racine, le verbe aimer
soit par nature intransitif ; ce qui est donné, c'est une force indifférente à son objet
et, pour tout dire, une essence même de l'acte, comme si l'acte s'épuisait hors de
tout terme » (p. 58). En bon existentialiste, je ne saurais consentir à cette vision toute
freudienne d'une « force indifférente à son objet » : les « déplacements d'énergie »,

Il ne faut donc pas se hâter de corriger les « erreurs » de Barthes par les sursauts d'une sagesse des nations effarouchée, ni de voir dans des « évidences » psychologiques trop simples, pour ne pas dire simplistes, des « vérités objectives ». En critique pas plus qu'en philosophie, on ne saurait s'en remettre, sans une mise en question préalable, aux certitudes du sens commun ou du langage ordinaire, qui ne recouvrent souvent, en fait, que des insuffisances de pensée. C'est pourquoi les deux premiers points du contre-programme de Raymond Picard ne nous paraissent pas acceptables, parce qu'ils sont depuis longtemps dépassés. Venons-en à présent au plus important : le troisième.

pour parler le langage chosiste de la psychanalyse, sont toujours vectoriels; disons plutôt : toute conscience est intentionnelle. Quand aimer *semble* intransitif, il ne s'agit précisément que d'une apparence.

IV. QU'EST-CE QUE LE LITTÉRAIRE ?

Le chercheur patient et modeste disposait, on s'en souvient, d'une troisième béquille pour sa démarche prudente : les « impératifs de la structure du genre ». Nous sommes enfin au cœur du débat. Laissant Racine et Roland Barthes, Raymond Picard s'en prend aux « nouveaux critiques » en général : ils montrent une totale « indifférence pour les structures littéraires » (p. 119); ils ne croient pas « à la spécificité de la *littérature* » (p. 117). Ces gens se veulent « structuralistes » : il ne s'agit, toutefois, jamais des structures littéraires, qu'ils détruisent ou ignorent, mais des structures psychiques, sociologiques, métaphysiques, etc. Le malheur, c'est qu'à force de s'intéresser exclusivement aux « en-dessous de l'œuvre », selon l'expression de J.-P. Richard, les « nouveaux critiques » « ressemblent à un homme qui s'intéresserait aux femmes, mais qui, par une étrange perversion, ne pourrait les apprécier qu'en les regardant aux rayons X... » (p. 128). La « profondeur », si souvent alléguée par eux, n'est donc qu'un leurre, une pure métaphore : « La profondeur d'une expression est dans ce qu'elle dit, dans les implications de ce qu'elle dit, et non pas nécessairement dans ce qu'elle dissimulerait et révélerait à la fois. Pourquoi le profond serait-il lié à l'obscur et à l'invisible? » (p. 134). Cette belle profession de foi rationaliste place la querelle à son vrai niveau. Nous avions eu Brunschvicg et Lalande; maintenant, nous avons Valéry : c'est mieux. Car la vraie question, en fin de compte, n'est pas : « *Aimez-vous Barthes?* », mais « *Qu'est-ce que le littéraire?* » Raymond Picard, et nous lui en saurons gré, joue à présent cartes sur table. Nous abattrons, à notre tour, notre jeu. Mais,

comme la question est immense et qu'il ne peut s'agir, dans les
limites de cet essai, de traiter le problème dans toute son
ampleur théorique, je me bornerai à souligner quelques points
qui me paraissent essentiels.

Pour Raymond Picard, les choses sont fort simples, ce qui lui
permet de trancher net, en se réclamant de la plus pure tradition « classique » : « ...la littérature, c'est-à-dire l'activité volontaire et lucide d'un homme qui se livre, en fonction de normes
et d'exigences qu'il a faites siennes, à un travail d'expression »
(p. 138). Il s'agit donc de rapprendre à un siècle qui, depuis
Rimbaud et surtout depuis Dada et le Surréalisme, les a désap-
prises, « toutes les notions classiques relatives à la littérature ».
S'attacher, comme fait la nouvelle critique, à ce qui est *premier*,
vouloir toujours remonter au *primitif*, c'est élire l'« informe » et
le « brut », c'est, en un mot, « s'installer dans le pré-littéraire et
nier la littérature » (p. 137). Cette prise de position a le mérite
d'une totale franchise; elle pose aussi, très précisément, le
véritable problème. Remarquons tout de suite que ces affirmations, pour être énergiques, n'en sont pas moins gratuites, je
veux dire avancées, ou plutôt assenées, sans le moindre commencement de preuve. Or, ce « classicisme », quoi que Raymond
Picard puisse penser, n'est en rien une vérité d'évidence, qui
nous révélerait l'essence intemporelle de la littérature. C'est
une conception parfaitement datée, une façon qu'ont eue, au
début du siècle, certains esprits, dont Paul Valéry [1], d'exalter,
pour les opposer aux vices de leurs contemporains, les vertus

1. R. Picard a raison de se mettre sous l'égide du Valéry de la *Préface à Adonis* :
« Je ne déprise pas le don éblouissant que fait notre vie à notre conscience, quand
elle jette brusquement dans le brasier mille souvenirs d'un seul coup. Mais, jusques
à nos jours, jamais une trouvaille, ni un ensemble de trouvailles n'ont paru constituer un ouvrage. » Voilà pour le « brut » de Picard. « J'ai seulement voulu faire
concevoir que les nombres obligatoires, les rimes, les formes fixes, tout cet arbitraire,
une fois pour toutes adopté, et opposé à nous-mêmes, ont une sorte de beauté propre
et philosophique. » Voilà pour les « normes et les exigences ». Mais la position de
Valéry est, en fait, plus complexe. Il ne nie en rien la *primauté du primitif* : « Les
dieux, gracieusement, nous donnent *pour rien*, tel premier vers; mais c'est à nous
de façonner le second, qui doit consonner avec l'autre, et ne pas être indigne de son
aîné surnaturel » *(ibid.)*. On ne saurait mieux remettre au point les choses. On sait
aussi le sort que Valéry a fait, avec mille nuances d'attrait et de répulsion, à sa

supposées de la littérature classique. Ce n'est nullement une position « innocente », au sens que Roland Barthes donne à ce terme, mais une prise de position idéologique, impliquant une certaine vision philosophique, morale et politique, que Valéry, d'ailleurs, est le premier à nous proposer. Définir la littérature, c'est toujours, nous l'avons dit, définir une conception de l'homme. En l'occurrence, le « classicisme » que l'on invoque ici est, au sens plein, une attitude *réactionnaire*, destinée à tenir une ligne de défense esthétique et politique contre les révolutions modernes qui mettent en péril l'Ordre, dans les belles-lettres et ailleurs. Je n'y reviens pas. Pour l'instant, il convient de tirer les conséquences qui intéressent la critique.

Les « notions classiques », que Raymond Picard rappelle opportunément pour contrebalancer les divagations contemporaines, impliquent, en fait, une véritable *théorie de l'expression*, reposant sur un double postulat : 1º la signification « littéraire » authentique se situe au niveau de l'explicite (« ce qu'une œuvre dit et les implications de ce qu'elle dit »); 2º ce qui est dit, dans l'œuvre, coïncide exactement avec ce que l'auteur a consciemment voulu dire (« activité volontaire et lucide »). Bref, le signifié littéraire est tout entier épuisé par un signifiant en droit transparent : les mots, porteurs d'un sens univoque, pour le scripteur et le lecteur, communiquent directement ce choix intelligible qui constitue précisément l'écriture littéraire. Il y a donc, en conséquence, un triple accord, qui permet d'instaurer une critique *vraie* et *objective :* accord de ce que l'œuvre dit et de ce qu'elle veut dire; accord de ce que l'auteur veut dire et de ce que son œuvre dit; accord entre ce que je pense que l'œuvre dit et ce qu'elle dit (à condition, bien entendu, que ma lecture soit informée et intelligente). Dès lors, les tâches propres de la critique sont tout indiquées : elle devra montrer les significations claires de l'œuvre et les grouper, quand les implications sont complexes; elle devra, très exactement, *clarifier* l'œuvre (explication des textes). Elle devra aussi s'efforcer de

---

formule : « Au commencement était la Fable. » Valéry déborde donc de toutes parts le classicisme étriqué auquel il sert ici d'étendard.

ressaisir le mouvement par lequel s'est accompli, chez l'écrivain, le travail expressif (genèse des œuvres) [1]. Elle arrivera à un certain nombre de conclusions manifestes, sur lesquelles les esprits pourront se rencontrer et sortir ainsi de leur cloisonnement subjectif (vérité objective de la critique). Les « notions classiques » de R. Picard, sous couleur de nous rappeler aux évidences du bon sens, se présentent, en fait, comme une *sémantique optimiste*, dont il convient d'examiner les postulats de plus près.

Tout classicisme suppose, à l'origine, un vœu de pauvreté. Au xviie siècle, la littérature classique s'est constituée par un dénuement volontaire de la langue (rejet des mots bas, techniques, pittoresques), par un refus du foisonnement baroque, si riche dans les premières décennies, par une extrême stylisation des genres, dont Boileau s'est efforcé, après coup, de codifier les essences. De même, mais dans un tout autre contexte historique, c'est en refusant de s'intéresser au « brut », au « primitif », que R. Picard enferme volontairement la critique dans le domaine des significations claires. La critique, pour lui, c'est l'étude des produits finis; et la finition de l'œuvre littéraire, c'est le diamant d'une ultime clarté. Clarté, d'abord, de conception (« Ce qui se conçoit bien... »), clarté intellectuelle, puisqu'il s'agit de savoir « ce que l'œuvre dit ». Mais aussi luminosité esthétique : l'œuvre n'est pas, pour R. Picard, simplement un message, qu'il faudrait décrypter (il reproche même vivement à la nouvelle critique de considérer éternellement l'œuvre comme une énigme ou un rébus); l'œuvre est, avant tout, une réussite esthétique. Son *pourquoi* se confond avec son *comment*. C'est en acceptant la médiation des « normes » et des « exigences », qu'il trouve autour de lui ou qu'il s'impose, que l'écrivain transforme, par son travail, le matériau de construction en ouvrage d'art. « Tu m'as donné la boue et j'en ai fait de

---

1. Cette conclusion n'est pas expressément tirée par R. Picard, mais elle devrait l'être, en bonne logique. C'est cette logique que suit la critique « biographique » traditionnelle : à signification claire, genèse évidente (sources, influences, etc.). Nous verrons plus loin l'impasse à laquelle aboutit cette attitude.

l'or... » En ce sens, tout artiste est un orfèvre, et l'orfèvrerie, en
littérature, c'est l'agencement et l'ajustement des « structures
littéraires », dont les nouveaux critiques font bon marché et
dont, au contraire, les critiques sérieux feront l'objet principal
de leur attention. En assignant à l'enquête critique, comme
son seul domaine permis, celui des significations conceptuelles
et esthétiques, R. Picard donne, en fait, ce que R. Barthes a
très bien appelé un « coup d'arrêt » : « Pour un signifiant, il y a
toujours plusieurs signifiés possibles : les signes sont éternellement ambigus, le déchiffrement est toujours un choix » (*Sur
Racine*, p. 160). Dans la multiplicité des significations (historiques, sociologiques, métaphysiques, etc.), que R. Picard reconnaît lui-même à l'œuvre d'art, il élit donc, comme seules
valables, en bon disciple de Lanson [1], celles qu'il appelle « littéraires ». Reste à savoir si ce décret est légitime, ou, tout simplement, possible.

Qui te l'a dit? demande magnifiquement Hermione à Oreste,
coupable d'avoir confondu ce qu'elle *disait* et ce qu'elle *voulait
dire*, en réclamant la mort de Pyrrhus. Le critique peut-il être
aussi naïf qu'Oreste, sans être aussi coupable et peut-être aussi
fou que lui [2]? Car ce qu'Oreste découvre à son dam, et ce

----

1. Lequel espérait, disait-il, « n'avoir rien aimé ni blâmé que pour des raisons
d'ordre littéraire ».

2. La palme de la niaiserie satisfaite revient ici à J.-B. Barrère, dont il faut citer
la lettre au *Monde*, qui, dans son genre, est un véritable monument : « ... Aussitôt,
Pingaud vient à la rescousse avec une théorie du langage. C'est la tarte à la crème
de ces messieurs. J'en comprends l'intérêt lorsqu'il s'agit d'expliquer certains écrivains modernes par autre chose que ce qu'ils disent : c'est parfois souhaitable ou
même nécessaire. Mais M. Pingaud a-t-il réfléchi à la suite en chaîne de son argu-
ment? Si Barthes à son tour dit autre chose que ce qu'il croit dire, Pingaud est-il
sûr de le bien interpréter? Le simple lecteur, autre larron, est en droit de comprendre
autre chose que ce que Pingaud dit ou croit dire sur ce que Barthes croit dire en
disant ce que Racine selon lui voulait dire en disant ce qu'il a cru dire. Tout cela
devrait tomber sous le couperet du ridicule, si le ridicule tuait encore. » Ce dernier
souhait est sans doute imprudent, et l'on craindrait alors sérieusement pour le chef
de M. Barrère. Il est pour le moins étrange de voir ce critique, avec une gaminerie
déplacée à son âge, s'ébaubir et s'ébaudir bruyamment devant cette extraordinaire
découverte, que tout langage, y compris celui de Racine, de Pingaud ou de Barthes,
est ambigu, c'est-à-dire irréductible à une signification univoque. Il aurait, d'ailleurs,
pu s'épargner cet étonnement enfantin, en songeant qu'il fallait bien qu'il se glissât,

contre quoi vient, d'entrée de jeu, buter la critique, c'est, tout
bonnement, l'ambiguïté fondamentale du langage. Et cette
ambiguïté est triple : au niveau de l'*écriture*, de l'*écrit* et de
l'*écrivain*. Le postulat de R. Picard et de ses amis, c'est que ce
qu'une œuvre « veut dire » ne fait qu'un avec ce qu'elle « dit »,
seul l'énoncé conscient auquel l'auteur est arrivé constituant
le sens du texte. Or, c'est l'inverse qui est vrai. Selon l'excellente
formule de Bernard Pingaud, « ce qu'un écrivain veut dire ne se
confond jamais avec ce qu'il dit ». C'est là le postulat fondamental de tous les « nouveaux critiques », quelles que puissent
être, par ailleurs, leurs divergences les plus accusées. Il convient
donc de fonder cette affirmation sur le triple plan défini par
l'ambiguïté inhérente à toute expression littéraire.

La réflexion moderne sur le langage, à commencer par
celle de Husserl, montre qu'il présente une double face : il
énonce et il *manifeste*. Toute parole est porteuse d'une *signification* et dépositaire d'un *sens*, qui se situent à des niveaux radicalement différents. Au niveau de l'énoncé, le langage est
communication et instrumentalité. D'abord, au sens saussurien,
il se présente comme un système de signes, c'est-à-dire de
conventions impersonnelles, permettant l'union d'un signifié et
d'un signifiant dans l'acte de signification, sur fond d'un
ensemble opératoire, dont le fonctionnement est décrit par la
linguistique. C'est cet aspect du langage que met aussi en évidence, sur le plan philosophique, la tentative de Husserl, dans
ses *Recherches logiques*, pour établir une « éïdétique » qui fixerait

entre Racine et ses commentateurs, et parmi ses commentateurs à leur tour, quelque
équivoque, puisque, bien avant la venue de Barthes et de Pingaud, des gens pourtant
« sérieux » avaient donné, du théâtre de Racine, des interprétations absolument
contradictoires. Rassurons, toutefois, M. Barrère, soudain saisi de vertige : il y a
une différence dans le degré d'ambiguïté entre le langage explicite et conceptuel
de la critique et le langage implicite et affectif de la poésie. De sorte que l'on peut
(si l'on veut) comprendre parfaitement Barthes et Pingaud, sans jamais saisir intégralement Racine. Signalons aussi à M. Barrère que la réflexion sur le langage n'est
pas la « tarte à la crème de ces messieurs » : il se trouve que c'est, depuis le tournant
du siècle, un des thèmes de méditation majeurs des écrivains comme des philosophes.
Il n'y a qu'une critique empêtrée dans ses fichiers et, comme dit si bien le langage
populaire, « demeurée », pour ne pas le savoir — et s'en vanter.

les structures *a priori*, les formes de signification indispensables
à la constitution de tout langage empirique. Mais, si la signification est acte linguistique, elle est aussi action visant le monde;
système formel, le langage est aussi dépassement vers la chose
signifiée, transcendance. Quand je dis : « Il est dix heures », cet
énoncé a une signification objective, qui unit entre eux des
signes (mots) selon les conventions de la langue française, mais
qui, en même temps dévoile un état du monde, lequel, dans
une autre langue, s'indiquerait d'après d'autres conventions.
Dire : « Il est dix heures », si l'on me demande l'heure dans la
rue, est une réponse immédiatement déchiffrable, et qui s'abolit,
aussitôt comprise, comme référence à un état des choses. Mais
ce que l'« on » dit, c'est toujours « quelqu'un » qui le dit. A côté
de ce qui est dit, il y a toujours ce que quelqu'un veut dire, il
y a, par et à travers le langage, surgissement d'une présence
humaine, relation des hommes entre eux. Dire : « Il est dix
heures », à des compagnons qui attendent, peut vouloir dire :
« Mettons-nous en route. » Le signe ici est signal, où l'explicite
renvoie à l'implicite par un rapport simple et univoque. Tout
change, cependant, quand la parole laisse affleurer le Moi et
devient, en quelque sorte, modulation personnelle. Si j'attends
une femme, que je désire et redoute à la fois, et si je constate,
en ne la voyant pas venir, « il est dix heures », cette constatation qui *énonce* un fait parfaitement clair *exprime* une réalité
parfaitement équivoque : soulagement, regret, les deux à la
fois, ou peut-être ni l'un ni l'autre, détachement un peu désa-
busé (elle avait promis)? Je sais ce que je dis; qui sait ce que
cela veut dire? Dans cette phrase, comme le pronominal le dit
si bien, je m'exprime, introduisant au sein du « langage » la
« parole », selon la terminologie de Saussure, c'est-à-dire, en fait,
l'ambiguïté même de la conscience. La conscience étant précisément non-coïncidence avec soi, perpétuel décalage dans la temporalité et dépassement dans le projet, son langage n'est jamais
susceptible d'une traduction univoque. Pour que ce que l'on
dit coïncide exactement avec ce qu'on veut dire, il ne faudrait
jamais quitter le langage scientifique (fonctionnement rigou-

reux d'un système logique de signes) ou technique (opérations minutieusement réglées sur le monde)[1]. Si, selon le mot de Heidegger, « je suis ce que je dis », je suis toujours, en fait, au-delà de ce que je dis, et c'est pourquoi Freud a pu voir dans le langage l'« investissement » total d'une vie. En bref, Merleau-Ponty résume le mieux notre propos dans une admirable formule : « Ce que nous *voulons dire* n'est pas devant nous, hors de toute parole, comme une pure signification. Ce n'est que l'excès de ce que nous vivons sur ce qui a été déjà dit[2]. »

Or, si cela est vrai du parler de la vie quotidienne, c'est plus vrai encore, quand il s'agit de l'expression littéraire. Si l'humanité concrète est déjà excédentaire par rapport aux significations du langage où elle se projette, la littérature, à cet égard, est *l'excédent maximum de la parole*, l'excès le plus grand possible du signifié sur le signifiant, le débordement infini de l'énoncé manifeste par l'expression tacite. Comme le rappelle Sartre, « les plus grandes richesses de la vie psychique sont *silencieuses*[3] »; la littérature est faite d'autant de silences que de paroles; ce qu'elle *dit* prend son sens plein par ce qu'elle ne *dit pas :* et c'est précisément là ce qu'elle *veut dire*. La sémantique de R. Picard peut d'autant moins se réclamer du « classicisme », sur ce point, que la littérature classique est, par excellence, celle de la litote, celle qui, selon le mot de Gide, dit le moins pour dire le plus. L'art classique est précisément l'art de la *réticence*, sa fameuse « clarté », dont les traditionalistes de tout poil nous rebattent les oreilles, est l'inverse d'une transparence immédiate :

> *Mais rendre la lumière*
> *Suppose d'ombre une morne moitié.*

1. Sartre résume fort bien le fondement de cette ambiguïté de tout langage non scientifique, dans un texte récent : « J'utilise des mots qui ont eux-mêmes une histoire et un rapport à l'ensemble du langage, rapport qui n'est pas simple et puis, qui n'est pas strictement celui d'une symbolique universelle; des mots qui ont en outre un rapport historique à moi, également particulier. » « L'Écrivain et sa langue », *Revue d'Esthétique*, 1966.
2. *Signes*, p. 104.
3. *Situations II*, « Qu'est-ce que la littérature? », p. 201.

Nos critiques seront-ils plus valéryens que Valéry? C'est par un total contresens qu'ils croient pouvoir faire du xviie siècle une chasse gardée des significations limpides et réserver aux auteurs « modernes » les enfers de l'ambiguïté [1]. C'est dans cet écart incomblable entre les significations possibles et le sens total de tout langage, que loge la littérature et, plus qu'une autre, la classique. Montrons-le sur un exemple précis, que nous avions entr'aperçu.

Si je demande à un ami qui se plaint que sa femme le trompe : « Qui te l'a dit? », nous sommes dans la banalité. Quand Hermione, au contraire, crie à Oreste : « Qui te l'a dit? », nous sommes dans la littérature — et la grande. Pourquoi? Tout d'abord, cette interrogation ne saurait être séparée du discours racinien où elle s'insère; elle nous frappe comme le couronnement haletant d'une série rythmique :

> *Pourquoi l'assassiner? Qu'a-t-il fait? A quel titre?*
> *Qui te l'a dit?*

Ce discours se donne d'emblée comme une certaine modulation, une certaine « musique » verbales (disons, pour simplifier, qu'il s'agit d'une saisie poétique). Mais il est aussitôt évident que le sens poétique se double d'un sens psychologique, dans lequel il se fond : la succession rythmique est la progression d'un délire, où Hermione « oublie » commodément, et en ordre ascendant, la culpabilité de Pyrrhus (« Pourquoi l'assassiner? »), la mission assignée à Oreste (« A quel titre? ») et enfin — et surtout — sa propre responsabilité (« Qui te l'a dit? »). A peine ces sens établis, ils convergent vers un troisième : la beauté des vers, la souplesse de la psychologie ne sont pas des fins en soi; elles concourent à un effet *dramatique*, elles servent une exclamation finale qui éclate comme un « coup de théâtre ». Mais, à son tour,

---

1. Cf. le passage de la lettre déjà citée de M. J.-B. Barrère, où celui-ci concède l'intérêt possible d'une « théorie du langage », « lorsqu'il s'agit d'expliquer certains écrivains modernes par autre chose que ce qu'ils disent » (p. 34, note 2). Cette lettre, d'un art décidément tout classique, contient, pour ainsi dire, un maximum de sottises dans un minimum de lignes.

ce « coup de théâtre » n'en est pas un : ainsi que le montre fort bien R. Picard lui-même, « la pièce est donc jouée quand le rideau se lève... La surprise du *Qui te l'a dit?* est dès longtemps préparée [1] ». Cette fausse surprise, pour être pleinement appréciée, renvoie donc à un certain code qui n'est autre que le système dramatique de Racine tout entier. Ces différentes significations, imbriquées les unes dans les autres, définissent ce que R. Picard appellerait les « structures littéraires », ou encore la « valeur esthétique » de ce passage, étant entendu que *le sens esthétique épuiserait la totalité du sens littéraire.* Voilà « ce que l'œuvre dit et les implications de ce qu'elle dit » : vouloir chercher plus loin ou descendre plus bas est non seulement inutile, mais dangereux, puisque, nous dit R. Picard, c'est aboutir à « nier la littérature », que de fouiller dans ses « endessous ». Nous sommes exactement devant ce « coup d'arrêt », dont nous parlions précédemment. Mais on peut dire, de ce décret arbitraire d'une certaine critique, ce que Heidegger disait de la dictature du langage quotidien : « Celle-ci décide d'avance de ce qui est compréhensible, et de ce qui, étant incompréhensible, doit être rejeté [2]. »

En fait, la littérature déborde de toutes parts cette conception restrictive de la structure littéraire. On ne saurait empêcher les sens de s'appeler, de proliférer : la critique de Raymond Picard est un malthusianisme qui lutte en vain contre une explosion sémantique. Impossible, pour commencer, de s'en tenir aux formules de la « psychologie » traditionnelle, si l'on veut saisir adéquatement le comportement d'Hermione. C'est Picard qui nous l'indique fort bien, dans son propre commentaire de ce *Qui te l'a dit? : «* Et comment pouvait-il en être autrement? Le héros tragique se laisse conduire par les égarements passionnés de l'être aimé. Son action est dirigée par les errements de l'autre » (*ibid.,* p. 236). On ne saurait empêcher la signification « psychologique » de déboucher sur une véritable dialectique des rapports avec autrui. Et cette dialectique,

1. Racine, *Œuvres complètes,* éd. de la Pléiade, I, p. 237.
2. *Lettre sur l'Humanisme,* Aubier, p. 37.

on ne saurait non plus se borner à la constater ou à l'assigner
aux simples lois d'un « genre » (« le héros tragique se laisse
conduire... »). Ce n'est pas *le* héros tragique, mais Hermione,
une héroïne, qui vivra son rapport à l'Aimé selon les données
de la condition féminine (fille de roi, enjeu politique, etc.),
radicalement différentes de celles de la condition masculine. Il
s'agira donc non de formuler une vague loi générale, mais de
décrire, dans toute sa complexité, une aliénation particulière.
Pour cela, il faut évidemment disposer d'un certain instrument
qui ne peut être celui de l'analyse esthétique, encore moins la
simple « parlerie » quotidienne. Mais, avant même d'être un
rapport précis et pervers à autrui (dépossession radicale de soi
au profit de l'Autre), le *Qui te l'a dit?* est d'abord rapport faussé
à soi-même, il suppose cette forme d'aveuglement particulière
qu'est le mensonge à soi, la possibilité, pour une conscience, de
se mystifier autant que de s'aliéner. Cette possibilité, que
Racine ouvre à la fameuse « lucidité » de ses personnages
comme un gouffre où elle vient s'abîmer, il faut, pour la comprendre, disposer de certains schémas théoriques destinés justement à en rendre compte, — et cela, non pour se livrer à une
vaste et vague « interprétation » du théâtre de Racine, mais
simplement pour saisir sur le vif la nature et le sens des poussées passionnelles qui jettent les uns sur les autres ces « fauves »
dans leur « cage » (Giraudoux *dixit*). A cette fin, on s'aidera,
par exemple, des concepts de la psychanalyse classique de
Freud ou de la psychanalyse existentielle de Sartre, puisque
aussi bien nous voyons les significations psychologiques « passer »
sous nos yeux dans des significations existentielles.

S'arrêtera-t-on ici? Impossible. L'existence humaine, à son
tour, ne se comprend que comme rapport à l'Être; la signification existentielle débouche forcément sur une signification
métaphysique. C'est le même Picard, dont les analyses concrètes
valent mieux que ses théories, qui nous l'indique excellemment : dès que le héros « comprend qu'il ne dispose plus de
soi », dès qu'il « renonce à sa liberté », « tout se remplit de
dieux et commence le règne des puissances fatales » (éd. Pléiade,

I, p. 233). Belle formule : le surgissement des dieux chez Racine n'est que l'envers de l'abdication de l'homme. Les dieux, dont les regards et la malice poursuivent les mortels, sont les fantômes de leur mauvaise foi, la damnation qu'ils prononcent, c'est la condamnation qu'elle s'inflige. Mais alors nous rejoignons très exactement ce que disait Roland Barthes : « Dans Racine, il n'y a qu'un seul rapport, celui de Dieu et de la créature » (p. 55). Quand Hermione s'écrie : « Qui te l'a dit? », toute la question, en définitive, c'est de savoir *qui est qui*. Ce que la surface « psychologique » de l'émotion recouvre, c'est une crise d'identité volontaire, dans laquelle Hermione se jette pour se sauver. Car le *qui*, à la limite, ce n'est plus un Moi, ce n'est plus *personne* : « c'est Vénus tout entière à sa proie attachée »; c'est le Dieu qui s'agite en nous et qui vient combler ce vide qu'est l'âme humaine de sa visitation funeste. De plus en plus manifestement, dans le théâtre de Racine, jusqu'au délire divin de Joad, la bouche des personnages est un creux où les dieux soufflent des paroles. *Qui te l'a dit?* en ce sens, est la question centrale, l'unique question de la tragédie racinienne, dont l'interrogation angoissée d'Hermione constitue le premier stade encore confus, et à laquelle l'œuvre entière de Racine s'efforcera, peu à peu, de répondre.

Sommes-nous enfin rendus? A peine nous croyons-nous installés au cœur ombreux d'une théologie, que nous débouchons dans une clairière sociologique, où nous attend Lucien Goldmann. « Une œuvre d'art est à la fois une production individuelle et un fait social », disait Sartre (*Situations IV*, p. 33). Une « vision du monde », répond, à tort ou à raison, Goldmann est *d'abord* une vision collective, appartenant à un temps, une classe, un groupe, avant d'être celle d'un individu. Quoi qu'il en soit, l'examen des « structures littéraires » présente un rapport signifiant avec les structures sociologiques de l'époque, et du groupe janséniste de Racine en particulier. Cette théologie du paradoxe, ce héros tout entier déterminé et tout entier responsable, exprime, en un certain sens, sous le vêtement somptueux de la fable, l'impossible situation du bourgeois de robe, entièrement écrasé par le développement d'une monarchie centraliste, et pourtant entièrement loyal au monarque, héros tragique, lui aussi, et précisément, par la lucidité de son regard qui dévoile et démasque la Divinité qu'il sert [1]. La condition humaine vécue comme une atroce et indépassable contradiction, tel est le cœur du tragique [2]. Renvoyés des significations esthétiques immédiates à une signification existentielle, et de cette signification existentielle à une signification métaphysique, puis théologique, puis sociologique ou, plus largement, historique, nous voici donc renvoyés, pour finir, à une signification *esthétique* (et là nous serons d'accord avec R. Picard), mais plus large, enrichie, approfondie : celle de l'essence particulière du tragique, qui fonde la tragédie racinienne. Mais impossible ici de se rabattre, comme fait Picard, sur l'histoire littéraire, et d'invoquer les lois d'un « genre tragique », déjà fixé du temps de Sophocle et d'Euripide [3]. Nous l'avons déjà dit, l'histoire littéraire, loin de permettre ici de comprendre, demande à être elle-même comprise. Déplacerait-on le long du temps le problème de la tragédie pour aborder heureusement chez les Grecs, l'histoire ou la sociologie n'en doivent pas moins céder la place, en dernière analyse, à la réflexion philosophique. Le sens de la tragédie racinienne n'est pas ailleurs que chez Racine; il n'est ni en Grèce ni du côté de chez Jansénius : il est précisément dans la manière unique dont l'individu Jean Racine a absorbé et résorbé, pour en faire sa propre substance, les données diverses, voire contradictoires, de sa culture et de sa vie.

En bref, la simple exclamation d'Hermione a fait surgir devant nous une multitude de sens qui s'exigent mutuellement et dont, par définition, aucun n'est par lui-même suffisant, puisqu'il renvoie, pour être saisi pleinement, à tous les autres. Dès lors, dans cette polyvalence sémantique, il est vain de

---

1. Qu'on se souvienne des admirables réflexions de Pascal sur les rois et la royauté, prudemment expurgées dans l'édition de Port-Royal.
2. Cf. p. 21.
3. Introduction à *Phèdre, op. cit.*, I, p. 743.

prétendre découvrir et privilégier un soi-disant « sens littéraire ». Le « littéraire pur », comme la « poésie pure » de l'abbé
Bremond, est un mythe, qui ne résiste pas à l'examen. Je ne
nie pas un instant qu'il existe des « structures littéraires » et
des « valeurs esthétiques », selon l'acception que R. Picard
donne à ces mots; je ne nie pas non plus leur intérêt ni leur
importance, que j'estime, au contraire, capitale. Il y a un
niveau proprement esthétique de l'analyse, tel que j'ai tâché
de le définir en premier lieu, justiciable d'études particulières
et précieuses. Je songe à l'indispensable *Dramaturgie classique
en France* de Jacques Schérer, sans laquelle on ne saurait
comprendre la tragédie racinienne comme forme d'art, comme
expression *scénique*. Comprendre Racine, c'est, nécessairement,
comprendre qu'il a choisi de s'exprimer à la scène, et non dans
le roman, et que ce choix oriente le sens même de sa création.
Le style, la versification, l'écriture raciniens doivent faire l'objet
d'enquêtes minutieuses et approfondies. En un mot, il faut une
critique qui porte sur les modes fondamentaux de l'expression.
Il n'en reste pas moins que les significations littéraires sont
irréductibles aux seules significations esthétiques, aux seules
valeurs de l'euphémie consciente, où R. Picard semble voir le
tout de la littérature [1]. Les significations psychiques, existentielles, métaphysiques, historiques, éthiques, ne sont pas, comme
R. Picard le croit, des « ailleurs » par rapport à l'œuvre; elles
ne la relient pas à une « *autre chose* dont elle est l'expression
plus ou moins symbolique » (p. 114). Elles forment le tissu
vivant de la littérature; et un texte n'est rien d'autre, précisément, qu'une certaine *texture*.

Les images verticales sont ici trompeuses : il n'y a pas une
espèce de soubassement, le « pré-littéraire », et, au-dessus, sur-
gies on ne sait d'où, par miracle, des « structures littéraires »,
qui viendraient le coiffer. Si, de toute évidence, dans l'écriture,

---

1. Toute une grande tradition *moraliste* de la critique française sait d'ailleurs,
depuis les classiques, que « plaire » est inséparable d' « instruire »; et, de Sainte-
Beuve à P.-H. Simon, on sent d'instinct que le jugement esthétique inclut une
affirmation éthique.

le travail s'ajoute toujours à la trouvaille — première, toutefois, Valéry nous le rappelle —, et si l'œuvre est toujours un ouvrage, c'est-à-dire la mise en forme d'un matériau, le sens ne se promène pas, pour autant, à la surface, et la forme n'est pas, même par la pensée, dissociable de la matière qui la porte. La forme, d'ailleurs, c'est la matière irradiant son propre sens. Dans le domaine qui nous occupe, puisque le matériau de construction est le langage, la construction est *imbrication*, non étagement. Il n'y a pas de « haut » ni de « bas » et, sur ce point, les métaphores de certains critiques actuels peuvent contribuer à l'illusion : on ne *s'élève* pas plus au sens général d'une œuvre qu'on ne *s'enfonce* dans ses dessous. Si la « profondeur » reste une catégorie valable (et même la seule qui définisse la littérature), c'est à condition d'être bien entendue : elle n'est ni enchaînement d'implications claires et évidentes, à la manière cartésienne de R. Picard, ni descente, lampe de la psychanalyse en main, dans des abîmes de ténèbres. La profondeur est une vertu *possible* de l'ambiguïté, à condition que celle-ci ne traduise pas le flou de la pensée, mais la surdétermination du sens, qui manifeste la richesse même de l'humain [1]. Le sens est bien « contenu » tout entier dans les mots,

---

1. Il faut citer ici, car elle est plaisante, une autre de ces lettres au *Monde* (27 novembre 1965), qui, comme les lettres au *Times*, constituent d'étonnants sottisiers. Un certain médecin, pensant Barthes blessé à mort sur Racine, veut, contrairement à la déontologie de sa profession, l'achever sur Baudelaire. Barthes, en effet, citant Sartre, voyait dans le théâtre de Baudelaire, toujours projeté, jamais accompli, le signe de son « vaste fond de négativité » et, à la limite, l'image de son destin. Recherche du théâtre comme forme d'autodestruction? Allons donc. On nous exhibe triomphalement une lettre de Baudelaire : « Les dettes, c'est le théâtre qui les paiera. » Si Baudelaire songe à écrire pour le théâtre, c'est qu'il a besoin d'argent. N'est-ce pas tout simple? Car, bien entendu, ce désir d'écrire un impossible théâtre ne peut pas être *à la fois* désir d'argent et désir d'autodestruction, et les significations humaines ne sont pas ambivalentes. Il faut envoyer ce médecin faire un stage chez un confrère psychanaliste. Je ne me serais pas attardé sur cet exemple, s'il n'était représentatif d'un état d'esprit largement répandu chez beaucoup d'historiens de la littérature, qui croient naïvement détenir le *vrai* sens d'un texte quand ils l'ont mis en équation avec un fait extérieur. Ainsi procède souvent la « critique des détails » chère à J. Pommier. Si Racine invente le personnage d'Aricie, c'est qu'un héros trop chaste, à la Cour de Monsieur, eût été soupçonné de mœurs spéciales, et aussi que le héros tragique ne devant pas être parfait, Racine était obligé de rendre

mais il n'est pas donné tout entier à la fois : il ne se livre que selon certaines perspectives, il se fragmente selon la direction de l'attention. Une tragédie de Racine, si l'on est sous le charme des vers, est poème; si l'on suit l'action, elle est drame. Ce poème dramatique, relié par la réflexion à son auteur, exprime la vie d'un homme. Mais un homme et ses valeurs, c'est toujours un rapport à Dieu et aux autres hommes : c'est, en filigrane, une religion, une politique, une société. D'où la pluralité des critiques possibles, qui correspond à la pluralité des significations réelles. Le théâtre de Racine, c'est tout cela, en même temps et d'un seul coup; mais l'on n'y voit que ce que l'on regarde. La profondeur d'une œuvre doit donc s'entendre au sens *perceptif*, comme on parle de la profondeur d'un champ visuel, où la multiplication des points de vue n'épuise jamais le perçu et n'aboutit jamais à cette vision plane et totale qui étalerait devant elle son objet. Il y a donc bien des « niveaux » de signification, définis par le niveau de l'acuité perceptive; il y a des « couches » significatives, mais pas des strates. Le regard critique n'est nullement ce regard radiographique, que Picard reproche à ses adversaires et qui passerait à travers son objet. Et, pour reprendre sa comparaison, les nouveaux critiques ne sont point des vicieux qui n'aimeraient regarder les femmes qu'aux rayons X. Je dirai plutôt qu'ils refusent d'être ces libertins que sont les critiques traditionalistes, pour qui une femme n'est qu'un sac de peau, plus ou moins agréablement vêtu ou dévêtu, dont l'apparence immédiate fait tout le charme. Pour les nouveaux critiques, au contraire, un corps est plus

---

Hippolyte amoureux. Comme si ces conditions, du simple fait qu'elles étaient intégrées à une pièce, n'étaient pas, par là même, dépassées, et ne changeaient de sens, comme des signes algébriques changent de signe. De même, on nous dit que le « C'est toi qui l'as nommé » de Phèdre à Œnone, Racine n'a pas eu à l'inventer ni à l'adapter d'Euripide : il était déjà textuellement chez l'obscur Gabriel Gilbert. C'est possible; mais le sens de cet hémistiche célèbre ne saurait être *le même* chez Gilbert et chez Racine, pour la simple raison que le sens n'est pas dans le simple assemblage des mots : il est dans son rapport signifiant à la totalité de la pièce, à *Phèdre* comme apparition de la parole coupable, comme énonciation du Mal, ainsi que l'a bien vu Roland Barthes. Il s'agit là d'un contexte racinien, qui donne à cet hémistiche un sens racinien, où s'abolissent les sens importés des autres contextes.

3

qu'un corps, et ce que leur attention fait surgir, *sur* ce corps, c'est une âme, c'est-à-dire tout l'ensemble des significations humaines qui s'incarnent dans cette chair. De même, l'œuvre littéraire profonde — ou belle, les deux termes sont ici synonymes, — se définit comme la totalité, ou encore, la convergence et la confluence concrètes de significations indéfiniment multipliées et prolongées, qui, nous l'avons dit, s'exigent mutuellement et dont, par principe, aucune n'est par elle-même suffisante, puisqu'elle renvoie, pour être pleinement saisie, à toutes les autres. Si la valeur d'une œuvre littéraire est bien, en dernier comme en premier ressort, d'ordre esthétique, c'est à condition de comprendre que la « beauté » n'est pas un vernis adroitement posé sur un ongle plus ou moins sale, et que la critique devrait prendre soin de ne pas rayer. La beauté n'est rien d'autre que la plénitude d'une inépuisable richesse sémantique; et le génie de l'écrivain, c'est d'avoir su enfermer dans l'écriture le principe de son infini éclatement.

De cette vérité, la critique traditionnelle nous fournit, d'ailleurs, la preuve par l'absurde. Faute d'avoir compris que le chatoiement esthétique n'indique pas une surface, mais constitue une profondeur, cette critique, qui se veut littéraire, n'est le plus souvent que *littérale*. Ce n'est pas par hasard qu'ayant arbitrairement arrêté la signification à son niveau le plus immédiat, elle se complaît et se cantonne dans les recherches de sources, les éditions de textes, les compilations lexicographiques ou bibliographiques et les mille et un travaux d'érudition qui s'attachent, dans la littérature, à la lettre, et laissent l'esprit pour plus tard. Certes, il faudrait *aussi* parler des œuvres : « demain on rasera gratis », telle est, semble-t-il, la devise en la matière. Ou bien, quand délaissant pour un temps ces travaux d'approche, utiles, certes, mais préalables, on se décide à parler des œuvres, c'est-à-dire à tenter une critique d'immanence, c'est sans avoir les moyens de le faire. Michelet expose des idées sur l'histoire et la politique. C'est nous qui retournons la question de Raymond Picard : comme dit avec raison Roland Barthes, « quel intérêt y aurait-il à soumettre

Michelet à une critique idéologique, puisque l'idéologie de Michelet est parfaitement claire? » (*Essais critiques*, p. 271). Plus exactement, on peut, si l'on veut, discuter et apprécier les idées de Michelet, mais cela relève alors *d'une réflexion historique ou philosophique, non de la critique littéraire.* « Ce qui appelle la lecture, ce sont les *déformations* que le langage micheletiste a fait subir au credo petit-bourgeois du xixe siècle, la réfraction de cette idéologie dans une poétique des substances... » (R. Barthes, *ibid.*). De même, pour la critique, étudier Pascal ou Bossuet, ce n'est pas étudier leurs idées, et puis, à côté, leur style, ce qui ressortirait à la théologie et à la stylistique; c'est tâcher de saisir le tour personnel, l'accent propre que prennent ces idées générales dans le langage qu'ils leur donnent; c'est essayer de découvrir, par la façon dont ils s'expriment dans leurs œuvres, la manière indirecte, voire oblique, dont leurs œuvres les expriment. Au contraire, si, comme le soutient R. Picard, le rôle de la critique est de nous dire « ce que l'œuvre dit », la critique devient inévitablement une *redite*. Elle se borne à répéter en moins bien ce que l'auteur dit en mieux. Assigner à la critique, par une fausse épistémologie, le domaine des significations élaborées dans l'œuvre elle-même, c'est-à-dire le niveau de conscience et de communication auquel celle-ci est *déjà parvenue*, c'est la vouer à un recensement et un ressassement des évidences, c'est la condamner, en fait d'interprétation, à une éternelle *paraphrase*. Tel est bien, en effet, l'écueil contre lequel l'ancienne critique vient buter. Qui n'a subi, sur les bancs du lycée ou dans de plus ambitieux amphithéâtres, — pas toujours, certes, mais trop souvent, — ces fameuses « explications de textes » qui n'expliquent rien? On fait le catalogue des « idées » chez Shakespeare ou Corneille, le relevé des « passions » chez Racine ou Marivaux. On traduit, dans la platitude du langage ordinaire ou dans l'insignifiance d'un langage historique superficiel, « ce que disent les œuvres »; et, pour pimenter la traduction, on l'assaisonne de mots d'esprit et d'élégances de style, on la saupoudre de sel attique dérobé à l'arrière-cuisine des conférenciers à succès. On est tout fier de mettre Racine

dans une belle formule : « Oreste-qui-aime-Hermione-qui-aime-
Pyrrhus-qui-aime-Andromaque-qui-aime-Hector-qui-est-mort. »
C'est fort bien dit, et c'est en même temps ne rien dire. Car la
critique ne consiste pas à condenser brillamment ce que Racine,
plus brillamment encore, nous présente; ce n'est pas un spirituel démarquage, de l'esprit sur de l'esprit. S'il existe dans
Andromaque une curieuse relation circulaire qui finit par déboucher sur le vide, il s'agit d'en chercher la raison, et, pour cela,
de comparer la structure des rapports humains, dans cette tragédie, avec celles des autres pièces. Cette comparaison, qui
porte sur les œuvres de Racine et sur cela seul, nous ne pouvons
la faire que de notre point de vue et dans un langage qui est
le nôtre, au xxe siècle, et renvoie, autant que possible, à un
système conceptuel, adéquat à son objet et cohérent. Mais
nous avons alors changé radicalement de perspective, et nous
sommes passés de la critique ancienne à la nouvelle.

J'ai essayé de montrer, dans les pages précédentes, pourquoi
la « sémantique optimiste » de Raymond Picard, qui est celle
d'une longue tradition critique, me paraît irrecevable. En vertu
des dimensions mêmes du langage, ce qu'une œuvre « veut dire »
déborde toujours largement ce qu'elle « dit »; ce qu'elle manifeste est irréductible à ce qu'elle énonce, et fait pourtant partie
intégrante de son « sens »[1] : telle est l'ambiguïté fondamentale
de l'écriture ou, si l'on veut, son indépassable « polysémie ».
On retrouvera aisément ce phénomène, suivant la distinction
précédemment établie, non seulement sur le plan de l'écriture,
mais de l'*écrit* et de l'*écrivain*, c'est-à-dire en considérant non
plus simplement l'acte d'écrire, mais son résultat : le produit
fini, l'œuvre, et le rapport de ce produit à un producteur. J'ai
abordé ailleurs cet aspect du problème et reprendrai quelques
indications qui me paraissent essentielles[2]. Qui dit œuvre dit

1. Le *ton* sur lequel on parle change le *sens* de la phrase. On connaît l'exercice
qui consiste à lire *La Cigale et la Fourmi*, en rendant tour à tour celle-ci, puis celle-là,
« sympathiques ». Ceci est vrai, à la limite de toute littérature, et c'est pourquoi,
au théâtre, les rôles, bien que clairement et entièrement écrits, restent toujours,
pour l'acteur, à *interpréter*.
2. Serge Doubrovsky, *Corneille et la dialectique du Héros*, Gallimard, 1964. Le

toujours *objet* [1]. Objet de type spécial, certes, objet culturel et, plus précisément encore, objet esthétique, qui s'offre comme présence humaine déposée dans une matière et signifiante à travers elle. Naturelle ou esthétique, cependant, la perception suppose une relation du même ordre : l'objet ne se livre qu'à une conscience, mais la conscience ne constitue pas pour autant l'existence ni le sens du perçu, elle les découvre dans ce qu'elle perçoit. Comme tout objet, l'œuvre d'art révèle un nouveau « profil » à chaque visée, sans qu'on arrive jamais à une saisie totale qui épuiserait la richesse concrète du réel.

De cette situation ontologique, il découle un certain nombre de conséquences. L'œuvre achevée, c'est-à-dire refermée sur sa propre totalité organisée, ou, mieux, *organique*, offre le même foisonnement significatif, la même « polysémie » que l'acte instaurant l'écriture. Un fantôme hante la critique traditionnelle, qu'il faudrait, une fois pour toutes, exorciser. Il y aurait, quelque part, là-bas, au XVIIe siècle, un « vrai sens » du théâtre de Racine ou de Corneille, déposé dans les entrailles du temps, modèle initial qu'il faudrait seulement, tel le souvenir bergsonien, faire remonter à la surface. Il n'existe, pourtant, pas plus de Racine-en-soi que de chose-en-soi. Il existe (et c'est la seule réalité dont ait à connaître, comme telle, la critique) une œuvre, et, sur elle, une multiplicité ouverte de perspectives : le point de vue de Racine sur lui-même, de ses contemporains sur Racine, de l'historien ou du critique moderne sur Racine et ses contemporains. Y aurait-il, parmi ces points de vue, un point de vue-clé, qui échapperait aux lois spatiales et temporelles de la perspective? C'est, par principe, impossible, sauf pour Dieu, — qui n'est point critique. Une seconde illusion, liée à la première, consiste à croire qu'il suffirait de s'identifier à l'écrivain, de retrouver le cheminement exact de sa pensée, *d'être soudain*

---

présent travail continuant une réflexion commencée dans la préface théorique du livre précédent, on me permettra d'en reprendre ici certains passages.

1. Il s'agit là d'une première approximation, ou, si l'on veut, du *mode de présentation* du phénomène littéraire; en fait, nous le verrons (cf. pp. 53-54 et 90-91), l'œuvre est un faux « objet ».

lui, pour connaître enfin le « sens » de son œuvre (c'est cette
illusion qui anime un large secteur des recherches d'histoire
littéraire). La critique devrait, en somme, son existence à une
lacune, dans la mesure où les auteurs ont omis de faire accom-
pagner leurs œuvres d'un journal intime, leur marchandise d'un
mode d'emploi. Selon la logique de R. Picard, le sens de l'œuvre
étant dans l'ensemble de significations claires qu'elle propose et
cette clarté résultant d'une activité consciente et volontaire,
on comprend que le sens ultime de l'œuvre ne fasse qu'un avec
l'acte de création, ou, si l'on veut, avec sa genèse.

Nous dirons donc ici très exactement, à propos de Racine, ce
que nous avons dit ailleurs pour Corneille [1]. Impossible de
demander à l'écrivain, à sa « conscience » lucide et à son « travail » volontaire (et cela, malgré, parfois, les prétentions bien
compréhensibles de son orgueil) le *secret* de son œuvre. Lorsque
l'auteur cesse, en effet, de coïncider avec l'acte de création, sa
perspective n'est plus qu'une perspective parmi les autres, précieuse, certes, mais non privilégiée. La création divine devient
indépendante de Dieu : soyons, si possible, aussi modestes, pour
la création littéraire. On sait assez, depuis les travaux de la
philosophie et de la psychologie modernes, que la conscience
réfléchie ne coïncide jamais parfaitement avec la conscience
irréfléchie qui la porte. Le pût-elle, d'ailleurs, par miracle, la
distance qui sépare l'intention de l'acte resterait infranchissable : la page écrite est, de toute façon, incommensurable à la
page projetée. Si l'écrivain parle un langage, un langage parle
à travers l'écrivain. Les sens réels de la parole écrite débordent
de toutes parts les sens restreints de la parole voulue. Ou, plus
exactement, l'armature des significations volontaires soutient
le corps des significations possibles, dont certaines, par définition, se dérobent à l'auteur [2]. Bref, de son propos créateur,
l'écrivain peut seul décider : le « sens » de sa création lui
échappe doublement. D'abord, et cela *a priori*, eût-il toute la
« lucidité » du monde, l'écrivain n'est pas capable de se substi-

1. *Op. cit.*, pp. 11 et *passim*.
2. Cf. p. 192, note 1.

tuer au critique, dans la mesure même où un sujet ne peut se connaître en tant qu'objet [1]. Cette dimension *pour-autrui* d'une œuvre est, comme celle de l'incarnation pour la conscience, irrémédiable. Aux lois du perspectivisme « spatial » s'ajoutent celles du perspectivisme « temporel ». Loin que son essence signifiante soit figée en un éternel présent, l'œuvre d'art se projette vers un avenir indéfini et ouvert. On parle avec raison d'une œuvre « toujours vivante » : seul, en effet, l'ouvrage médiocre reste enfermé en son moment historique et culturel. L'œuvre de Racine ne peut plus changer, mais elle se transforme; elle ne peut plus progresser, mais elle peut s'enrichir; elle ne saurait être modifiée, mais, dans son rapport à de nouveaux esprits, dans son contact avec une nouvelle histoire, elle peut être renouvelée. « Tel qu'en lui-même enfin... » Vrai uniquement de la médiocrité. Il faut renoncer au rêve stérile des interprétations « définitives », du Racine *ne varietur*. L'œuvre insignifiante a une essence, l'œuvre magistrale une existence, c'est-à-dire une essence en devenir, qui reste pour toujours, et tant qu'il y aura des hommes, en sursis. Il n'y a point de sens donné une fois pour toutes et enfoui dans l'œuvre, qu'il conviendrait d'exhumer : la critique n'est pas une branche spéciale de l'archéologie. Outre que des sens divers et contraires coexistent dès la naissance de l'œuvre, — avec l'histoire, d'*autres* perspectives font, à leur tour, surgir d'*autres* sens du *même* objet.

Pour reprendre la terminologie de Raymond Picard, « ce que l'œuvre dit » et « les implications de ce qu'elle dit » ne constituent pas un ensemble significatif qui pourrait, à la limite, grâce à la patience d'une méthode ou l'éclair d'une intuition, devenir, au bout du compte, clairement et intégralement formulable. Comme tout existant, l'œuvre littéraire a « à être », elle se définit par les sens qu'elle *aura* tout autant que par ceux qu'elle *a* et ceux qu'elle *a eus* [2]. Elle projette dans un futur

1. « Sujet lorsque je parle, objet lorsque je m'écoute... » comme dit admirablement Brice Parain.
2. De ce point de vue, l'histoire de la critique n'est rien d'autre que l'histoire des sens *perdus* par les œuvres,

indéfini des possibles qui ne peuvent être figés à aucun moment donné du temps. Donc ouverture absolue, pluralité, ambiguïté insurmontables de l'écrit. Mais il y a plus, et il faut dénoncer une dernière illusion. Non seulement, nous l'avons montré, ce qu'un écrit veut dire ne coïncide jamais avec ce qu'il dit expressément; mais, puisque l'écrit suppose un écrivain, la compréhension de l'œuvre passe forcément, d'une certaine manière, à un certain niveau, par celle de son rapport à un auteur. Cette dimension nouvelle introduit une nouvelle complexité, dont toute théorie de la critique doit tenir compte. C'est même sur cet écueil que la « sémantique optimiste » de Raymond Picard déjà rudement ballottée, vient faire naufrage. Primat de l'œuvre certes : nous sommes bien d'accord. Mais à condition de s'entendre. Car l'œuvre n'est pas un phénomène naturel, un météorite tombé d'on ne sait quel ciel, « calme bloc ici bas chu d'un désastre obscur »... L'erreur fondamentale (partagée sur ce point par certains « nouveaux critiques », il faut le dire) [1] serait de prendre à la rigueur l'*objet* esthétique pour une *chose*. On me permettra de citer ce que j'ai écrit ailleurs : « En soulignant le primat de l'œuvre, nous n'avons pas voulu un seul instant promouvoir le formalisme dont s'inspire souvent la critique anglo-saxonne. Pour nous, le sens est bien dans la matière sensible de l'objet; mais l'objet ne se referme point sur lui-même de sorte que l'examen de ses structures ne renverrait à rien d'autre qu'au miracle de son équilibre interne. Tout objet esthétique, en fait, est l'œuvre d'un *projet humain*. Interroger l'œuvre et l'œuvre seule, comme nous disions précédemment, c'est donc tenter de saisir, à travers elle, l'appel d'un esprit au nôtre, pour nous proposer une quête et nous offrir, en définitive, un salut. A travers le texte écrit ou la pièce jouée, à travers la beauté des mots ou la rigueur de la construction, *un homme parle de l'homme aux hommes*. L'objet esthétique, sur ce point, ne constitue qu'un cas particulier des relations avec autrui, un mode spécial d'apparition de l'Autre » (*op. cit.*

---

1. Voir plus bas, notre section « Critique et Sciences humaines », pp. 90 *sqq*

p. 20). Ou encore, si nous percevons l'œuvre comme un ensemble
de structures littéraires, c'est à condition de ne pas oublier que
nous saisissons, à travers elle, selon la formule de J. Starobinski, « l'expression d'une *conscience structurante* [1] ».

Mais, dira-t-on, en quoi cela concerne-t-il la position de
R. Picard? Nous y venons. « Ce qui m'importe le plus dans
l'œuvre littéraire, ce n'est pas le monde obscur de tensions
anarchiques qu'elle dépasse par l'exercice même du langage
cohérent, c'est elle-même, ce qu'elle dit et ce qu'elle apporte
dans l'effort d'une expression qui se cherche » (p. 136). Notons
cette curieuse vision d'une littérature élaborée, en somme, « à
la troisième personne » : une œuvre ne *dit* rien, un homme *dit*
dans ou par une œuvre; une expression ne *se* cherche pas,
quelqu'un cherche une expression. Bref, l'objectivité ou, si l'on
veut, le « il » de l'œuvre, n'est qu'un moment dans l'expression
d'un « Je ». Dès lors, il est parfaitement vain, pour ne pas dire
absurde, de vouloir couper un « langage cohérent », seul digne
de notre intérêt, du « monde obscur » qu'il dépasse. Car dépassement implique toujours conservation. Dans le domaine de
l'art (je ne parle pas de la science ou de la technique, par
essence impersonnelles), le sens final de l'élaboré n'est pas détachable, comme une fleur de sa tige, du matériau qu'il élabore,
— ici des tensions et intentions qui animent une démarche subjective. C'est bien pourquoi Valéry voit avec raison, dans le
premier vers, un don des dieux, le travail poétique ne pouvant
se concevoir et s'exercer qu'à partir de lui, et « en consonance ».
Or, il n'est de consonance que par rapport à un son primitif,
où *le tout d'un être* vibre. Un poème n'est donc pas un objet [2],

---

1. « Remarques sur le structuralisme », *Festschrift für Hugo Friedrich*.
2. D'où l'absurdité d'une formule célèbre dans la critique anglo-saxonne : « A
poem does not have to *mean*, it has to *be*. » Être et signifier ne sont qu'une seule et
même chose pour le langage. Sur ce point, le témoignage d'un poète aussi lucide
qu'Yves Bonnefoy me paraît capital : « ...voici maintenant que je puis définir ce
que j'entends par la poésie. Nullement, comme pourtant on le dit si constamment
aujourd'hui encore, la fabrication d'un objet où des significations se structurent...
Cet objet existe, bien sûr, mais il est la dépouille, et non l'âme ni le dessein du
poème; ne s'attacher qu'à lui, c'est rester dans le monde de la dissociation, des objets,
— de l'objet que je suis aussi et ne veux pas demeurer; et plus on en voudra analyser

au sens ordinaire, mais un « objet-sujet », un moment objectif
où se projette une existence subjective, la conscience structurante du poète assurant seule, en dernier ressort, les structures
cohérentes du poème. Mais conscience structurante et conscience
fabricante ne sont point identiques : la seconde n'est qu'une
manifestation particulière et partielle de la première, le « travail
volontaire et lucide » servant simplement de révélateur à une
intention plus profonde, qui se cherche et s'exprime toujours
imparfaitement, parce que fragmentairement, à travers lui [1].
Faire et, en faisant, se faire : cette loi de l'existence humaine
vaut aussi pour l'écrivain. A aucun moment, la conscience de
soi n'est connaissance et possession absolues de soi : c'est parce
que, comme tout homme, l'écrivain se manque, que, pour se
trouver, il n'écrit pas, mais *continue à écrire*. Ce mouvement,
qui sous-tend son travail, donne seul son sens à l'œuvre, de
sorte que le travail de l'artiste ne confère pas son sens à l'œuvre,
comme le croit Picard, *il le reçoit d'elle*. Charles Mauron a donc
raison de voir dans la création littéraire un acte spécifique
d' « auto-analyse », par lequel le Moi appréhende et, d'une certaine façon, transcende le monde de ses pulsions internes, sans
que cette conscience intuitive soit jamais connaissance objective. La cohérence du langage littéraire, que Raymond Picard
prise si fort, n'est donc nullement d'ordre rationnel ou intellectuel, monnayable en significations abstraitement universelles
et impersonnelles, séparables à volonté du monde intérieur
dont elles sont issues.

les finesses, les ambiguïtés expressives, plus on risquera d'oublier une intention de
salut, qui est le seul souci du poème. Il ne prétend, en effet, qu'à intérioriser le réel
Il recherche les liens qui unissent *en moi* les choses. » « La Poésie française et le
principe d'identité », *Revue d'Esthétique*, 1965.

1. C'est ce qu'a parfaitement compris Jean Rousset, lorsqu'il étudie le rapport
des structures imaginatives et des structures formelles : « Aux structures de l'imagination correspondent de toute nécessité des structures formelles. Les mêmes principes secrets qui fondent et organisent la vie sous-jacente d'une création organisent
aussi la composition. Principes secrets : la composition, l'action sur les formes, les
parties de présentation, les choix techniques eux-mêmes sont commandés par les
forces et les suggestions implicites qui gouvernent obscurément l'artiste au travail.
Forme et Signification, xv-xvi.

La communication « esthétique », comme l'étymologie l'indique, s'établit sur le plan du « sensible », disons du vécu, non du pensé. Plus exactement, le pensé ici est la *forme* que prend le vécu qui s'exprime. On peut le montrer aisément pour les plus « esthètes » des écrivains, pour un Mallarmé ou pour un Racine [1]. Il est donc impossible de séparer un « littéraire » d'un « pré-littéraire », un « langage cohérent » d'une saisie affective, puisque aussi bien, esthétiquement, c'est l'affectivité qui donne au langage sa cohérence. Il n'y a là que différents niveaux expressifs d'une seule et même réalité. Si Picard a parfaitement raison de protester contre l'abus de la psychanalyse, quand elle prétend, sans en avoir les moyens, de façon simpliste, nous restituer l'hypothétique inconscient d'un auteur mort depuis des siècles et, en tout cas, toujours insuffisamment connu, il a parfaitement tort de condamner l'usage de concepts psychanalytiques pour comprendre les structurations affectives qui seules rendent compte des structurations esthétiques et, en fin de compte, du *plaisir* esthétique lui-même. L'approche psychanalytique, dans des conditions qu'il reste à préciser [2], est l'un des moyens d'investigation légitimes de la critique, mais non le seul, dès lors que l'œuvre littéraire n'est plus considérée comme une chose, mais comme un mode spécial d'apparition de l'Autre. Les relations proprement esthétiques se découpent sur le fond général des rapports avec autrui. A cet égard, le langage psychanalytique nous égare, s'il suppose à l'homme un « fond » secret ou, comme dit Picard, « un monde obscur de tensions anarchiques », qui se refermerait sur lui-même... Un homme est un réseau, un carrefour de relations concrètes à l'univers et aux Autres; il ne se rejoint et ne se définit qu'au terme de multiples médiations. Le « monde intérieur » n'est pas un vase clos, et le dedans n'est que l'intériorisation d'un dehors. A un certain niveau, la critique retrouve donc dans l'œuvre une

---

1. Pour Racine, voir en particulier le travail, déjà cité, de Charles Mauron; pour Mallarmé, la somme que lui a consacrée J.-P. Richard, *L'Univers imaginaire de Mallarmé*.

2. **Cf.** chapitre « Psychanalyse du thème », pp. 104 *sqq.*

histoire personnelle, en suspens dans l'Histoire. C'est dire qu'en
fin de compte, seule une fiction commode distingue absolument,
comme autant d'entités monadiques, « œuvres », « auteurs »,
« lecteurs », tournant chacun dans le vide stellaire, et qu'il faudrait ensuite mettre en communication. Ce qui est, en fait,
donné d'emblée, c'est une relation complexe, articulée selon
une dialectique qu'il restera à décrire. L'œuvre n'est pas un
musée que l'on visite pour se procurer d'agréables sensations
ou d'exquises cogitations, qu'il s'agirait ensuite d'inventorier
et de conserver dans les bocaux de la critique. L'œuvre est le
lieu d'une rencontre *totale* entre deux êtres, l'un qui se cherche,
se trouve, se perd dans une succession d'écrits qui sont comme
autant d'étapes d'une quête, l'autre qui prête la chaleur de sa
propre vie aux signes déposés sur la page morte et ranime le
mouvement de l'existence qu'il épouse, et dont il est à présent
responsable. La rencontre, certes, n'est possible qu'à un certain
degré de valeur esthétique, c'est-à-dire, selon notre définition,
de profondeur et de richesse des significations humaines [1]. En
ce sens, la critique, comme toute forme de littérature, est le lieu
d'une lutte avec l'Ange, elle retrouve, à chaque moment, à
chaque page, devant elle, cette totalité indécomposable et pourtant multiple, une et contradictoire, consciente et inconsciente :
l'homme. Il n'y a d'autre cohérence expressive qu'au niveau
existentiel.

C'est faute d'avoir pu ou su se placer à ce niveau que la critique traditionnelle s'est révélée insuffisante, pour ne pas dire
indigente. Attardée à élucider des sens littéraux ou à laisser
fondre l'œuvre dans la bouche comme un fruit de primeur pour
« fins lettrés », elle a tout simplement manqué l'essentiel : la
littérature. Je le montrerai sur deux exemples, instructifs, à
mon avis, et complémentaires. On connaît trop cette maladie

---

1. La valeur esthétique ne peut jamais résider dans la simple organisation interne
et la mise en œuvre technique d'un langage, selon les canons du Beau. Elle renvoie
obligatoirement à la réalité humaine que le langage exprime. José-Maria de Heredia
parle magnifiquement, mais il n'a rien à dire. Baudelaire est souvent terne et
assourdi, mais c'est un grand poète. La différence, ici, n'est pas dans la qualité
d'assemblage verbal, mais dans la qualité d'âme, ou mieux, d'être.

infantile de la critique, dont l'Université française commence
à peine à se remettre : « Andromaque, *c'est* la Duparc », « Pyrrhus, *c'est* Racine », etc. On pourrait croire, à première vue, qu'il
s'agit là d'une innocente manie, d'un passe-temps pour amateurs de mots croisés cultivés; or, il n'en est rien : c'est, en fait,
une méthodologie terroriste, qui a longtemps stérilisé, en France,
la recherche. Ce délire érudit prétend fournir un déchiffrement
intelligible, en mettant bout à bout un fragment d'œuvre et
un morceau de vie, également détachés de leur contexte et
rendus ainsi littéralement insignifiants. Roland Barthes a
dénoncé le vice et le vide de ce fameux « postulat d'analogie »,
— et, pour une fois, Raymond Picard est d'accord. On ne s'est
pourtant pas assez interrogé sur l'origine d'une si curieuse aberration, et qui a si longtemps prévalu. On a, à juste titre, invo-
qué le positivisme, idéologie régnante au moment où se jettent
les fondements d'une méthode d'investigation « scientifique »
des faits littéraires. Il faut aller plus loin et voir que, pour cette
critique « positive », comprendre son objet, c'est exactement le
détruire. Il est, en effet, extraordinaire que, si Andromaque
« est » la Duparc et Racine Pyrrhus ou Oreste, on ne se soit
jamais demandé *en quel sens*. A supposer qu'il y ait une analogie
de situation, en quoi la situation réelle éclaire-t-elle la situation
imaginaire, dont les traits sont déjà fixés par la légende; en
quoi la ressemblance que l'on déniche ajoute-t-elle à la compréhension? Et, inversement, ne faut-il pas se demander si la
situation imaginaire n'éclaire pas la situation réelle, si Racine,
en se projetant dans Oreste, ne nous livre pas un fantasme qui
jette un curieux jour sur son auteur? Bref, le double et capital
problème du sens du réel, inséré dans un contexte imaginaire,
et de l'imaginaire, inséré dans un contexte réel, n'est jamais
posé. Or, ce va-et-vient, ce rapport dialectique, ce n'est rien
d'autre, précisément, que la littérature. Pour le positivisme,
au contraire, il n'y a pas de dialectique possible : le seul rapport
concevable est celui d'*émanation*. Si Racine parle d'amour, c'est
qu'il est *à ce moment* amoureux, et tel détail de son œuvre
reflète telle circonstance biographique. Et si Racine avait cessé

justement d'être amoureux? Ou s'il rêvait de le devenir? S'il
écrivait par refus, par compensation? Il faudrait alors accorder
à la conscience une durée propre, un rythme et un mouvement
différents de ceux du monde; il faudrait, en bref, donner à
l'esprit une *réalité*, à comprendre et à connaître comme telle.
C'est ce que ne saurait faire une philosophie de la conscience-
épiphénomène, qui aboutit nécessairement à une conception
de la littérature-reflet. Puisque, selon la belle expression de
R. Barthes, la littérature, c'est la « subjectivité institutionna-
lisée », puisqu'il n'y a pas de subjectivité, il n'y a pas de littérature. Lire un texte, dès lors, c'est lire *à travers* un texte; viser,
au-delà des apparences de l'écrit, ses significations *vraies*, qui
sont celles du monde réel. Ainsi se constitue et se perpétue, sur
le cadavre de la littérature, le monstre de l'histoire littéraire [1].
Il a bien fallu, à la longue, s'apercevoir de cet excès. Pour
le corriger, on va tomber dans l'excès inverse, dont R. Picard
nous offre l'exemple. Afin d'arracher la littérature aux griffes
dévorantes de l'historicisme, on la hissera sur le piédestal de
l'esthétisme. L'œuvre littéraire, où l'on avait vu une pellicule
transparente, une glace sans tain derrière laquelle se profilait
l'histoire (de préférence, la petite), on va maintenant la durcir
en un objet solide et compact, dont il faudra étudier le processus de construction : « Le poète doit utiliser un matériau qui a
des propriétés données et qui lui résiste : le langage; et son
œuvre est déterminée par des lois, règles et conventions dont
certaines sont communes à toute la littérature, d'autres propres

---

1. Cette ambition destructrice est avouée, à la fois naïvement et cyniquement,
par Renan : « L'étude de l'histoire littéraire est destinée à remplacer en grande
partie la lecture directe des œuvres de l'esprit humain. » Notons que la meilleure
réponse est celle de Lanson : « Pour la littérature comme pour l'art, on ne peut éliminer l'œuvre, dépositaire et révélatrice de l'individualité. Si la lecture des textes
originaux n'est pas l'illustration perpétuelle et le but dernier de l'histoire littéraire,
celle-ci ne procure plus qu'une connaissance stérile et sans valeur. » Sur ce point,
malheureusement, les « lansoniens » sont plus souvent zélateurs de Renan que de
Lanson. Le désir de substituer l'histoire des textes aux textes eux-mêmes habite
toujours plus ou moins les historiens de la littérature. Dans un feuilleton récent,
Pierre-Henri Simon citait cette phrase révélatrice d'un biographe anglais de Proust :
« On peut se demander ce que connaissent de la *Recherche* ceux qui ne connaissent
que la *Recherche*. » Et Simon répondait avec raison : *l'essentiel.*

au genre considéré, d'autres enfin particulières à l'auteur lui-même. Ainsi se définit toute une technique qui est explicative de l'œuvre et qui, souvent, doit pouvoir rendre compte de l'effet produit sur l'amateur [1]. » On croirait lire une profession de foi des *new critics* américains, vers les années 30. Rien de plus faux (et la critique actuelle est, fondamentalement, une réaction contre cette erreur) que ce fétichisme d'un « ordre esthétique » refermé sur soi et trouvant en soi un sens achevé ou même suffisant. Rien de plus naïf que cette conception de l'œuvre comme une sorte de machine à produire des « effets » selon les recettes d'une « technique », que le rôle de la critique serait de formuler. Nous avons déjà vu que le littéraire n'est en aucune façon réductible à l'esthétique, ainsi entendu. Certes, le théâtre de Racine met en jeu des techniques, sur des plans divers, qui vont des règles de la grammaire et de la versification à celles de la dramaturgie. Ces techniques n'ont par elles-mêmes nulle vertu; on en trouve la théorie chez d'Aubignac et la pratique chez maints poétereaux de l'époque. Bien mieux, ces techniques sont ce qu'il y a de plus *vieilli*, de plus démodé dans le théâtre de Racine, et si son charme opère encore, ce n'est pas à cause d'elles, mais en dépit d'elles. Car ce qui soutient une technique, ce qui donne à ce corps de préceptes une âme, c'est (faut-il rappeler ce que disait Proust?) une *vision* [2]. Seule, la vision racinienne porte de bout en bout son théâtre; seule, elle éveille en nous l'émotion toujours renaissante, sous l'expression littéraire historiquement datée et surannée. Les « particularités » d'un auteur, c'est-à-dire le mouvement même de son existence, ne sont pas un simple addendum, un facteur qui s'ajoute aux autres, le terme d'une énumération : elles constituent la chair, la moelle de l'expression littéraire. Par une de ces bonnes intentions dont l'enfer est pavé, le respect de l'objet littéraire transforme celui-ci en *chose*, avec laquelle l' « amateur » (mot significatif) aurait des rapports de dégustation, l'art litté-

---

1. R. Picard, « Avertissement », *Œuvres complètes* de Racine, op. cit., t. I, p. xiv.
2. « ...le style pour l'écrivain, aussi bien que la couleur pour le peintre, est une question non de technique, mais de vision. » *Le Temps retrouvé*.

raire devenant une espèce d'art culinaire, dont la critique nous offrirait les recettes. On en arrive alors à une dichotomie étrange : d'un côté, on a un auteur, un Racine courtisan, un Rastignac des lettres, dont R. Picard suit patiemment la « carrière »; *et*, d'un autre côté, il y a son œuvre, que le même Picard nous présente séparément, sur un plan qui ne se recoupe pas avec le premier, comme porteuse de significations « esthétiques » et « psychologiques » intrinsèques et autonomes. Un auteur qui rampe sur terre, des chefs-d'œuvre qui tombent du ciel : débrouillez-vous comme vous pourrez. Bien « ingénus », après cela, les lecteurs dont Picard se gausse, et qui « se sont scandalisés de n'apercevoir aucune relation entre l'homme dont on retraçait la carrière et les tragédies », puisque Picard n'a pas *voulu* établir une telle relation, puisque précisément une telle relation est *impossible*. « Perspicaces », en revanche, ceux qui ont « bien compris que ce travail pouvait au contraire constituer une excellente machine de guerre contre la critique biographique [1]... ». Une vie mesquine, une œuvre géniale, sans lien intelligible entre elles : la littérature, en vérité, est l'enfant du miracle. Tant de positivisme, comme l'a fait remarquer R. Barthes, pour aboutir à « considérer l'œuvre comme une synthèse (mystérieuse) d'éléments (rationnels) » : Racine créera par une vertu créative, de même que l'opium fait dormir par une vertu dormitive. On n'a donc guère gagné au change, en passant de l'historicisme à l'esthétisme, et de l'école de Mornet à celle de Picard. Faute d'un système cohérent qui permette de comprendre comment une œuvre imaginaire consonne avec le plus profond d'une vie réelle (celle de l'écrivain et la mienne),

1. On saisit mieux la raison de cette curieuse réticence, notée plus haut (p. 33, note 1), chez Picard, quant au rapport de l'œuvre et de la biographie, que sa conception intellectualiste et volontariste de la littérature devrait au contraire être particulièrement apte à élucider. Par un étrange fétichisme, qui est sans doute réaction outrée à la profanation historiciste, il faudrait, pour assurer, l'autonomie esthétique d'une œuvre, en préserver la virginité. Le miracle de la littérature est celui de l' « immaculée conception », et la seule biogenèse acceptable est la parthénogenèse. Historiciste ou esthéticienne, faiseuse d'anges ou de vierges Marie, la critique traditionnelle ne sait que faire avorter ou canoniser la littérature.

faute, en un mot, d'une philosophie qui puisse saisir et embrasser des relations d'existence, la critique tombe de Charybde en Scylla, oscille entre des auteurs sans œuvres et des œuvres sans auteurs, et manque perpétuellement la littérature.

DEUXIÈME PARTIE

Introduction aux problèmes
de la critique actuelle

I. LA RECHERCHE DE L'UNITÉ

Que faire alors? Justement ce que Raymond Picard refuse de faire, aussi bien quand il considère la vie de Racine que son œuvre. On me permettra de citer deux textes qui me paraissent particulièrement probants. Sur la vie : « J'ai essayé de ne pas juger, de ne pas conclure, de ne pas réduire à une unité factice une multiplicité de comportements divers que Racine lui-même ne s'est pas préoccupé d'accorder; car il n'a guère introduit dans sa vie cette logique et cette lucidité qu'on croit reconnaître dans sa création esthétique » (*La Carrière de Jean Racine*, pp. 9-10). Sur l'œuvre [1] : « Tout cet appareil est en vérité très fragmentaire : il n'était pas question d'être complet, ni même systématique. Il importait surtout d'accumuler, sans trop craindre de paraître naïf ou scolaire, des remarques appar-

---

1. La critique universitaire sur Corneille (car il faut croire qu'il y a quand même une tradition universitaire) prête ici la main à la critique racinienne : « La richesse et la diversité de ces pièces majeures sont telles qu'à tout effort pour préciser des caractères communs, les objections surgissent; chacune, rebelle aux généralisations, reprend son individualité et son isolement. » G. Couton, *Corneille*, p. 94.

tenant à des registres aussi divers que possible, afin d'indiquer la multiplicité des voies où les études raciniennes peuvent s'engager [1]. » Il s'agit, dans les deux cas, de s'en tenir à une simple saisie *empirique*, à une chasse de Pan critique : il convient d' « accumuler » des notations, de collectionner, dans des « registres divers » de menues évidences. Le péché mortel serait ici de vouloir être « complet » ou « systématique », de chercher une « unité factice ». Ce qui existe, c'est le multiple : laissez parler les détails. Le sens vient, avec un peu de chance, au bout des faits accolés. Il faudrait « se laisser submerger par la richesse d'une œuvre », et ensuite, « qui voudrait approfondir son plaisir découvrirait peut-être dans ces observations dispersées une certaine convergence » (*op. cit.*, pp. xiv-xv). « Peut-être... » En somme, il n'y aurait qu'à prier et à espérer le miracle de la « convergence ». La nouvelle critique, pour sa part, refuse d'attendre Godot. Elle a, tout autant que l'ancienne, la conscience aiguë du divers, mais aussi la certitude que le divers se recoupe et converge, à condition, bien entendu, de le *faire converger*. La lueur du sens n'est pas une flamme qui s'allumerait toute seule en haut d'une chandelle. Bacon se trompait, et la critique traditionnelle est son dernier refuge : on sait depuis Descartes, que les faits parlent, mais qu'il faut *inventer* leur langage : une *méthode*, ce n'est rien d'autre, mais c'est tout.

Il n'entre pas dans mes intentions je l'ai déjà dit, de faire l'histoire de la nouvelle critique. On y consacrera un jour une thèse, qui décidera où elle commence, où elle s'arrête et qui elle inclut. Sur le plan où cet essai se place, je voudrais non pas énumérer ses directions, mais indiquer sa problématique. Ambiguïté, surdétermination, polyvalence significatives : les analyses

---

1. Éd. Pléiade, I, p. xiv. Bien entendu, il faut tenir compte ici du fait que nous avons affaire non à une étude d'ensemble du théâtre de Racine, mais à une série d'introductions à ses pièces, dans le cadre d'une édition générale. Ceci dit, nous avons bien là *un état d'esprit*, parfaitement explicite sur le plan biographique, et qui rejoint exactement l'attitude des confrères et collègues de Picard, tel Couton, en face des œuvres littéraires. *Vide supra*, p. 24.

précédentes auront réussi, je l'espère, à les mettre en évidence, à tous les niveaux. Ce foisonnement, pourtant, n'est pas une anarchie : il est *orienté*. Les sens multiples, que toute lecture fait surgir et qui passent les uns dans les autres, ne constituent pas un tourbillon, un tourniquet : ils s'articulent entre eux, autour d'une arête centrale; ils convergent vers un foyer. En d'autres termes, les *significations* diverses renvoient à un *sens* ultime, qui en fait l'unité intime, donnée dans la totalité concrète de l'objet : « Je dirai qu'un objet a un *sens* quand il est l'incarnation d'une réalité qui le dépasse, mais qu'on ne peut saisir en dehors de lui et que son infinité ne permet d'exprimer adéquatement par aucun système de signes; il s'agit toujours d'une totalité : totalité d'une personne, d'un milieu, d'une époque, de la condition humaine [1]. » Il faut ajouter : d'une œuvre. Il faut dire de l'œuvre d'art, *mutatis mutandis*, ce que Merleau-Ponty disait de la « chose », dont les aspects s'impliquent l'un l'autre en une plénitude absolue : « Impossible de décrire complètement la couleur du tapis sans dire que c'est un tapis, un tapis de laine, et sans impliquer dans cette couleur une certaine valeur tactile, un certain poids, une certaine résistance au son. La chose est ce genre d'être dans lequel la définition complète d'un attribut exige celle du sujet tout entier et où par conséquent le sens ne se distingue pas de l'apparence totale [2]. » Pareillement, le sens d'une œuvre sera son « apparence totale », c'est-à-dire la totalité de ses apparences. La perception critique correcte sera celle qui aura une « prise précise », qui saisira l'œuvre à la fois dans son *unité* et sa *totalité*, dans la communication concrète de ses aspects particuliers. Il s'agira de comprendre les parties par le tout qu'elles forment, et le tout, non comme une somme, mais une synthèse de parties liées entre elles. De même que la perception vraie tend à faire surgir, à travers la coordination systématique de ses profils, la cohésion plénière de la chose, nous dirons, avec L. Goldmann, qu'en

1. Sartre, *Situations IV*, p. 30.
2. *Phénoménologie de la perception*, p. 373.

critique, « le sens valable est celui qui permet de retrouver la cohérence entière de l'œuvre [1] ».

Unité, totalité, cohérence : je crois que c'est la devise commune à tous les nouveaux critiques, ou, si l'on veut, leur postulat commun. On a souvent dit que la nouvelle critique était une « critique des significations » : c'est, au contraire, une critique du *sens*, tel que nous venons de le définir. R. Picard cite, sur ce point, et il a raison, Charles Mauron, qui voit dans « l'œuvre entier de Racine comme une partition musicale unique, déroulant les variations d'une situation dramatique singulière », et J.-P. Richard, qui déclare : « La critique moderne mérite... le titre de *totalitaire*. Entendons qu'elle vise à ressaisir l'œuvre... dans sa totalité, c'est-à-dire à la fois dans son unité et dans sa cohérence. C'est une critique des *ensembles*, non des détails. » R. Picard aurait pu aussi bien citer, comme nous avons fait plus haut, L. Goldmann, ou Sartre, qui découvre, dans les personnages de Genet comme dans les actes de Baudelaire, « une modulation différente du thème originel », ou R. Barthes, pour qui la critique doit accomplir « sa nature de langage à la fois cohérent et total [2] ». On pourrait trouver, chez dix autres critiques, dix autres citations analogues [3]. Notons que cette recherche d'une unité significative, sous l'irréductibilité apparente du divers, commune à toute la réflexion philosophique post-hégélienne et aux sciences humaines, depuis la psychanalyse de Freud jusqu'au structuralisme de Lévi-Strauss, ne correspond pas seulement, dans le domaine de la critique littéraire, à un besoin théorique, mais à une exigence pratique.

On me permettra de quitter un instant Racine pour Corneille, sur lequel j'ai eu l'occasion de me pencher particulièrement.

---

1. *Le Dieu caché*, p. 22.
2. R. Picard, *Nouvelle Critique*, p. 107; Sartre, *Saint Genet*, p. 500; R. Barthes, *Essais critiques*, p. 271.
3. Ainsi cette belle définition de la lecture que donne Jean Rousset : « La lecture féconde devrait être une lecture globale, sensible aux identités et aux correspondances, aux similitudes et aux oppositions, aux reprises et aux variations, ainsi qu'à ces nœuds et à ces carrefours où la texture se concentre ou se déploie. » *Forme et Signification*, XII.

Ce sont les études les plus empiriques, les plus positives, les plus étrangères à tout souci de démonstration idéologique, qui ont le plus indubitablement prouvé que, dans cette œuvre vaste et variée, étirée sur cinquante ans et sollicitée par une infinie diversité de circonstances personnelles et historiques, les différences évidentes s'organisent autour d'une parenté profonde. Dans ses « Remarques sur la technique dramatique de Corneille » et dans une autre étude sur « L'Invention chez Corneille », Jean Boorsch, théoriquement hostile à ce qu'il appelle la « hantise de l'unité », en arrive pourtant, en fait, à montrer la convergence frappante et systématique des moyens d'expression scéniques de notre auteur. Analysant « le retour des personnages dans les comédies de Corneille », Jacques Schérer conclut : « Il crée des personnages d'une réalité telle qu'ils s'imposent à lui, et il a de son œuvre une vision d'ensemble. Le caractère synthétique de son théâtre comique pourrait encore être prouvé par deux autres recherches. L'une porterait sur l'analogie des situations et des thèmes de toutes les comédies... L'autre porterait sur la géographie sentimentale de ce Paris où se situent presque toutes ses œuvres comiques. » De façon encore plus nette et plus générale, une enquête purement statistique sur l'« imitation de soi chez Corneille », c'est-à-dire sur les emprunts textuels qu'il se fait constamment à lui-même, se termine sur cette prise de conscience : « ... La personnalité profonde de Corneille ne le prédisposait-elle pas à une certaine monotonie formelle? Il est obsédé par certaines situations, certains thèmes; il choisit volontiers des sujets de pièce assez voisins les uns des autres sous leur apparente diversité. Un sujet ne lui est pas seulement un prétexte à composer un bel ouvrage, mais une occasion d'exprimer une réalité cornélienne. » On ne saurait mieux définir les rapports de l'esthétique et de l'existentiel. Enfin, dans un article postérieur à sa grande étude, Octave Nadal indique exactement le travail qui restait à accomplir : « On n'a pas fait jusqu'ici le juste dénombrement des motifs-clés, ni marqué leurs rapports et leurs parentés internes. On apercevrait l'éblouissante richesse et la sûreté des

articulations de tous les thèmes traités depuis *Mélite* jusqu'à
Suréna [1]. » Convergence, caractère synthétique, obsession centrale définissant une réalité personnelle, motifs-clés, articulations : ces maîtres mots de la nouvelle critique sont spontanément retrouvés par la recherche empirique, quand elle est
suffisamment sérieuse et poussée. Cette volonté délibérée de
compréhension unitaire et totalitaire n'est pas, comme on
pourrait le croire à lire Raymond Picard, une aberration singulière de quelques intellectuels dévoyés et pervers; elle ne provient pas même de la pénétration des grands courants de la
pensée moderne dans le domaine de la réflexion littéraire :
c'est, tout simplement, une exigence fondamentale de la critique elle-même, parvenue à l'âge adulte.

1. J. Boorsch, *Yale Romanic Studies*, 1941, p. 101; J. Schérer, *Mélanges Mornet*,
p. 61; F. Rostand, *L'Imitation de soi chez Corneille*, p. 10; O. Nadal, « L'Exercice
du crime chez Corneille », *Mercure de France*, 1951.

II. LA CRITIQUE COMME PHÉNOMÉNOLOGIE

Donc, comme disait Léo Spitzer, « l'époque est révolue où le critique pouvait lire un chef-d'œuvre en prenant ses aises, sans ressentir l'obligation de relier les parties au tout, témoignant ici son approbation, là sa désapprobation, selon l'humeur momentanée de sa sensibilité eudémoniste [1]... ». *Relier les parties au tout* : telle est bien la démarche fondamentale de la pensée moderne, laquelle ne fait que continuer sur une lancée séculaire. Ainsi que le même Spitzer nous le rappelle, et sans remonter jusqu'au Platon du *Phèdre*, Schleiermacher disait déjà qu'en philologie, « le détail ne se comprend que par le tout, et une explication du détail présuppose la connaissance de la totalité ». Dilthey parlait de « Zirkel im Verstehen », de « compréhension circulaire ». Or, tout cercle tourne autour d'un centre, et une compréhension circulaire, à moins de s'éparpiller et de se volatiliser, doit être unitaire. Lorsque Taine assignait à la critique la tâche de « donner le spectacle des admirables nécessités qui rattachent entre eux les fils innombrables, nuancés, embrouillés, de chaque être humain », il se trompait sur les moyens, non sur les fins. Disons que la critique moderne se veut saisie d'une cohérence entière. Elle se proposera donc, en premier lieu, la mise en évidence, dans l'objet considéré, de *structures*, c'est-à-dire d'un certain arrangement, d'une certaine articulation internes tels que les parties ne se comprennent que par la totalité qu'elles forment, et les détails ne signifient que par

1. *Linguistics and Literary History*, p. 129.

l'ensemble où ils s'insèrent [1]. Notons que ces structures, ou, si l'on veut, ces totalités signifiantes et cohérentes, ne sont en rien l'apanage de la critique littéraire : elles se découvrent à tous les niveaux où s'opèrent les rapports de l'homme et du monde : perception (structures de la chose, étudiées par les gestaltistes), activité (structures du comportement, analysées par Merleau-Ponty), parole (structures linguistiques), art (structures esthétiques). Ce n'est pas le lieu de se livrer ici à une philosophie, voire à une métaphysique de la structure [2], mais d'indiquer seulement les conséquences méthodologiques, dans le domaine qui nous intéresse. L'étude des structures littéraires relève d'une *phénoménologie* propre, c'est-à-dire de la description d'une organisation, mieux, d'une organicité interne de l'œuvre. Comme j'ai essayé de le montrer sur un exemple précis, comprendre l'exclamation d'Hermione : « Qui te l'a dit? », c'est, bien sûr, la replacer dans son contexte poétique, psychologique et dramatique immédiat (premier hémistiche d'un vers d'une certaine scène, prononcé par un personnage donné, dans une situation donnée). Un sens est d'abord fragmentaire; il signifie par ses entours, et dans les cadres où il s'inscrit pour une perception concrète. C'est ainsi, notamment, qu'au théâtre, le sens de la tragédie se livre peu à peu, de proche en proche, d'émotion en émotion : on dit fort bien qu'une pièce est « captivante ». Mais la durée vécue de la conscience fascinée n'est pas celle de la conscience réflexive [3] : le temps du critique, qui lit à loisir et

1. C'est encore Proust, cité par Spitzer, qui a le mieux défini la notion de « structure », quand il fait observer que « les œuvres d'art achevées » sont celles « où il n'y a pas une seule touche qui soit isolée, où chaque partie tour à tour reçoit des autres sa raison d'être comme elle leur impose la sienne ».

2. En ce sens, le grand philosophe de la Structure, c'est Hegel, pour qui, comme Sartre nous le rappelle (*Situations III*, p. 145) : « La structure du concept n'est pas la simple juxtaposition d'éléments invariables qui pourraient, le cas échéant, s'associer à d'autres éléments pour produire d'autres combinaisons, mais une organisation dont l'unité est telle que ses structures secondaires ne sauraient être considérées à part du tout, sans devenir « abstraites » et perdre leur nature. »

3. Il s'agit toutefois d'une différence dans le niveau, mais non dans la nature de la compréhension : la perception, même immédiate et fragmentaire, du sens reste *structurée* : les vers, les scènes ne se comprennent que par cette « attraction qu'exercent l'avenir sur le présent et le tout, alors même qu'iln'existe pas encore,

parcourt l'œuvre en tous sens, n'est pas le temps univoque du spectateur rivé au déroulement du spectacle. Le cri d'Hermione, lu, n'est plus le cri entendu : il exige de nouveaux contextes; des cadres de signification plus lointains, mais tout aussi impérieux, surgissent. Non plus le fragment de scène ou la scène, mais la tragédie entière, dont le cri marque une étape essentielle, et le rapport de cette tragédie à l'ensemble des autres tragédies, c'est-à-dire à l'œuvre entier de Racine pris comme dramaturgie, comme développement d'une vision unique et sans cesse approfondie de l'homme [1]. Cette phénoménologie littéraire, ou mise en évidence des structures de l'œuvre et de leur mode d'articulation, suppose un sens immanent à l'œuvre, et qu'il s'agit de découvrir. Par opposition au discontinu et au décousu de la critique traditionnelle, la critique moderne, ou, tout simplement, sérieuse, doit commencer par être une *lecture systématique*, au sens où lire est toujours lier.

En langage gestaltiste, on pourrait dire que le sens est une figure ou une configuration, qui varie en fonction du fond sur lequel elle s'enlève. Une structure, en effet, ne se donne que dans une certaine perspective. Les éléments de composition *objectifs* (car ils sont bien dans l'objet perçu) ne se livrent qu'à une visée *subjective* (car toute perception suppose une conscience percevante). Dans le domaine qui nous occupe, la même œuvre peut donc se découper selon des structures différentes, suivant le rapport de l'observateur à l'objet de son observation, ou plutôt ici du participant à l'objet de sa participation. C'est là que le drame commence. Ce rapport, qui constituerait, en

sur les parties », dont parle Sartre (*ibid.*, p. 144). La réflexion du critique ne fait donc que reprendre et expliciter un mouvement amorcé par la conscience spontanée du spectateur, en le portant à l'absolu.

1. C'est sur ce point que la nouvelle critique se sépare radicalement de l'ancienne. Cette dernière accordera sans doute qu'une œuvre forme un tout, mais ce tout reste, comme il est logique dans la perspective de la compréhension empiriste, *isolé* (cf. citation de G. Couton, p. 63, note 1). Au contraire, pour la nouvelle critique, l'œuvre individuelle est, selon l'expression de Péguy, membre d'une « famille liée » : le tout qu'elle forme devient, à son tour, une partie dans la totalité que constitue l'ensemble des œuvres d'un auteur, et ne reçoit son sens véritable, c'est-à-dire ultime, que replacée dans cet ensemble.

science, l'« équation personnelle » du savant, devient, quand il s'agit de littérature, l'*engagement total* du critique, qui le met en jeu sur tous les plans, intellectuel comme affectif. Comme dit fort justement R. Barthes, « toute lecture de Racine, si impersonnelle qu'elle s'oblige à être, est un test projectif ». Comment pourrait-il en être autrement? Si toute critique implique l'utilisation d'un système de références, ce système, à son tour, implique un choix, que R. Barthes nomme, au grand scandale de R. Picard, le « pari fatal » du critique. Et pourtant, c'est exactement de cela qu'il s'agit : d'un « pari », au sens pascalien, puisque aussi bien une position idéologique, quelle qu'elle soit, suppose et manifeste un projet personnel; pari « fatal », dans la mesure où la décision première pèse immanquablement sur tout le reste de l'enquête. J'entends déjà des voix indignées : nous refusons ce pari et cette fatalité, nous nous contentons de cerner des « zones d'objectivité », de recenser des « évidences » palpables, grâce auxquelles nous proposons de « prudentes hypothèses ». Ce langage, nous le connaissons : c'est celui de Raymond Picard. Vaine défense. A ce Malherbe de la critique, nous répondrons, avec Pascal : impossible de ne pas « parier », vous êtes déjà embarqué, et mal embarqué. Vos « certitudes du langage », votre « cohérence psychologique » ne recouvrent, nous l'avons vu, qu'incertitude et incohérence. Il n'y a pas de langage « neutre » ou « innocent », pas d'alibi, pas de refuge. Refuser un système de lecture, c'est faire de l'absence de système, un système, celui de la facilité; récuser toute idéologie, c'est encore avoir une idéologie, celle de l'autruche. Quand vous opposez vertueusement au délire paranoïaque de Roland Barthes la « mesure » propre à une critique du « dosage » (« doser le degré d'affirmation dont on est décidé »), cette critique du compte-gouttes n'énonce en rien une évidence première, indépendante de tout système : vous pariez. Vous pariez sur les postulats d'un positivisme empiriste, qui croit obtenir un sens en juxtaposant des significations fragmentaires, comme on croyait, au siècle dernier, se donner un objet en additionnant des sensations isolées; vous pariez que la convergence aura lieu au bout, tant

bien que mal, toute seule : dans les deux cas, il n'y a convergence à la fin que s'il y a convergence au départ. Quand Roland
Barthes dit que « les choses ne signifient pas plus ou moins,
elles signifient ou ne signifient pas », il faut commencer, pour le
comprendre, par le lire [1]. Cette « effarante doctrine », comme
vous l'appelez, ne demande nullement de « compenser la gra-
tuité de l'affirmation par son audace et sa profondeur »; elle veut
simplement dire, et qui saurait en douter, que tel ou tel détail
signifie uniquement en vertu d'une intention préalable et implicite, qui *décide d'avance* de ce qu'est la signification, en fonction
de ses postulats. Et le critique « positif » décide ici tout autant
que les autres : dire par exemple que le *fait* que Racine, lorsqu'il
écrit *Andromaque*, est amoureux de la Duparc *explique* ceci

1. C'est en effet par une curieuse légèreté que Picard prête à Barthes l'attitude
que celui-ci est précisément en train de dénoncer. Barthes, en effet, écrit : « On
note qu'alentour 1675, l'opéra supplante la tragédie; mais ce changement de mentalité est réduit au rang de *circonstance*. » Commentaire de Picard : « Or, *corrige-t-il*
aussitôt, c'est une des causes possibles du silence de Racine après *Phèdre* » (pp. 71-
72). Et Picard de morigéner Barthes doctement : d'abord, la tragédie n'est pas
supplantée par l'opéra, et puis « il est de la prudence, lorsqu'on ne juge pas la circonstance déterminante, d'éviter le mot cause »... C'est don Quichotte contre les
moulins à vent! Voici le texte de Barthes : « ...ce changement de mentalité est réduit
au rang de *circonstance :* c'est l'une des causes possibles du silence de Racine après
Phèdre » (*Sur R.*, pp. 160-161). Barthes ne « corrige » rien, en l'occurrence : ce n'est
pas, comme Picard le croit par un étrange contresens, sa propre théorie qu'il nous
propose, mais au contraire *celle des tenants de l'histoire traditionnelle* qu'il explicite!
Ceux-ci, en passant de la « circonstance » à la « cause possible » pensent être protégés
par la prudence de leur hypothèse, cette « prudence » chère à Picard. Or, tout ce que
Barthes veut dire — et il a cent fois raison —, c'est que « cette prudence est déjà
une vue systématique » : cette prudence ne s'exerce pas, comme elle le croit naïvement, *en dehors de tout système*, mais *il n'y a du plus ou du moins qu'à l'intérieur d'un
système de références donné*. En l'occurrence, arguer que les progrès de l'opéra
peuvent être une des causes possibles du silence de Racine, non comme Barthes,
mais comme les critiques traditionnels le font, c'est constituer cette *possibilité* à
partir d'un schéma interprétatif tel que, certaines circonstances historiques et,
d'autre part, certaines dispositions psychologiques de Racine étant données et
mises bout à bout, on obtient, comme effet possible de cette « cause », le silence de
Racine. Le degré de probabilité que l'on introduit dans cette causalité n'en change
en rien la *nature :* elle reste ce qu'elle est, un postulat métaphysique, absurde de
surcroît, en tout cas, une manière globale d'expliquer les rapports de l'homme et
de la littérature au réel.

Système pour système, Barthes déclare, dans le passage incriminé, en préférer
de plus profonds et de plus élaborés : qui pourrait l'en blâmer?

ou cela dans la pièce, suppose un système de références précis, qui met en relations la vie et l'œuvre d'un auteur selon un certain schéma; pris sans plus, ce « fait » n'a, littéralement, *aucun sens.* Et si, avec Picard et à l'inverse de Mornet, on estime que la biographie et la littérature sont deux ordres de réalité séparés, justiciables, en tout cas, d'une approche différente, cela est aussi une décision, un choix, un « pari fatal ». Alors, comme le demande Roland Barthes, autant être honnête, jouer le jeu et annoncer franchement son propre « système de lecture ».

Mais on comprend aussitôt le recul apeuré de certaine critique universitaire, prise en flagrant délit de « subjectivisme », alors qu'elle croyait se promener parmi des Idées platoniciennes et des Vérités objectives. Qui, moi? Le critique est soudain embarrassé de sa personne. Il se sent désigné du doigt, comme s'il avait commis un acte d'exhibitionnisme. Au moment où il parle « objectivement » de l'œuvre, voilà qu'on le renvoie à sa subjectivité. Cercle vicieux. Le critique, nous l'avons vu, se redresse, se rebiffe, il s'esclaffe. Son rire, en réalité, est inquiet : si Racine veut dire autre chose que ce qu'il dit et Barthes dit autre chose que ce qu'il croit dire, Pingaud est-il sûr de bien interpréter Barthes? C'est la bouteille à l'encre. Je ne résiste pas au plaisir de citer ici un joli passage de Sartre, qui semble écrit sur mesure : « ... On prétend que le romancier se peint dans ses personnages et le critique dans ses critiques; si Blanchot nous parle de Mallarmé, on dira qu'il nous apprend plus sur lui-même que sur l'auteur dont il s'occupe... Voyez où cela conduit : Blanchot, en Mallarmé, n'a vu que Blanchot; fort bien : alors, vous, en Blanchot, ne voyez que vous-même. En ce cas, comment pouvez-vous savoir si Blanchot parle de Mallarmé ou de soi? C'est le cercle vicieux de tout scepticisme, laissez donc ces élégances périmées. Bien sûr — on a honte de répéter ces lapalissades, mais nos beaux esprits sont si sots et si vains qu'il faut s'y résoudre — bien sûr le point de vue de Blanchot lui est personnel. Et pareillement, quels que soient les instruments qu'il emploie, finalement, c'est avec *ses* yeux que l'expérimentateur constate les résultats de l'expérience. Mais si l'objectivité, dans une certaine mesure, est déformée, elle est aussi bien *révélée*. Les passions, le tour d'esprit, la sensibilité de Blanchot l'inclinent à faire telle conjecture plutôt que telle autre; mais c'est Mallarmé seul qui vérifiera la conjecture de Blanchot. Les habitudes mentales et l'affectivité d'un critique servent de « révélateurs », préparent l'intuition. La conjecture, vraie ou fausse, sert à déchiffrer. Vraie, elle est remplie par l'évidence; fausse, elle s'efface en indiquant d'autres chemins » (*Saint Genet*, p. 517). Ainsi donc, la subjectivité du critique est irrémédiable. Comme pour la perception, le dévoilement objectif demeure un contact personnel. Le sujet n'a d'accès au monde que de *son* point de vue, situé dans l'espace et le temps, du fond d'un engagement géographique et historique, qu'il ne quitte qu'avec la vie.

Notons, toutefois, que cette rencontre avec la subjectivité et, plus précisément encore, avec la liberté du critique ne résout point le problème : il ne fait que le poser. Dans le texte précité, Sartre montre très bien que, si les dispositions intimes de Blanchot « préparent l'intuition », celle-ci, pour être valable, doit être « remplie par l'évidence » : en d'autres termes, pleinement reconnue et assumée, la subjectivité du critique met en cause la *vérité* de la critique. Pour Sartre, toujours cartésien en matière d'intuition, il y aurait une sorte d'« évidence » propre à la critique, ce qui, bien sûr, réglerait élégamment la question. Mais cette évidence n'est pas évidente, et le scepticisme n'est pas si aisément surmontable. Le spectacle des désaccords constants et complets, tant dans l'ancienne que dans la nouvelle critique, conduit à moins d'optimisme. Dans le cas de Racine, tandis que la critique traditionnelle continue à osciller entre l'interprétation « païenne » et « janséniste » de son œuvre, la vision marxiste d'un Goldmann et le déchiffrement psychanalytique d'un Mauron ne se recoupent pas un seul instant; dans la perspective psychanalytique elle-même, les résultats de l'enquête de Barthes diffèrent complètement de ceux de Mauron. Où trouver alors l'évidence qui déciderait du vrai et du faux? De quel ordre

serait-elle? Les ironies de certains attardés sur la confusion du
circuit « Racine-Barthes-Pingaud » sont absurdes, quand elles
prétendent se débarrasser d'un problème crucial; elles sont
utiles, lorsqu'elles le posent. En fin de compte, la supériorité
incontestable de la nouvelle critique sur l'ancienne, c'est de
cesser de crier naïvement avec Sainte-Beuve : « Le vrai, le
vrai seul », pour poser enfin de front le problème de la vérité et
l'intégrer consciemment à ses recherches.

La phénoménologie littéraire, telle que nous l'avons définie,
vient, en effet, achopper à la subjectivité indépassable du phé-
noménologue. Contrairement à ce qui se passe avec le savant,
l'« équation personnelle » ne s'efface à aucun moment, pour
laisser place à des relations objectives. « C'est au contact de
mon interrogation que les structures se manifestent et se
rendent sensibles, dans un texte depuis longtemps fixé sur la
page du livre. Les divers types de lecture choisissent et pré-
lèvent des structures *préférentielles*. Il n'est pas indifférent que
nous interrogions un texte en historiens, en sociologues, en
psychologues, en stylisticiens, ou en amateurs de beauté pure.
Car chacune de ces approches a pour effet de changer la configuration du *tout*, d'appeler un nouveau contexte, de découper
d'autres frontières, à l'intérieur desquelles régnera une autre
loi de cohérence [1]. » J. Starobinski définit admirablement ici
le nœud du problème. L'ambiguïté de l'écriture littéraire, la
polyvalence qui la fonde, donnent d'emblée *plusieurs organisa-
tions possibles du même organisme*. La critique structuraliste
mettra en évidence un certain nombre de réseaux immanents
à l'œuvre : affectifs, imaginatifs, symboliques, idéologiques, etc.
Si la nouvelle critique se définit essentiellement par la recherche
de la « cohérence », le malheur veut que le type même de cohérence change avec le type de signification choisi : dès que l'on
passe de la théorie à la pratique, l'école de l'unité se désunit.

Revenons, pour le comprendre, à Racine, champ de bataille
privilégié de la critique, qu'elle jonche, depuis trois siècles, de

1. « Remarques sur le structuralisme », *art. cit.*

ses morts. Le choix, qui décide de la nature et du niveau de signification auxquels on s'arrête, décide, du même coup, du sens de l'œuvre et de celui de toute littérature. Décrète-t-on, avec R. Picard, que la réalité littéraire est d'ordre purement esthétique? Voyez les conséquences. La création racinienne apparaît, avant tout, comme mise en œuvre d'une technique, dont la valeur se mesurera par la production, sur le lecteur ou le spectateur, de certains « effets ». La réalité, la cohérence propres de cette dramaturgie seront donc définies en vertu de « règles, lois et conventions », la personnalité de Racine intervenant à titre d'indice différentiel dans un cadre préétabli. Derrière le choix « technique » de R. Picard se profile l'option radicale d'une métaphysique intellectualiste. La « valeur » d'un résultat technique (valeur esthétique) n'est pas dans la qualité d'un matériau (l'existence racinienne), mais dans son agencement (construction volontaire et intelligente, détachable du constructeur et valable, par définition, en dehors de lui, par son effet sur les Autres). En nettoyant le « littéraire » du « prélittéraire », en coupant l'œuvre d'une biographie, on purifie l'homme de l'accidentel et du brut, on le hausse au règne intemporel de l'Esprit. Privilégier le « technique », c'est, pour l'enquête littéraire, une façon de loucher vers la Raison, de trouver un substitut moderne à l'Universel abstrait du rationalisme, au Je transcendantal. Le choix d'une cohérence esthétique ainsi entendue découpe sur Racine une certaine vision du monde, qui est celle du critique. Mais la littérature, c'est l'Universel concret, l'homme, non dans la clarté de son intellect, mais dans l'opacité et la brutalité de ses passions. A l'inverse donc de R. Picard (dont l'opposition méthodologique à la psychanalyse manifeste, comme c'est toujours le cas, une opposition métaphysique), l'approche psychanalytique de la littérature propose une autre vue sur l'homme : demander la cohérence propre du théâtre de Racine à la constance de certains rapports affectifs (père-fils, frère-sœur, etc.) et à leur configuration, pour ensuite voir dans la dramaturgie racinienne un jeu de forces (Mauron) ou une combinatoire de figures (Barthes), c'est décider que le sens

véritable des actions comme des œuvres humaines n'est jamais
dans la poursuite d'un effort conscient et transparent à lui-
même, mais dans la relation, toujours ambiguë, des impulsions
volontaires et des pulsions affectives qui les sous-tendent. Et
penser, à la suite de Lukacs et de L. Goldmann, que les significations véritables ne sont pas d'ordre esthétique ou psychologique
mais sociologique, ce n'est pas simplement proposer une
méthode parmi des méthodes : c'est juger que le sujet authentique de la création culturelle n'est pas l'individu, mais le
groupe; c'est être amené à définir, au sein de la subjectivité, une
réalité intra-subjective, seule capable d'assurer le haut degré
de cohérence constitutif de l'œuvre d'art.

Et Racine, dans tout cela? Nous avons le Racine de Picard,
le Racine de Mauron, le Racine de Barthes, le Racine de Goldmann, comme nous avons eu celui de Giraudoux et de Thierry-
Maulnier, celui de Mornet et de Lemaître, et comme nous
aurons, au xxie siècle, celui de X ou de Y. Tous ces Racine
ne se ressemblent guère, et il serait sot de s'en étonner, puisque
aussi bien le « Racine en soi », le « vrai Racine », le « Racine-
archétype » n'existe pas. Faudrait-il alors tomber dans un relativisme ironique, dans un scepticisme souriant ou amer? Ce
serait tout aussi absurde. Comme nous l'avons vu précédemment, Picard, Mauron, Barthes, Goldmann, en assumant pleinement un choix *subjectif*, dévoilent, chez Racine, une réalité
objective. Là n'est pas le problème. La difficulté n'est pas : à
chacun sa vérité, donc pas de vérité; elle est plutôt : *comment
relier entre elles les vérités, réelles et contraires, de chacun?* Car
les significations esthétiques, psychologiques, sociologiques que
l'on nous découvre sont bien dans l'œuvre de Racine, mais elles
ne se recoupent pas plus que les points de vue divergents, le
choix d'être contradictoires qui leur ont servi de révélateurs.
Si l'on pouvait additionner les perspectives et juxtaposer les
méthodes pour arriver à une vérité totale, tout serait simple :
si l'on pouvait, en superposant des structures partiellement
cohérentes, prélevées à des niveaux significatifs différents,
aboutir à une structure globale et à une cohérence entière, on

pourrait charger une « super-critique » de ce travail d'intégration. Malheureusement, il n'y a pas plus de super-critique
qu'il n'y a de super-vision qui, en accolant les perspectives,
finirait par percevoir les six côtés du cube à la fois. La même
loi maligne joue pour la perception naturelle et esthétique : ce
qui révèle, du même coup, dissimule. De là que la critique
(ancienne ou moderne), comme le surréalisme, est faite, avant
tout, d'*exclusives* : Picard, d'un trait de plume, raye Mauron,
Goldmann et Jasinski; Goldmann déboute Mauron et Barthes.
C'est la ronde infernale. Loin qu'il y ait concordance possible,
il y a impérialisme réel des points de vue. Lorsqu'un critique
a l'air de rendre hommage à tous les autres, il faut se méfier :
comme l'ogre, c'est pour mieux les dévorer. Or, en fait, il y a
bien, dans l'œuvre littéraire, convergence de tous les niveaux
signifiants de l'humain; c'est même, selon nous, ce qui constitue
la littérature. Le malheur de la critique, c'est qu'en voulant
faire passer cette convergence de l'implicite à l'explicite, elle
la fait éclater. L'ambigu ne se laisse pas impunément couler
dans le moule du concept : pétrifié, il se brise en morceaux. La
critique reste là, avec toutes ses structures sur les bras, qu'elle
ne peut recoler en une « structure des structures » introuvable.
Les lois du genre tragique, l'inconscient grouillant de Racine,
les contradictions de la noblesse de robe nous donnent, à certains égards, une certaine prise sur ce théâtre : mais comment
passer d'un ordre de signification radicalement différent à un
autre? Comment les réunir par un lien intelligible? Et comment
privilégier arbitrairement l'un d'entre eux? Picard nous dit :
Racine, avant tout, c'est du théâtre, et le théâtre, à son époque,
c'est une certaine réalité; vous ne trouverez pas Racine ailleurs
que sur les planches. Mauron répond : le théâtre n'existe pas
tout seul; l'œuvre a un auteur, et l'auteur projette dans l'œuvre
tout ce qu'il y a au fond de lui. Sur quoi, Goldmann rétorque :
un complexe d'Œdipe, Racine en a un, mais vous et moi aussi;
le sens d'une œuvre particulière n'est pas dans un complexe
universel. Ce sens précis, et sa cohérence véritable, vous les
trouverez en dehors de l'individu, dans la structure de son

groupe. Ils ont tous tort, dans la mesure où ils ont tous raison,
car Racine, c'est tout cela *ensemble :* quand il écrit, c'est, indistinctement, *avec*-son-complexe-d'Œdipe-*dans*-un-milieu-de-
robe-ou-de-cour-*pour*-le-théâtre; et son « génie » n'est rien
d'autre que la convergence totale de son être dans son œuvre.
Cette convergence, effectivement réalisée par l'art, la réflexion
critique tâche de la retrouver et d'en rendre compte. La critique est face à la littérature comme la grenouille face au bœuf :
elle enfle ses explications comme l'autre sa taille, dans l'espoir
de s'égaler à son modèle. On sait la fin de la fable. Ce malheur,
ce drame de la critique, dont nous parlions, serait-il une tragédie?

TROISIÈME PARTIE

Critique et sciences humaines

I. VÉRITÉ OU VALIDITÉ ?

Partie pour saisir l'œuvre dans son unité et sa totalité, la nouvelle critique met en évidence *des* unités et *des* totalités, ou, si l'on veut parler comme Sartre, une « totalité détotalisée ». Il n'y a donc pas une nouvelle critique, mais des nouvelles critiques (ou des critiques tout court), irréductibles et contradictoires, sur fond d'un projet commun. Le grand mérite de Roland Barthes, c'est d'avoir, le premier, pris la conscience la plus aiguë de ce problème et d'en avoir esquissé une solution cohérente. Il semble, en effet, qu'avant lui, les critiques, anciens ou nouveaux, aient eu, par des voies opposées, une ambition unique : dire *vrai* ou dire *la vérité* sur Racine. Nous connaissons assez à présent les prétentions à l'« objectivité » de la critique traditionnelle. A feuilleter les manifestes théoriques de Mauron ou de Goldmann, tout contraires qu'ils sont, il n'y est question que de « vérité scientifique ». Même Sartre, nous l'avons vu, invoque une « évidence » qui viendrait remplir l'intuition et décider, comme chez Descartes, du vrai et du faux. Malheureusement, tous ces détenteurs de la vérité sont en guerre, et, sur ce point, le scepticisme est plus facile à récuser qu'à réfuter.

L'ingénieuse proposition de Roland Barthes, c'est que le seul moyen de sortir d'une situation impossible est de la retourner et que la seule façon pratique de surmonter le scepticisme, c'est de l'*institutionnaliser*.

La grande découverte de Barthes, c'est qu'en critique, la vérité, comme Dieu, n'existe pas. « La critique, c'est autre chose que de parler juste au nom de principes 'vrais' » (*Essais critiques*, p. 254). La compréhension critique n'est pas d'ordre « aléthique » : elle ne relève pas de la catégorie de vérité. «... Le monde existe et l'écrivain parle, voilà la littérature. L'objet de la critique est très différent; ce n'est pas le 'monde', c'est un discours, le discours d'un autre : la critique est un discours sur un discours; c'est un langage *second*, ou *métalangage* (comme disent les logiciens), qui s'exerce sur un langage premier (ou *langage-objet*) » (*ibid.*, p. 255). De ce parallèle entre activité critique et activité logique, on voit aussitôt la conséquence : «... si la critique n'est qu'un méta-langage, cela veut dire que sa tâche n'est nullement de découvrir des 'vérités', mais seulement des 'validités'. En soi, un langage n'est pas vrai ou faux, il est valide ou il ne l'est pas : valide, c'est-à-dire constituant un système cohérent de signes » (*ibid.*). Dès lors, on comprend mieux pourquoi « face à son objet, le critique jouit donc d'une liberté absolue » (*ibid.*, p. 270) : sa lecture doit être systématique, mais il existe une multitude de systèmes possibles, et la logique, ici, est à « *n*-dimensions ». La liberté consistera alors, pour le critique, à « afficher ce pari fatal qui lui fait parler Racine d'une façon et non d'une autre » (*Sur Racine*, p. 166). Puisque, comme nous l'avons amplement constaté, on peut faire porter sur le langage racinien primitif une variété contradictoire de langages critiques (esthétique, métaphysique, psychanalytique, sociologique, etc.), qu'aucun langage suprême ne saurait réunir, il faut aller jusqu'au bout et tirer la conclusion qui s'impose : à partir du moment où la critique a pour sanction « non la vérité, mais sa propre validité », « n'importe quelle critique peut saisir n'importe quel objet » (*Essais critiques*, p. 270).

Telle est sans doute la proposition centrale de Barthes, et la plus audacieuse. Il faut, toutefois, bien comprendre ce qu'il dit et éviter le contresens que s'empresse de commettre Picard, (*op. cit.*, p. 66), quand il traduit triomphalement : donc on peut dire *n'importe quoi!* Ce qui, évidemment, serait le scandale des scandales. La naïveté de Picard me rappelle celle des pourfendeurs de l'athéisme : « si Dieu n'existe pas, tout est permis », vous pouvez tuer père et mère, violer sœurs et cousines. Barthes ne soutient pas qu'on peut dire « n'importe quoi », ce qui serait absurde, mais « n'importe comment », ce qui est tout autre chose. Le critique est libre de choisir le langage ou, si l'on préfère, le niveau signifiant où il décide de s'établir, mais une fois son choix fait, il s'engage dans un système rigide de contraintes et d'exigences : «Cette liberté de principe est... soumise à deux conditions, et ces conditions, bien qu'elles soient internes, sont précisément celles-là qui permettent au critique de rejoindre l'intelligible de sa propre histoire : c'est que d'une part le langage critique qu'on a choisi soit homogène, structuralement cohérent, et d'autre part qu'il parvienne à saturer tout l'objet dont il parle » *(ibid.)*. On voit ce que je voulais dire, en écrivant que la solution de Barthes était de surmonter le scepticisme en l'« institutionnalisant». Le scepticisme, en effet, ne saurait se définir que par rapport à la recherche du vrai; et de la vérité (mis à part le domaine de la Foi), on dit fort bien qu'elle est « objective », ce qui implique concordance avec un objet. On saisit le retournement qu'opère Barthes. Supprimez la relation *externe* d'un système conceptuel à son objet; remplacez-la par la rigueur des conditions *internes* de cohérence; substituez à l'adéquation, la concaténation des idées, et à la vérité, la validité : vous coupez l'herbe sous le pied du sceptique. Son « hideux sourire » voltige en vain sur ses lèvres : par un coup de baguette algébrique, on change le signe moins en signe plus. La multiplicité irréductible des langages critiques n'est plus un mal, dont il faudrait garder l'espoir de guérir, c'est l'expression même de la liberté, donc de la santé; la prolifération n'est plus le symptôme d'un cancer, mais l'indice d'une fécondité. Par un véritable tour de force, le scepticisme se trouve surmonté sans être dépassé, puisque aussi bien l'éclatement est indépassable et qu'il n'est d'unité et de totalité qu'au pluriel.

Cette solution, à la fois franche et subtile, a le mérite d'être élégante et de cerner le problème avec une parfaite acuité. Je ne la trouve pas, pour ma part, convaincante. Et voici pourquoi. Barthes présente les « conditions » qui restreignent la liberté du critique comme « internes » (« ces conditions, bien qu'elles soient internes... »). Si cela est vrai de la première — cohérence —, c'est inexact de la seconde, — saturation. La « saturation » possible de l'œuvre littéraire par le langage critique suppose, d'une façon ou d'une autre, un rapport d'adéquation. Barthes le reconnaît lui-même, en précisant que le choix de telle ou telle approche n'est pas arbitraire, mais dépend des « exigences » et des « résistances » propres du texte. « Il est donc fécond, écrit-il, que la critique cherche dans son objet la pertinence qui lui permet d'accomplir au mieux sa nature de langage à la fois cohérent et total... » (*Essais*, pp. 270-271). On ne saurait dire plus expressément que, si le déchiffrement critique est réglé *par son rapport même à un objet*, au point que la « pertinence » devient le fondement de la « cohérence », l'autonomie, l'autarcie du « méta-langage » critique s'évanouissent. Ce dernier ne peut plus se refermer sur lui-même, pour ne se justifier que par sa validité interne, puisque celle-ci n'est que l'intériorisation d'un rapport objectif. Ce rapport, qui permet *ensuite* à la description critique d'être cohérente, peut être réel ou imaginaire, vrai (cohérence effective) ou faux (cohérence impossible). La notion de validité, quand on la creuse, contient celle de vérité. Dès lors que le langage implique une transcendance vers le monde, il ne saurait plus être uniquement jugé par son bon fonctionnement en système clos, mais par l'efficacité de sa prise.

Il reste chez Barthes, dans le premier état de sa pensée, un résidu ineffaçable de vérité pragmatique, contre quoi vient buter le rêve d'un méta-langage. N'importe quelle critique ne

peut donc saisir n'importe quel objet. Tout est à refaire. Puisque
la critique n'est qu'un langage second, qui dépend dans son
être d'un langage premier, la littérature, il faut s'interroger à
nouveau sur la littérature pour mieux définir la critique. Or,
on se souvient qu'une première approximation aboutissait à
faire de la littérature un certain rapport vécu au monde : « Le
monde existe, l'écrivain parle, voilà la littérature. » On avait
beau distinguer ensuite la littérature, langage portant sur le
monde, de la critique, langage portant sur le langage, on ne
pouvait empêcher la critique, fût-ce indirectement, de porter
elle aussi, par la médiation de la littérature, sur le monde. Pour
débarrasser la critique de l'impureté des références aliénantes
et lui permettre de vivre enfin en autarcie, il faut préalablement nettoyer la littérature elle-même de tout renvoi trop
direct au réel, il faut couper le langage de sa transcendance,
Barthes dira de sa « transitivité ». Je verrai donc, pour ma part,
une certaine évolution, un certain infléchissement de la pensée
de Barthes, quant au statut final de la littérature. Celle-ci
continuait à tort à être prise pour un « signifiant » dont tout
l'intérêt serait dans le rapport à un « signifié » (psychologique,
sociologique, idéologique, historique, etc.). Même la critique
« thématique » d'un Poulet, d'un Richard ou d'un Starobinski,
lorsqu'elle découpe des réseaux de formes signifiantes, « reconnaît à l'œuvre un signifié implicite, qui est, en gros, le projet
existentiel de l'auteur » (*Essais*, p. 268). Mais la littérature n'est
ni « expression », ni « produit », ni « indice » : seule une conception erronée de la littérature engage la critique à se placer sur
le plan illusoire d'une « vérité », qui consisterait à établir exactement le rapport d'une signification et d'un signe. Or, voici
ce que j'appellerai, en forçant sans doute un peu les choses, le
second état de la pensée de Barthes, dont on pourrait, je crois,
suivre le cheminement dans la courbe même de ses propres travaux : « ... La littérature n'est bien qu'un *langage*, c'est-à-dire
un système de signes : son être n'est pas dans son message,
mais dans ce ' système '. Et par là même, le critique n'a pas à
reconstituer le message de l'œuvre, mais seulement son système,

tout comme le linguiste n'a pas à déchiffrer le sens d'une phrase, mais à établir la structure formelle qui permet à ce sens d'être transmis » (*ibid.*, p. 257). La fascination de Barthes était tantôt pour la logique, maintenant pour la linguistique : ce n'est point, en fait, un changement, mais une radicalisation de sa pensée. La critique ne peut plus être, d'aucune façon, si « moderne » soit-elle, une analyse de contenus (ce qu'elle était encore dans son propre *Michelet*). Elle ne peut être que dénombrement de formes et de leur organisation, de structures signifiantes et de leur fonctionnement : ce sera, pour Racine, l'étude d'un certain « jeu de figures », la constitution d'une « combinatoire » racinienne, qui rend compte ensuite de la combinaison particulière que l'on trouve dans telle ou telle pièce. D'où la présentation si frappante du *Sur Racine* [1]. Ainsi se précise, chez Barthes même, ce que l'on pourrait appeler le passage de la critique des significations à la critique structuraliste.

Là encore, il ne faudrait pas simplifier les choses et faire dire à Barthes ce qu'il ne veut pas dire. L'écrivain reste un homme en face du monde, et l'écrit soutient toujours, de quelque manière, un rapport avec le monde. Il n'est pas question de couper, purement et simplement, les amarres, pour laisser le ballon de la littérature monter paisiblement dans la stratosphère. Mais il convient de distinguer deux façons de « dire le monde », radicalement différentes, deux langages, celui de l' « écrivant » et celui de l' « écrivain ». Le premier langage, dans la terminologie de Barthes, est « transitif » : il vise à « transformer immédiatement le réel » (*Essais*, p. 265). Il s'agit d'une « parole pratique » (morale, technique, politique, etc.) qui entend témoigner, enseigner, expliquer. Le second langage, celui de l'écrivain, est « intransitif » : son lien avec le monde, toujours *distant*, même s'il se présente sous la forme trompeuse d'une

---

1. « Cette première étude comporte deux parties. On dira en termes structuraux que l'une est d'ordre systématique (elle analyse des figures et des fonctions), et que l'autre est d'ordre syntagmatique (elle reprend en extension les éléments systématiques) au niveau de chaque œuvre » (p. 9, note 3). La justification de cette méthode est celle que Barthes donne de l'approche structuraliste en général : « On recompose l'objet *pour* faire apparaître des fonctions » (*Essais*, p. 216).

« explication » ou d'une « doctrine », n'est en réalité qu'une interrogation ininterrompue et éternellement ambiguë : « ... Chaque
fois que l'on ne *ferme* pas la description, chaque fois que l'on
écrit d'une façon suffisamment ambiguë pour laisser fuir le
sens, chaque fois que l'on fait *comme si le monde signifiait*, sans
cependant dire quoi, alors l'écriture libère une question, elle
secoue ce qui existe, sans pourtant jamais préformer ce qui
n'existe pas encore, elle donne du souffle au monde : en somme
la littérature ne permet pas de marcher, mais elle permet de
respirer. C'est là un statut étroit... » (*Essais*, p. 264). Dès lors,
on saisit ce qui oppose absolument l'écrivant (ou l'intellectuel)
à l'écrivain (ou au poète) : l'un accomplit une activité, l'autre
une fonction. « L'écrivain est celui qui *travaille* sa parole (fût-il
inspiré) et s'absorbe fonctionnellement dans ce travail. L'activité de l'écrivain comporte deux types de normes : des normes
techniques (de composition, de genre, d'écriture) et des normes
artisanales (de labeur, de patience, de correction, de perfec-
tion) » (*ibid.*, p. 148). Il est curieux de constater que Barthes
rejoint ici exactement Picard, et celui-ci, je crois, pourrait
contresigner ces lignes. Ce qui les sépare, au fond, c'est beaucoup plus une question de style (approche teintée par les sciences
humaines contre approche traditionnelle) que de pensée (dans
les deux cas, l'œuvre littéraire se définit comme un objet, produit par un travail réglé et valorisé par son bon fonctionnement
au niveau esthétique). Ce n'est pas le moindre paradoxe de cette
« querelle » que Raymond Picard et Roland Barthes soient,
sans qu'ils s'en rendent compte, d'accord sur le *but*, sinon sur
les moyens, de la critique. Quand Barthes écrit que « c'est l'attention donnée à l'organisation des signifiants qui fonde une
véritable critique de la signification, beaucoup plus que la
découverte du signifié et du rapport qui l'unit à son signifiant »
(*op. cit.*, p. 268), il ne fait que dire, dans son langage, ce que
Picard se tue à nous dire dans le sien, lorsqu'il reproche aux
nouveaux critiques de considérer les textes « comme une collection de signes dont la signification est ailleurs », de sorte que
« prolongée, expliquée, justifiée au-delà d'elle-même, l'œuvre

n'est plus dans l'œuvre. Extérieure à soi, elle consiste dans des
relations qui la dépassent » (*Nouv. Crit.*, pp. 113-114). On
comprendrait mal pourquoi, parmi ces « nouveaux critiques »
qu'il déteste, Raymond Picard a été choisir le plus doux d'entre
eux, le seul qui rêve d'une « coexistence pacifique » des critiques [1], pour en faire sa tête de Turc, si la haine n'était aussi
une affinité élective et si Roland Barthes ne lui ressemblait
comme le frère brillant qui aurait mal tourné, et n'était, en
quelque sorte, un *alter ego* démoniaque. Quoi de plus proche,
en effet, du point de vue de Picard que cette dernière définition
de la critique par Barthes? « Elle cherche à révéler le fonctionnement d'un certain appareil, en éprouvant la jointure des
pièces, mais aussi en les laissant *jouer...* » (*op. cit.*, p. 271).
Certes, il y a, entre Barthes et Picard, une différence radicale
et essentielle : celui-ci ne s'occupe que de significations « claires »,
manquant ainsi le phénomène fondamental de l'expression littéraire, tandis que celui-là pose, avec raison, que le sens esthétique est toujours un sens ambigu, un sens « déçu », — de sorte
que les vérités de l'un sont, en fin de compte, superficielles,
les erreurs de l'autre fécondes. Mais, sur le plan herméneutique,
dans les deux cas, la critique, soucieuse de ne pas s'égarer dans
la quête des « ailleurs » signifiants, se définit et se justifie comme
étude formelle de structures littéraires, même si ce formalisme
est entendu diversement. Dans les deux cas, la critique refuse
de porter sur le rapport précis de l'œuvre à son auteur et au
monde réel, privilégiant la « distance » littéraire, diluant à
l'extrême le lien de l'art à l'existence, faute de pouvoir tout à
fait couper ce cordon ombilical. Dans les deux cas, enfin, — et

1. « J'ai souvent rêvé d'une coexistence pacifique des langages critiques, ou, si
l'on préfère, d'une critique « paramétrique », qui modifierait son langage en fonction
de l'œuvre qui lui est opposée, non certes dans la conviction que l'ensemble de ces
langages finirait par épuiser la vérité de l'œuvre pour l'éternité, mais dans l'espoir
que de ces langages variés (mais non infinis, puisqu'ils sont soumis à certaines sanc-
tions), surgirait une forme générale, qui serait l'intelligible même que notre temps
donne aux choses... en somme, c'est parce qu'il existerait dès maintenant, en nous,
une forme générale des analyses, un classement des classements, une critique des
critiques, que la pluralité simultanée des langages critiques pourrait être justifiée. »
(*Essais critiques*, p. 272.)

ce ne saurait être un hasard —, on trouve le même vœu pieux
de convergence ultime, qui, peu à peu, à la limite, ou, si l'on
veut, au terme de l'histoire, finirait par réunir les divers ordres
significatifs, comme les pièces d'un puzzle finissent par s'em-
boîter les unes dans les autres, accomplissant l'intégration des
critiques dans une plus grande critique [1].

Or, l'honnêteté intellectuelle m'oblige à répéter ici, pour
Barthes, les objections faites précédemment à la position de
Picard, qu'il rejoint sur ce point capital. Ce désir de « convergence finale », de « coexistence pacifique » n'est pas innocent :
dans la mesure où, selon l'expression de Barthes lui-même, ce
désir est un « rêve », il se saisit comme impuissant; au lieu
d'atteindre son objet par un mouvement délibéré, il l'attend,
tout fait, du mouvement même de l'Histoire. Si Barthes est le
premier à avoir inventé la solution du pluralisme institutionnel,
il est le dernier à s'en satisfaire et il garde, tenace en lui, la
nostalgie de l'Unité perdue. La « pluralité des langages critiques », au fond, n'est pas une solution, mais un moindre mal,
en attendant qu'elle puisse s'abolir dans un « classement des
classements » et une « critique des critiques ». Puis-je être
convaincu par un relativisme ou un perspectivisme dont Barthes
ne se contente pas lui-même? Et cette convergence ultime des
langages critiques, puis-je me borner à la rêver, au lieu d'en
faire le thème majeur de mon entreprise? Si, comme dans le
cas de Picard, cette convergence est espérée, c'est par manque
de moyens pour l'accomplir : on attend que se fasse peu à peu
une synthèse passive des points de vue, faute de pouvoir les
dépasser en une synthèse active, c'est-à-dire *dialectiquement*.
Nous voilà, je crois, au cœur du problème. Je sais bien que
Barthes invoque, lui aussi, une dialectique et qu'il souligne
que « l'activité critique aide à la fois, dialectiquement, à déchiffrer et à constituer » cette « forme générale, qui serait l'intelligible même que notre temps donne aux choses ». Mais je ne
vois pas comment, de son point de vue, il peut y avoir de dia-

1. Cf. pour Picard, p. 64; pour Barthes, p. 88, note 1.

lectique possible. La pensée à laquelle il demande le modèle
d'intelligibilité de la critique, à savoir la logique ou la linguistique, est, par définition, une pensée *analytique*. Ces grands
systèmes formels, Barthes nous en avertit le premier, n'édifient
qu'une vaste tautologie [1] : or, d'une tautologie, on ne saurait
tirer en aucune façon une dialectique, procès qui suppose justement l'éclatement de l'identité et son passage dans l'altérité. La
pensée tautologique ne peut que tourner indéfiniment en cercles
élégants et précis. Le « méta-langage » critique, qui, selon
Barthes, consiste à « couvrir » l'œuvre interrogée, et non à la
« découvrir [2] », ne saurait jamais rejoindre son objet : il est
voué à le doubler, c'est-à-dire à *refléter* des contradictions qu'il
est, par nature, incapable de *résoudre*. L'erreur, à mon avis,
vient, chez Barthes comme chez Picard (et elle explique les
ressemblances curieuses entre des démarches que tout oppose),
d'avoir pris l'œuvre littéraire pour un *objet* et, partant, de
vouloir en régler la compréhension sur les modes de pensée
objectifs.

Or, l'œuvre, il faut le redire, est un faux objet, un objet-
sujet, le support objectif d'une intention subjective, qui seule
permet d'en saisir le sens et l'articulation propres. Il n'y a pas
de « rouages » ni de « pièces », pas de « joints » qu'il s'agirait de
faire « jouer » : je répéterai à Barthes ce que j'ai dit à Picard
(*vide supra*, p. 59). L'appareil technique n'est que le véhicule
d'une vision. L'« organisation des signifiants », selon l'expression de Barthes, les « structures littéraires », selon celle de
Picard, ne sont en rien des réalités autonomes; le signifiant ne
peut jamais être coupé du signifié, et le littéraire de l'existentiel. Bref, *l'art n'est jamais un artisanat* [3]. Et c'est pourquoi le

1. « ...le discours critique — comme d'ailleurs le discours logique — n'est jamais
que tautologique : il consiste finalement à dire avec retard, mais en se plaçant tout
entier dans ce retard, qui par là même n'est pas insignifiant : Racine, c'est Racine,
Proust, c'est Proust... » *Essais*, p. 256. Le « retard » de Barthes ne rompt en rien
cette tautologie : il la *redouble*, si l'on peut dire.

2. *Ibid.*

3. Jean Rousset, qui, parmi les critiques, est un de ceux qui s'est le plus intéressé
aux formes et aux structures littéraires, est aussi celui qui nous met le mieux en
garde contre une interprétation réifiante : « Gardons-nous donc de la tentation qui

critique n'est jamais placé en face d'une œuvre, comme le savant en face d'un objet, dans une position d'observateur; il interroge l'œuvre comme l'apparition d'un Autrui, dans une relation de participant : en termes heideggeriens, le rapport du critique et de l'œuvre n'est jamais un « être-à... », mais un « être-avec... ». Barthes le sait plus que quiconque, lui qui a exprimé mieux que personne l'engagement *total* du critique dans l'aventure de la critique : il faut ici revenir au premier Barthes, d'avant la tentation « structuraliste », et d'avant la « conscience syntagmatique [1] », au sens où il distingue lui-même *deux* Robbe-Grillet, l'un « chosiste », qui « purifie les choses du sens indu que les hommes sans cesse déposent en elles », l'autre « humaniste », pour qui le signe renvoie à une signification qu'il restera à déchiffrer et par qui les choses « sans pour autant redevenir des symboles... retrouvent une fonction médiatrice vers ' autre chose ' ». L'aventure conjointe de Robbe-Grillet et de Barthes est, d'ailleurs, des plus éclairantes : décidé à prendre et comprendre la littérature comme « système de signes », Barthes est tout naturellement attiré par les écrivains qui semblent mettre le plus d'écart entre signifiant et signifié, Brecht par le « distanciement » théâtral, Robbe-Grillet par l'« objectivité » romanesque. Tout l'art de ce dernier, « c'est de donner à l'objet un ' être-là ' et de lui ôter un ' être quelque chose ' », « il coupe impitoyablement le visuel de ses relais », il enlève aux choses « toute possibilité de métaphore [2] » : ce serait

mènerait à concevoir la création sur le mode mécanique ou artisanal; création n'est pas fabrication. Loin d'être un passage du dedans au dehors, du sujet à l'objet, elle doit nous apparaître comme une démarche toujours intérieure, qui ne recourt aux matériaux et aux techniques, aux moyens du langage et aux formes naturelles que pour les intérioriser. » *Op. cit.*, VI.

1. « La conscience syntagmatique est conscience des rapports qui unissent les signes entre eux au niveau du discours même, c'est-à-dire essentiellement des contraintes, tolérances et libertés d'association du signe. Cette conscience a marqué les travaux linguistiques de l'école de Yale, et, hors la linguistique, les recherches de l'école formaliste russe... » « L'imagination du signe », dans *Essais*, p. 209.

2. *Essais*, pp. 199, 201, *passim*. Dans un pénétrant article, « L'Homme et les signes » (*Critique*, 1965), consacré à Barthes, G. Genette montre fort bien que les préoccupations « sémiologiques » de ce dernier traduisent, en fait, un « choix existentiel » : contre la « naturalisation de la culture », contre les significations « redon-

enfin cette littérature *plane*, qui, défiant toute interprétation symbolique ou poétique, appellerait une véritable critique des formes ou des structures signifiantes par elles-mêmes. Or, cette « objectivié » de Robbe-Grillet, que celui-ci paraît avoir d'abord acceptée (c'est un des cas les plus curieux de fascination d'un écrivain par un critique ou, si l'on veut, de révélation par autrui), c'est Robbe-Grillet lui-même qui l'a le plus vivement contestée : sa littérature et sa technique « objectives » ne seraient qu'une autre manière de rendre la subjectivité, que le roman se donne pour but d'explorer créativement, et non plus imitativement, comme dans le roman classique. La « déception » volontaire du sens (que Barthes notait avec raison et qui fait ici l'originalité de la technique) a donc, à son tour, *un sens :* Bruce Morrissette a pu depuis l'établir au niveau psychanalytique, Lucien Goldmann au niveau sociologique [1]. Le monde, tel qu'il apparaît chez Robbe-Grillet, c'est simplement, pour une conscience, une manière de se fuir; l'« objet » pur n'est que l'envers d'une mauvaise foi d'homme qui se veut « sans qualités »; son « insignifiance » signifie : elle dit une angoisse et une histoire, celles de la dépersonnalisation de l'individu dans la société industrielle avancée, comme le luxe des détails balzaciens disait la jouissance bourgeoise de l'Avoir à son aurore. Déception du sens, certes : mais à condition d'en faire un indice positif, non négatif, d'y voir une abondance, non une disette.

Si Barthes a donc entièrement raison de souligner l'indépas-

---

dantes et surnourries » du langage, Barthes voudrait redonner aux signes leur pureté débarrassée des connotations « viscérales ». On retrouve là, sur le plan de la critique, la même obsession que celle de Robbe-Grillet, sur le plan du roman : dans les deux cas, « la volonté d'alourdir la signification de toute la caution de la nature provoque une sorte de nausée » *(Mythologies);* dans les deux cas, il s'agit, selon l'expression que Genette applique à Barthes, d'une « ascèse » ou d'une « catharsis », destinée à libérer objet ou signe des sens surimposés par l'Histoire — et nous ajouterons par l'imagination poétique. Le désir de « dé-mythologiser » le monde, chez Barthes, est donc le pendant exact de la volonté de « dé-tragifier » le réel, chez Robbe-Grillet. Pour ma part, ce « choix existentiel », dans les deux cas, me paraît inauthentique, et trahit à la fois une mystification de la conscience dans ses rapports au monde et une aliénation historique de la civilisation technocratique.

1. Bruce Morrissette, *Les Romans de Robbe-Grillet,* éd. de Minuit; Lucien Goldmann, *Pour une sociologie du roman,* Gallimard.

sable statut d'ambiguïté de toute littérature, il faut se souvenir qu'en matière d'ambiguïté, il y a, selon le mot de Merleau-Ponty, la mauvaise et la bonne. Pour nous, l'ambiguïté constitutive de l'expression littéraire, nous le répéterons une fois de plus, n'est pas celle qui tend vers une sorte de « degré zéro » de la signification, mais celle qui implique une sur-signification, non celle qui suppose l'absence ou l'effacement des contenus, mais celle qui repose sur leur inépuisable densité. En d'autres termes, si nous sommes bien d'accord avec Barthes que la critique ne saurait prétendre « déchiffrer » le sens d'une œuvre, ce n'est pas que ce sens ferait défaut, c'est, au contraire, qu'il existe en excès de toute interprétation possible, tout comme l'ambiguïté et la réalité du monde sont tout entières dans l'excédent irréductible du perçu sur l'acte de perception. En littérature, l'ambiguïté n'est rien d'autre que ce *surplus* de l'œuvre finie par rapport à l'intention qui l'a fait naître, et la valeur de la réussite se mesure exactement à cette épaisseur. Encore convient-il de distinguer, selon les types d'intention, différents degrés ou stades d'ambiguïté littéraire. La décision de Barthes d'arrêter *toute* littérature à un sens « déçu » n'est pas, pour reprendre son vocabulaire, innocente : elle traduit un goût, c'est-à-dire un choix personnel, qui fait, d'un *moment* de l'histoire littéraire (Kafka, Robbe-Grillet) l'*essence* de la littérature.

Une relation trop précise, trop directe au réel, une affirmation trop brutale ferait choir l'écrivain à la catégorie de l'écrivant : l'écrivain ne saurait jamais être « dogmatique » ni « engagé ». Le maître mot est lâché, et Barthes, sur ce point, c'est l'anti-Sartre, ou, plus exactement, un Sartre qui étendrait à toute la littérature le droit d'exterritorialité que *Qu'est-ce que la littérature?* réservait à la poésie. Sartre disait : la poésie, c'est qui perd gagne. Barthes amplifie : la littérature, c'est toujours « la question, moins la réponse ». La formule est belle, mais je n'y souscris point. La littérature me paraît, au contraire, la somme des réponses possibles aux questions réelles que se posent un homme et, à travers lui, une époque, une civilisation et, à la limite, l'humanité. A exclure la réponse de la question,

devra-t-on expulser du royaume des lettres Dante ou Voltaire,
Corneille ou Hugo, Claudel ou Brecht, hommes, s'il en fut, de la
parole « transitive » et « pratique », ou par quelle ingéniosité
coupera-t-on cette parole du sens, non point « déçu », mais
triomphant qu'ils entendaient lui donner? Se privera-t-on désormais des *Oraisons* de Bossuet, des *Provinciales* de Pascal, parce
que ce sont des ouvrages d'édification ou de combat? Certes,
contre les jdanoviens du passé et du présent, il faut maintenir
que la littérature ne peut jamais être simplement une propa-
gande. Si l'intérêt des *Provinciales* s'épuisait dans la défense
des Jansénistes contre les Jésuites et si l'intention apologétique
absorbait la totalité des significations de l'œuvre, il y a longtemps qu'on ne la lirait plus. On concédera volontiers à Barthes
que la littérature se définit toujours, même lorsqu'elle se veut
agissante, par une certaine distance, une certaine disponibilité,
qui empêchent la clarté de l'intention de se dissiper dans le vide
d'une signification transparente. Il y a toujours du « jeu », du
« trop » dans l'expression littéraire : à cet égard, l'écrivain, par
rapport à l'écrivant, est celui qui toujours « en rajoute ». Ceci
dit, l'ambiguïté peut coexister avec la clarté, pourvu qu'elle la
prolonge, être « mystère en pleine lumière », tout autant que
s'annoncer ouvertement et explicitement, comme dans *Le Mi-
santhrope* de Molière ou *Le Château* de Kafka. La condition
même qui définit le seuil absolu de la littérature est aussi celle
qui lui permet de s'engager : il peut y avoir, il y a, de l'épopée
à la prédication religieuse et au combat politique, une littérature « dogmatique » d'écrivains, et non d'écrivants, dans la
mesure où la plénitude de l'écriture, comme celle de la parole
authentique, dépasse invariablement l'intention signifiante qui
les anime. Il ne s'agit donc pas, comme voudrait Barthes, de
couper l'interrogation, seule essentielle, des réponses contin-
gentes qu'elle se donne. Prendre Claudel sans le christianisme
ou Brecht sans le communisme, ce n'est pas s'installer dans la
littérature, mais dans le vide. Ce qu'il faut voir, c'est qu'à un
certain degré de lucidité et de foi, toute réponse humaine
concerne tout homme. Cet ouvrage chrétien ou communiste

garde son entière valeur, pour moi qui ne suis ni communiste
ni chrétien, si l'auteur a su donner assez d'intensité à sa réponse
pour la transformer en question qui me touche et me hante.
Inversement, nous l'avons vu, la suspension du sens signifie;
l'absence de réponse au Christ de Vigny ou à l'Arpenteur de
Kafka, c'est aussi une façon, pour le monde, de répondre. Dans
la dialectique du questionnement, impossible de séparer question et réponse, comme des pôles opposés : à un certain moment,
toute réponse est question, toute question est réponse. On ne
saurait privilégier sans arbitraire une Littérature de la Question
ou une Littérature de la Réponse. La littérature, c'est toujours
une question à travers une réponse, une réponse à travers une
question. Telle est, en effet, la nature de la conscience, qu'elle
est toujours « donneuse de sens », que le « non-sens » est strictement impensable, mais que le sens ne peut jamais être « arrêté ».

Cette réflexion sur le statut de la littérature, entreprise à la
suite de Barthes et, au besoin, contre lui, nous permettra de
définir plus précisément le statut de la critique : car c'est une
seule et même opération qui chasse la *réalité* du domaine de la
littérature, et la *vérité* du domaine de la critique. Si le langage
littéraire, en effet, n'est qu'un système de signes, dont l'être
n'est pas dans un quelconque message, mais uniquement dans
sa structure formelle, et dont, par conséquent, la valeur ne
réside pas dans un quelconque rapport au concret, mais seulement dans son bon fonctionnement interne, la critique, langage
second portant sur ce langage premier, relève nécessairement
des mêmes critères, puisque aussi bien le critique « lui aussi fait
partie de la littérature [1] ». Une œuvre n'est pas vraie ou fausse :
elle est valide ou non; il en va de même pour la critique. Or, le
statut « irréaliste » de la littérature, selon l'expression de
Barthes, qui ne fait qu'un avec son statut « linguistique », repose
sur une conception intransitive et mutilée du langage : le fait de
langage n'est absolument pas épuisé par son être linguistique,
et sa signification par son fonctionnement. C'est confondre,

---

1. *Sur Racine*, p. 166.

selon la distinction capitale de Merleau-Ponty, la « parole parlante » et la « parole parlée », l'acte primordial par lequel je
parle et les produits accumulés par l'acte de parler dans l'histoire; en un mot, c'est prendre le langage pour la langue [1]. Or,
si la langue est le langage déposé dans les lexiques et reconstitué
par les syntaxes, en bref, le langage mort, dont la description
relève de la linguistique, en revanche, une langue morte devient
langage vivant par le mouvement de l'existence personnelle qui
l'épouse et qui *le porte au-dehors*, vers le monde et vers les
autres, comme moyen d'être et de faire ensemble, comme *praxis*.
C'est cette dimension *transcendante* du langage, que nous avions
déjà découverte au niveau de la parole empirique et quotidienne [2], qu'amplifie et magnifie encore l'écriture littéraire. Si
la littérature, selon la définition même de Barthes, est interrogation, toute interrogation est forcément interrogation *de*
quelque chose ou *de* quelqu'un : elle exige la transcendance du
monde et d'autrui. C'est pourquoi Sartre voyait avec raison
dans le phénomène du langage un simple cas particulier de nos
relations avec l'Autre, et Merleau-Ponty, avec plus de précision
encore, « un cas éminent de l'intentionalité corporelle [3] ». En ce
sens, comme tout geste corporel, « chaque acte d'expression littéraire ou philosophique contribue à accomplir le vœu de récupération du monde qui s'est prononcé avec l'apparition d'une
langue, c'est-à-dire d'un système fini de signes qui se préten-
drait capable en principe de capter tout être qui se présente-
rait [4] ». On ne saurait mieux dire : ce système de signes qu'est
bien, en effet, le langage, n'a pas pour vocation de tourner en
rond comme l'écureuil dans sa cage, pour la plus grande joie
du linguiste, mais constitue une entreprise de l'homme et une

1. « La puissance parlante que l'enfant s'assimile en apprenant sa langue n'est
pas la somme des significations morphologiques, syntaxiques et lexicales : ces
connaissances ne sont ni nécessaires ni suffisantes pour acquérir une langue et l'acte
de parler, une fois acquis, ne suppose aucune comparaison entre ce que je veux
exprimer et l'arrangement notionnel des moyens d'expression que j'emploie. »
M. Merleau-Ponty, « Sur la phénoménologie du langage », *Signes*, p. 110.

2. Cf. p. 36.

3. Sartre, *Situations I*, p. 237; Merleau-Ponty, *Signes*, p. 111.

4. *Signes*, p. 119.

prise sur le monde, qui ouvrent à l'action et à la pensée le vaste champ des vérités. Car c'est aussi un seul et même acte qui, par une opération inverse de celle de Barthes [1], articule le

1. C'est là le cœur du débat, et, sans vouloir alourdir cet essai d'une discussion philosophique qui en dépasse le cadre, il nous paraît essentiel d'insister sur ce point. Le statut de la littérature et, partant, de la critique, est directement lié au statut que l'on donne au langage. Le « formalisme » de Barthes, dans le domaine de la critique littéraire, tient donc à une philosophie du langage qu'il a lui-même exprimée très clairement : « On est ainsi ramené au statut fatalement irréaliste de la littérature qui ne peut « évoquer » le réel qu'à travers un relais, le langage, ce relais étant lui-même avec le réel dans un rapport institutionnel, et non pas naturel » (*Essais*, p. 264). Dans un autre texte, Barthes précise encore mieux sa pensée : non seulement la littérature a un statut irréaliste, mais, « bien loin d'être une copie analogique du réel, *la littérature est au contraire la conscience même de l'irréel du langage* : la littérature la plus « vraie » est celle qui se sait la plus irréelle... » (*ibid.*, p. 164). Il y a, à ce statut d'irréalité, deux raisons : d'abord, le langage est un discontinu qui « découpe furieusement ce continu qui est devant moi »; ensuite, le sens des mots « naît peut-être moins de leur rapport à l'objet qu'ils signifient que de leur rapport à d'autres mots, à la fois voisins et différents » *(ibid.)*. Ainsi, les rapports de signification se constitueraient-ils *à l'intérieur* du langage, comme « valides » dans la mesure où ils sont cohérents, mais non comme « vrais », en tant qu'ils renverraient à une réalité extérieure à la parole. Cette théorie « institutionnelle » du langage, qui le condamnerait à manquer toute relation à la nature, pour être pure corrélation, me paraît fausse : 1° Le réel n'est nullement ce « continu » ineffable dont parle Barthes, et que la discontinuité même du langage trahirait. La perception nous livre un monde structuré de « figures » apparaissant sur un « fond », qui devient à son tour « figure » d'un autre « fond », selon une articulation bien mise en évidence par les études gestaltistes. Comme Heidegger, dès *Sein und Zeit*, l'a montré, l'articulation du langage est elle-même, d'une certaine façon, articulée sur l'articulation du monde : il y a rapport *ontologique* du langage et du réel. C'est donc sur le fondement de leur rapport à l'objet qu'ils signifient que les mots entretiennent des rapports entre eux. Comme Sartre le précisait dans un article récent (et, sur ce point, on peut dire qu'il y a une convergence du dernier Husserl, du premier Heidegger, de Sartre et de Merleau-Ponty contre le positivisme structuraliste), « ...il y a quelque chose de l'objet qui signifie le langage, qui l'assigne à être lui-même langage, qui le réclame et qui définit les mots, en même temps qu'il y a quelque chose de la signification, c'est-à-dire du langage, qui renvoie toujours au signifiant et le qualifie historiquement, dans son être; de sorte que le langage... m'apparaît comme ce qui me désigne dans la mesure où je fais un effort pour désigner l'objet » (« L'écrivain et sa langue », *art. cit.*). 2° Il en découle que le langage possède une double vertu de *présentification*, objective et subjective, un double lien au réel d'énonciation et d'expression, par lequel, lorsque je dis le monde, je me fais dire par le monde. De cette *vérité* du langage, nul n'est plus conscient que le poète (et ce n'est pas par hasard que la démarche de Barthes, ainsi que le notait G. Genette, est l'inverse de celle du poète). « Voici ce qui, je crois, commence la poésie. Que je dise « le feu »... et poétiquement, ce que ce mot évoque pour moi, ce n'est pas seulement le feu dans sa nature de feu — ce que, du feu, peut retenir son concept : c'est la *présence* du feu dans l'horizon

langage sur une transcendance et le voue à la vérité. Si le langage est essentiellement effort de récupération pratique et symbolique de l'être, cela reste d'autant plus vrai du langage littéraire, qui n'est point un sous-langage, mais un sur-langage, où l'homme exprime non plus tel ou tel aspect spécialisé de son activité, mais le sens total de son existence.

Il est bien vrai, comme dit Barthes, que l'écrivain est « celui qui travaille sa parole », mais s'installer dans le langage n'est pas pour autant s'y enfermer. Le voudrait-on, d'ailleurs, que

de ma vie, et non certes comme un objet, analysable et utilisable... mais comme un dieu actif, doué de pouvoirs », ce dieu qu'un Bachelard nous décrira. Dans la suite de ce beau texte, Yves Bonnefoy fonde, au-delà du morcellement linguistique et conceptuel, la véracité ontologique du langage : « ... Puisque la langue est, en tant que telle, une structure, elle peut, dans sa donnée même, avant qu'aucune formule ait extériorisé son objet, se faire *chiffre* de l'unité que porte en soi-même toute structure, et donc remonter avec moi, dans cet instant où tout se décide, vers l'unité du réel. La langue — et c'est pourquoi on a parlé de *logos*, de « verbe » — semble promettre au-delà de ses aspects conceptuels la même unité que l'être au-delà des aspects qui ont fragmenté le sensible... le mot dès lors me proposera, miroitement d'unité, non plus de résorber la réalité dans le sens, mais au contraire le sens dans ma participation au réel » (« La poésie française et le principe d'identité », *art. cit.*).
3° Par opposition à la communication conceptuelle de l'écrivain, qui allège le signe au maximum (à cet égard, le modèle reste la communication scientifique, où le langage instaure le plus grand écart possible entre le signifiant, mathématique, par exemple, et le signifié sensible : d'où la fascination de Barthes pour ce qu'il appelle l' « élégance », au sens mathématique du terme, du langage), l'écriture littéraire commence avec ce qu'on pourrait appeler la *naturalisation du langage*, son alourdissement qui le constitue lui-même en *nature dans un rapport analogique avec la Nature*. Là encore, Sartre le dit admirablement : « Un prosateur ou un écrivain, quand il parle d'une table, écrit quelques mots sur cette table, mais il les écrit, au fond, de telle manière — selon son idée purement subjective — que cet ensemble verbal soit une espèce de reproduction ou de production de la table, que la table soit en quelque sorte descendue dans les mots. Ainsi la table que vous voyez là, si je l'écrivais, il faudrait que je donne dans la structure même de la phrase quelque chose qui corresponde au bois qui est ici piqueté, fendu, lourd, etc., ce qui n'est nullement nécessaire lorsqu'il s'agit d'une communication pure » *(art. cit.)*. Bref, l'écrivain, c'est « *quelqu'un qui malgré tout fait entrer l'objet décrit dans la phrase* » *(ibid.)*. Ce qui fait de Claudel, par exemple, un extraordinaire poète, c'est que chez lui, à la limite, et aux meilleurs moments, le langage est *devenu réel*. Bien entendu, cela demeure un problème infiniment complexe, et qui suppose toute une phénoménologie des rapports du sensible et de l'imaginaire, que de comprendre comment cette « présentification » ou « matérialisation » du monde dans le langage est possible : il nous suffit, pour notre propos, qu'elles soient, dans la littérature, réelles, et qu'elles constituent même la définition de la littérature.

ce serait impossible : on ne peut pas plus se retirer *dans* le langage que *dans* la conscience : c'est un vide qui fait de toutes parts surgir le monde. La parole, non plus que l'image, ne sont des réalités autonomes : ce sont des actes intentionnels qui se définissent comme un certain rapport au concret [1]. De même que parler n'est pas un acte gratuit, écrire n'est point un verbe intransitif : on écrit quelque chose pour quelqu'un; on n'écrit pas pour écrire. Certes, il est toujours possible d'« écrire tout seul », comme on parle tout seul, et il y a une pathologie de l'écriture autant que de la conscience. On connaît cette maladie de la conscience qui tend à se clore sur elle-même, et que les psychologues appellent l'autisme. Pareillement, il existe aujourd'hui une littérature autistique, qui prétend être à elle-même son propre univers et créer son propre monde en dehors du monde. Cette illusion, que l'on trouve exprimée chez Robbe-Grillet [2] et dont Barthes est sans aucun doute le théoricien le plus brillant et le plus subtil, a pu être, pratiquement, féconde : le paradis de la littérature est pavé de fausses théories, comme l'enfer de bonnes intentions. Mais contrairement à ce que prétend Robbe-Grillet, l'écrivain a toujours à *dire* quelque chose; et si ce qu'il a à dire est inséparable de la *façon* dont il le dit (c'est bien, en effet, ce qui distingue la littérature de l'essai idéologique ou de l'exposé philosophique), la façon de dire, à son tour, renvoie à l'intention qui l'anime et au projet où elle s'insère, c'est-à-dire aux liens particuliers que tout langage noue avec le monde réel et les autres hommes, au sein de l'histoire. La grandeur de Robbe-Grillet, écrivain, c'est de donner précisément le démenti à Robbe-Grillet, critique : cet univers qu'il croit créer de toutes pièces et porter à l'être par le pur *fiat* de son Verbe, c'est le nôtre; il dit notre histoire. Le langage, une fois de plus, se fait renvoyer son sens ultime par

1. Le rêve flaubertien du livre « qui se tiendrait tout seul », cher à certains « nouveaux romanciers », n'est qu'un mythe de la conscience moderne et, nous l'avons dit, une forme de son aliénation. Le livre est un *analogon* à travers lequel l'écrivain vise immanquablement le monde, fût-ce pour le nier ou pour le fuir.

2. *Pour un nouveau roman, passim.*

le réel, et la seule littérature authentique est une littérature
vraie. Écrire, donc, n'est pas se couper du monde pour s'enfermer dans le langage : c'est, au contraire, tenter d'enfermer le
monde dans le langage, c'est *dire le monde*, au sens plein où l'on
dit le droit. Dès lors, il faut renverser cette très belle formu e
de Barthes : « L'écrivain est un homme qui absorbe radicalement le *pourquoi* du monde dans un *comment écrire*. » L'écrivain
est, au contraire, un homme qui absorbe radicalement le
« comment écrire » dans le « pourquoi » du monde, qui, de
l'acte même d'écrire, fait son dévoilement dernier du réel[1],
dont il attend son salut ou sa perte. Ou encore, écrire, pour
l'écrivain, ce n'est pas faire « comme si le monde signifiait » :
c'est exprimer, par des moyens plus ou moins complexes et
selon des techniques variables, *ce que le monde signifie*.

1. C'est cet aspect « visionnaire » du style que Proust a admirablement saisi :
« Il est la révélation, qui serait impossible par des moyens directs et conscients,
de la *différence qualitative* qui, s'il n'y avait pas l'art, resterait le secret éternel de
chacun. Par l'art seulement, nous pouvons sortir de nous, savoir *ce que voit un autre*
de cet univers qui n'est pas le même que le nôtre... » (souligné par nous) *Le Temps
retrouvé*.

II. VARIATIONS SUR LE THÈME

Voilà donc la « critique des significations » pleinement réta-
blie dans ses droits, mieux, dans ses devoirs : si, selon la formule
de Merleau-Ponty, il faut admettre « comme fait fondamental
de l'expression un dépassement du signifiant par le signifié que
c'est la vertu même du signifiant de rendre possible [1] », il n'est
pas seulement permis, mais impérieux de mettre en évidence
tout le signifié, dans sa richesse et sa profondeur. En termes
moins techniques, si le sens d'une œuvre littéraire se définit
par les rapports, simples ou complexes, directs ou indirects,
qu'elle entretient avec le réel, par les liens, lâches ou serrés,
subtils ou patents, qu'elle noue avec lui, il est nécessaire d'élucider la nature exacte de ces rapports et de ces liens, bref, de
comprendre la *vision du monde* que cette œuvre constitue. Il
ne s'agit pas là, comme le voudraient, à des titres divers,
Picard et Barthes, d'une recherche des « ailleurs » significatifs,
d'une volonté de chercher l'œuvre partout, sauf là où elle est :
il n'y a pas plus d'«intérieur » d'une œuvre que d'une conscience ;
il n'y a pas de « dedans », qui s'opposerait à un « dehors ».
L'œuvre n'est rien d'autre que cet entrelacs de significations
infinies que nous visons *sur* l'objet matériel qu'est le texte
imprimé, de même que la conscience n'est rien d'autre que le
mouvement qui se jette à la rencontre de ses possibles à travers
l'épaisseur du monde. L'univers imaginaire de l'œuvre n'est
pas une entité substantielle, une réalité *causa sui* : bref, encore

1. « Sur la phénoménologie du langage », *op. cit.*, p. 112.

une fois, il ne tombe pas tout fait du ciel des Idées. Il médiatise, par toute une série de relais complexes et hiérarchisés qui
forment l'*organicité* propre de l'œuvre, l'existence concrète d'un
homme. Ce n'est nullement nier ou trahir la spécificité de l'imaginaire que de découvrir, dans sa trame, les fils évidents ou
cachés qui le relient à un être-au-monde historique : c'est, au
contraire, lui faire rendre la totalité de son sens. Dans la relation de l'imaginaire au réel, le réel est premier, comme l'être
par rapport au néant. L'image se constitue sur fond de la réalité
qu'elle nie, que son intention soit de percevoir l'absent comme
présent (je me représente Pierre parce qu'il n'est pas là) ou le
présent comme absent (ce nuage, là-bas, est un château, un
navire). Si conscience imageante et conscience perceptive ne
sont pas deux entités distinctes, mais deux manières antithétiques, pour une même conscience, de viser le monde, deux
conduites possibles envers le réel, c'est par sa *situation* réelle
dans le monde que se comprend la vie imaginaire de la conscience; par l'univers fictif qu'elle crée, elle se donne « en creux »
ce que l'univers concret lui refuse « en plein ». De là que l'acte
d'imaginer a toujours valeur affective d'assouvissement symbolique. C'est même cette structure affective de l'image qui détermine la cohérence de ses éléments représentatifs : ce que les
études psychologiques de l'imaginaire montrent sur le plan
théorique, nous l'avions déjà pressenti, empiriquement, dans
notre analyse de l'œuvre littéraire, qui est, dans l'acception la
plus forte du terme, *œuvre d'imagination.*

Nous sommes maintenant en mesure de mieux préciser les
étapes de la démarche critique. A un premier stade, elle est
description phénoménologique, qui tend à réifier son objet :
elle fait alors apparaître les diverses structures constitutives de
l'œuvre, qui se donnent comme le produit de certaines techniques expressives appliquées à un certain matériau. Une tragédie de Racine, c'est un certain langage, dont l'emploi, réglé
selon des modalités bien définies, relève d'analyses linguistiques,
stylistiques, esthétiques. Mais ce langage n'est pas le langage
écrit du narrateur anonyme d'un roman à la troisième personne;

c'est un langage parlé, sur scène, par des personnages, qui sont aussi des personnes vivantes : les acteurs. Du coup, il y a forcément certaines structures dramatiques propres qui régissent cette réalité globale qu'est une pièce de Racine, et qui sont justiciables d'études particulières. Cependant, ces diverses structures, qui définissent l'expressivité dans ce qu'elle a de spécifiquement « théâtral », ne peuvent. en aucun cas rendre compte du phénomène de l'expressivité lui-même, c'est-à-dire de la *communication totale* qui s'établit entre l'intention qui habite l'œuvre et l'attention qui se met à son écoute. Ce qui est alors saisi, à travers précisément l'agencement savant des structures littéraires et grâce à elles, c'est la modulation d'un certain *thème affectif*, qui en commande l'organisation et qui sera, par exemple, chez Racine, la qualité propre et pénétrante de son « tragique ». Le thème, notion-clé de la critique moderne, n'est rien d'autre que la coloration affective de toute expérience humaine, au niveau où elle met en jeu les relations fondamentales de l'existence, c'est-à-dire la façon particulière dont chaque homme vit son rapport au monde, aux autres et à Dieu. Le thème est donc ce choix d'être qui est au centre de toute « vision du monde » : son affirmation et son développement constituent à la fois le support et l'armature de toute œuvre littéraire ou, si l'on veut, son architectonique. La critique des significations littéraires devient tout naturellement une critique des relations vécues, telles que tout écrit les manifeste implicitement ou explicitement, dans son contenu et dans sa forme. A une seconde étape de la compréhension, la critique « structuraliste » passe ainsi dans la critique « thématique [1] ».

1. Pour dissiper les confusions, J. Starobinski distingue à juste titre, de la critique thématique ainsi entendue, l'histoire « diachronique » des thèmes, idées, symboles (don Juan, Faust, le Diable, l'idée de bonheur, la représentation de la folie, etc.), qui est simplement « de l'histoire littéraire pourvue d'un fil conducteur ». Je crois, pour ma part, cette forme d'histoire littéraire particulièrement féconde, voire indispensable à l'enquête thématique, telle qu'elle vient d'être définie : elle permet, en effet, de suivre avec précision, au niveau collectif, le développement et les variations que l'histoire imprime aux grands archétypes affectifs.

1. *Psychanalyse du thème* :

A ce moment précis où la description des structures de l'œuvre-objet cède la place à la compréhension des thèmes de l'œuvre-sujet, la méthode d'investigation qui sollicite le plus naturellement la critique est celle-là même de la psychanalyse. Nous avons déjà rencontré, dans notre discussion du « sens littéraire », les possibilités qu'elle présente et les résistances farouches qu'elle suscite [1]. Pourtant, le recours à l'herméneutique freudienne semble ici aller de soi. Lanson n'avait jamais prétendu que les recherches de l'érudition historique épuisaient le champ de l'interprétation : à côté des faits, il y avait le goût; à côté de l'histoire, l'intuition psychologique. Sainte-Beuve n'était-il pas, d'ailleurs, le premier à réclamer une psychologie des auteurs? Simplement, on ne peut plus accepter aujourd'hui pour de la « psychologie » cette « connaissance du cœur humain », spontanée et simpliste, chère aux conférenciers mondains de jadis, et qui anime encore les conversations de salon et, parfois aussi, les amphithéâtres universitaires. La psychanalyse donne justement de nos jours cette base solide à l'étude du psychisme humain, que les grands critiques du passé appelaient de leurs vœux. De façon plus précise encore, si, suivant notre analyse précédente, l'œuvre littéraire est œuvre d'imagination, la psychanalyse n'est-elle pas, par définition, déchiffrement de l'imaginaire? Si l'œuvre tient sa cohérence d'un certain thème affectif, la psychanalyse n'est-elle pas, avant tout, compréhension de l'affectivité? Et si le thème, tel que nous l'avons défini, est une manière de vivre sa relation fondamentale au monde et aux autres, qui constitue génétiquement l'œuvre d'art, la vocation même de la psychanalyse n'est-elle pas de rendre compte de la façon dont un homme vit thématiquement son existence comme rapport particulier à ces Autres qui dominent notre vie,

1. Cf. p. 55.

les Parents, et aux qualités sensibles des choses, ressenties dans leur signification immédiate? Il n'y a donc pas à justifier comment la recherche critique et l'investigation psychanalytique se rencontrent; ce qui serait inexplicable, c'est qu'elles ne se rencontrent pas.

Pourtant, les premiers résultats de la critique littéraire inspirée de la psychanalyse furent, il faut l'avouer, décevants. Les critiques ignorant ou méconnaissant la psychanalyse, ce furent, par la force des choses, les psychanalistes qui se firent critiques. Les premiers travaux (de Freud, de Rank, de Brill, de Jones, de Baudoin, de Marie Bonaparte, de Laforgue) restent trop cliniques; un écrivain, pour eux, c'est avant tout un malade, et une belle œuvre, un document pour l'étude d'une belle maladie. Ceci, d'ailleurs, n'empêche pas ces premiers commentaires d'être souvent pénétrants et de jeter un jour nouveau sur des ouvrages investis jusque-là par les seules approches traditionnelles. La contribution la plus importante à l'enrichissement de la critique littéraire, à cet égard, n'appartient pas au domaine français. Dans son *Hamlet and Œdipus*, dont la première version remonte à 1900, Ernest Jones ouvre avec une netteté remarquable les chemins où peut et doit s'engager une investigation sérieuse et, pour ainsi dire, respectueuse, de la littérature. Les trois parties de son étude définissent, en somme, les trois voies possibles et nécessaires de toute enquête psychanalytique : il s'agit d'abord de comprendre les rapports humains à l'œuvre dans la pièce, et qui relient Hamlet à sa mère, à son père, à son oncle, à Ophélie; puis, de comparer les structures affectives ainsi dégagées avec la structure affective de la personnalité shakespearienne, telle que l'histoire permet de la reconstituer, pour insérer intelligiblement les premières dans la seconde; il faut enfin, si l'on veut arriver à une interprétation complète, replacer *Hamlet* dans le cadre mythologique qui en fait l'universalité, retrouver la grande tradition archétypale de l'imagination collective dont la figure shakespearienne relève, tout en notant exactement les déformations révélatrices que le dramaturge lui fait subir. Des trois moments de l'investiga-

tion ainsi définis, la critique anglo-saxonne, du moins dans ses
efforts les plus marquants, semble s'être attachée au troisième :
l'influence des recherches anthropologiques d'un Frazer et de
son *Rameau d'or*, et des recherches historiques de l'École de
Cambridge sur la mythologie grecque, s'est tout naturellement
conjuguée avec l'orientation jungienne de la psychanalyse pour
diriger l'attention de la critique vers l'étude des grandes formes
mythiques de la vie imaginaire, qui sont au cœur de l'expression
poétique. En France, ce sont les deux premiers temps de l'enquête qui semblent avoir surtout retenu l'intérêt[1] : ils définissent
le champ de la « psychocritique » de Charles Mauron, qui constitue chez nous la tentative la plus originale et la plus systématique pour donner un fondement psychanalytique solide à une
critique littéraire véritable.

Une psychanalyse littéraire ne saurait être une simple application, à la littérature, de la psychanalyse clinique. Le grand
mérite de Charles Mauron, c'est d'avoir pleinement compris ce
fait et d'en avoir tiré les conséquences méthodologiques qui
s'imposent. La critique a pour tâche essentielle d'éclairer des
œuvres, d'enrichir et d'élargir notre contact avec elles. L'œuvre
littéraire reste un commencement absolu et une fin ultime.
Racine, pour le critique (je ne dis pas pour l'historien ou le
sociologue), ce sont les tragédies de Racine, et si leur pleine
compréhension passe forcément par un certain rapport avec
leur auteur, l'écrivain est toujours second, l'œuvre première. Il
y a des œuvres sans auteur connu; sans œuvres connues, il n'y
a pas d'auteur. La tentation, à laquelle la psychanalyse clinique
succombe, c'est de considérer les écrits comme des symptômes
ou des indices d'un conflit dont le *lieu* véritable est non pas
l'œuvre, mais la vie de l'écrivain. On retombe, sous une forme

1. Notons, toutefois, la tentative, en France, de Gilbert Durand, dans *Le Décor
mythique de la Chartreuse de Parme* (Corti, 1961), qui, distinguant, en littérature,
la forme, justiciable des « sciences de la littérature »(stylistique, syntaxe, rhétorique,
lexicologie, etc.), et le fond, voit dans ce dernier « ce sémantisme primordial de l'âme
humaine qui déborde toutes les sémiologies en une donnée immédiate non pas de
la conscience individuelle et réflexive, mais de la communication universelle des
consciences » (pp. 11-12). D'où une approche archétypale des « mythes » littéraires.

plus raffinée, dans le vice rédhibitoire que nous dénoncions
précédemment chez les zélateurs de l'érudition historique : ce
que nous disions alors vaut ici. La réalité propre du texte s'évanouit. Andromaque « était » la Duparc, Oreste Racine; Hamlet,
à présent, ce sera le complexe d'Œdipe de Shakespeare. Le rapport d'émanation reste le même; la complexité seule est différente, dans la mesure où elle suppose un certain nombre de
relais occultes et un code permettant de les décrypter. Pour
Mauron, au contraire, il s'agit à l'origine de comprendre et
d'apprécier les textes comme textes, et la littérature comme
littérature, non comme collection de signes cliniques. La psychocritique est donc, avant tout, une méthode d'élucidation
textuelle, une technique de lecture : en superposant divers
passages comme des photographies, on découvre des associa-
tions constantes, des réseaux d'images; dans un deuxième temps
de la recherche, on suivra, à travers l'œuvre entière, les modi-
fications des structures mises au jour par la première opération.
L'organisation des « métaphores obsédantes » finit par constituer un « mythe personnel », où s'exprime la personnalité
inconsciente de l'écrivain, et qui rend compte non seulement
des structures, mais de la dynamique de son œuvre. Pourtant,
toute science exigeant vérification, il faudra contrôler les résultats ainsi acquis par l'analyse de l'œuvre en les confrontant
avec la vie de l'auteur. Le sens établi par la critique sera corro-
boré objectivement par la biographie. L'unité profonde, le
principe central que postule la recherche contemporaine, sont
donnés dans le titre même du livre de Charles Mauron : *L'Inconscient dans l'œuvre et dans la vie de Racine.* « Le Seigneur
contient tout dans ses deux bras immenses », disait un vers de
Vigny. Le Seigneur, ici, c'est l'Inconscient, réalité unique qui
contient le double secret du créateur et de sa création.

La psychocritique de Mauron se présente donc comme une
critique « structuraliste-génétique » : dans un premier temps,
elle dégage les structures d'une œuvre, c'est-à-dire l'armature
de son sens; dans un deuxième temps, elle rend compte de
l'apparition de ce sens : la description du sens exige sa consti-

tution, ou, si l'on veut, la compréhension, à un second degré, devient explication. Ainsi la description structuraliste ouvre un circuit d'intelligibilité que referme l'explication génétique. De ces deux moments distincts, le premier, que, dans notre vocabulaire, nous appellerons *phénoménologique*, est d'une extraordinaire richesse. Sans pouvoir ici entrer dans les détails, le schéma général de l'affectivité racinienne, que Mauron dévoile [1], la nouveauté et la précision de ses analyses thématiques (en particulier, celle du regard, dont il a un des premiers montré l'importance), le foisonnement des suggestions que son enquête fait lever à mesure qu'elle progresse, concourent à faire de cette étude la meilleure, c'est-à-dire la plus chargée de significations, que l'on ait consacrée depuis vingt ans à Racine. Une investigation psychanalytique conséquente et rigoureuse permet de déceler et de définir, avec une précision jusque-là inconnue, la nature des rapports affectifs qui lient entre eux les personnages raciniens et la configuration constante et tragique qu'ils dessinent. Comme méthode descriptive, la psychocritique est sans conteste un des instruments les plus subtils et les plus sûrs dont puisse se doter la phénoménologie littéraire. Peut-elle, toutefois, ainsi qu'elle le prétend, refermer par ses propres moyens le circuit interprétatif qu'elle a si remarquablement ouvert? Permet-elle, en un mot, de passer de la structure à la genèse des thèmes, de l'explicitation à l'explication? Nous ne le croyons pas un instant.

A un premier stade, la description critique, avons-nous dit, constitue l'œuvre littéraire en objet. A un second stade, l'objet s'humanise et les thèmes apparaissent. Mais, comme dans tout dépassement véritable, la négation est aussi conservation : pour être thématisables selon une compréhension nouvelle et, à notre sens, plus profonde, les structures proprement littéraires n'en subsistent pas moins et gardent une réalité spécifique [2]. Autrement dit, pour être pris au niveau essentiel de leur cohérence affective, c'est-à-dire à la naissance même du tragique, les

1. Notamment pp. 25-26.
2. Sur ce point, la mise en garde de Picard est légitime.

écrits de Racine n'en demeurent pas moins des tragédies. Or, dans la mesure où la psychocritique cesse de décrire son objet pour tenter de l'expliquer, elle le volatilise. Elle n'approfondit pas les structures qu'elle découvre, elle les détruit. Car, l'œuvre de Racine, ce sont des pièces différentes et successives, qui ont une réalité autonome : on les joue ou on les lit séparément. S'il y a, certes, un ensemble du théâtre de Racine, c'est au sens où, selon la belle formule que Péguy appliquait à Corneille, ses tragédies forment une « famille liée » par la communauté de leurs thèmes. Mais ces thèmes n'en sont pas pour autant donnés une fois pour toutes, en vrac; ou s'ils sont articulés, leur organisation n'est pas immobile : il y a un devenir et une durée propre, une évolution, bref, une *vie* du théâtre de Racine. Si des thèmes s'offrent, ce n'est pas dans une indistinction globale, mais suivant un ordre précis de développement chronologique et logique, que c'est justement la tâche même de la critique de rendre intelligible. Or, cette vie spécifique et essentielle du théâtre de Racine, la psychocritique commence par la supprimer : « Les diverses œuvres d'un écrivain se confondent en une œuvre unique; situations et personnages perdent leurs contours nets, se déforment, se reforment, pareils aux figures d'une eau mouvante » (*op. cit.*, p. 18). Ainsi, entre *La Thébaïde* et *Athalie*, rien n'arrive; et, puisque rien n'arrive, rien de neuf. Le dernier mot qu'on écrit, c'était *déjà* le premier; il boucle la boucle, et la littérature est un cercle vicieux, au mieux, une immense tautologie, un éternel rabâchage, dont les moments ne se distinguent que par la plus ou moins grande netteté de l'expression. Le lecteur naïf croyait avoir affaire *aux* œuvres de Racine, qui formaient un ensemble précisément par le mouvement de leur succession; il n'y a plus qu'*une* œuvre de Racine, caractérisée, comme la perception infantile, par son syncrétisme.

Ce n'est pas tout. Non seulement nous nous imaginions qu'il y avait des œuvres de Racine, mais que ces œuvres étaient du théâtre. Nous allions même jusqu'à les voir représenter, parfois, dans une salle de spectacle. Car le théâtre, c'est bien cela : des personnages dans des situations, — trois tréteaux, deux per-

sonnages, une passion, disait Lope de Vega. Le psychanaliste
sourit de notre ignorance : plus de « contours nets », plus de
« situations », plus de « personnages », mais « les figures d'une
eau mouvante » : voilà bien notre chance, ce théâtre était un
songe, très exactement un *rêve*. Car, telle que nous la décrit
Mauron, la réalité racinienne est onirique. Nous nous croyions
éveillés au théâtre : nous sommes en train de dormir. Ce que
nous vivons, ce ne sont pas les hésitations de Pyrrhus ou les
ardeurs de Phèdre, c'est le long cauchemar primitif et indiffé-
rencié de Racine. Cette salle noire, c'est l'inconscient de l'auteur : « Ainsi nous sommes amenés à voir, dans le héros d'un
drame, le moi de son auteur et, dans les personnages qui l'en-
tourent, ses tentations ou ses défenses, ses désirs ou ses peurs »
(p. 21). Voici donc disparue la réalité théâtrale : car le théâtre
commence à l'instant même où, comme dit George Steiner,
« quelle que soit leur parenté avec la source créatrice, les personnages dramatiques assument l'intégralité de leur propre
être; ils mènent leur vie à eux bien au-delà de la mort du
poète » [1]. Le théâtre, c'est ce processus d'objectivation par
lequel le Moi se projette dans des Autres, qui prennent désormais une existence indépendante : pour Dieu comme pour le
dramaturge, c'est cela, la *création*. Et pour l'acteur aussi, qui
prête sa chair à autrui, et ne saurait, comme on dit si bien,
« incarner » Bajazet ou Phèdre qu'en cessant momentanément
d'adhérer à lui-même. La vie des personnages, cette vie éphé-
mère, mais vraie, du théâtre, c'est cette lueur d'existence maintenue un instant à ce carrefour où se rencontrent un auteur,
un public et des comédiens, sur une scène. En somme, le travail
du psychanaliste consiste ici à défaire ce que le travail du poète
avait fait : là où, réussissant à transformer ses créations en
créatures et ses fantasmes en existants, Andromaque, Oreste,
Hermione, dont le destin se poursuit et se joue désormais en
dehors de lui, l'écrivain avait su nous donner un monde, le
psychocritique découvre un mirage; là où nous percevions, sur

1. *Op. cit.,* p. 100,

les gestes et les mots des acteurs, des rapports concrets entre
individus réels, nous avons un simple dialogue entre les deux
lobes du cerveau de Racine : « L'idée la plus difficile à accepter,
dans notre méthode, était l'assimilation d'une tragédie à une
structure et à un fonctionnement psychiques. Nous hésitions
à voir, dans *Andromaque*, l'image, si j'ose dire, du cerveau de
Racine » (p. 178). Donc plus d'Andromaque, d'Oreste ou d'Hermione : un Moi, un Surmoi ou un Ça. La vraie tragédie n'est
pas celle qui se joue entre les personnages raciniens, mais *entre
des concepts psychanalytiques*. Bref, *Andromaque*, c'est une tragédie signée Freud, sur des paroles de Jean Racine.

Nous pouvons à présent mesurer le progrès accompli : les
structures propres de l'œuvre littéraire, une illusion; la réalité
théâtrale, une apparence. Il n'y a, semble-t-il, qu'un fonctionnement psychique : faux semblant encore; ce fonctionnement
n'est que l'image du cerveau de Racine. Du moins y a-t-il un
cerveau et un Racine. Dernier leurre, ultime refuge de notre
naïveté : un cerveau, certes, mais de Racine, point. Nous pen-
sions peut-être que, si le théâtre est, en fin de compte, le lieu
d'un délire personnel, encore faut-il qu'il y ait quelqu'un pour
délirer, et que, délire, si l'on veut, le théâtre racinien est le délire
de Jean Racine, et que c'est là, en tout cas, sa réalité singulière.
C'est le psychocritique lui-même qui le dit : « Les fixations de
l'écrivain sont aussi singulières que son existence, rien n'est
plus personnel qu'un bonheur ou une hantise » (p. 35). Mais s'il
le dit, il lui faut vite se contredire : « ...sous le mythe encore
personnel de Racine, nous percevons la vieille roche de l'inconscient humain » (p. 36). Personnalité, singularité sont des simu-
lacres : « Les mouvements de la libido se font partout selon les
mêmes lois » (p. 39). Quand Racine écrit *Les Promenades de
Port-Royal*, par exemple, comment y chercherait-on une signification particulière, qui éclairerait sous un certain jour le mouvement propre de son œuvre? « Pourquoi Racine ferait-il
exception à cette loi de psychologie générale? Son amour soudain de la nature est l'effet d'un déplacement de libido » (p. 209).
Comment, d'ailleurs, s'y prendrait-on pour distinguer l'origi-

nalité de Racine? « Il nous retrace, somme toute, une crise
œdipienne presque normale dans ses grandes lignes, avec apparition d'un surmoi » (p. 183). Vous, moi, Mauron, Racine, quelle
différence? Votre naïveté est décidément tenace : vous objec-
terez que ni vous, ni moi, ni Mauron ne sommes de grands dramaturges et qu'il demeure quand même ce qu'il faut bien appeler, faute de mieux, le « théâtre de Racine ». Or, ce théâtre
particulier, dont il reste à expliquer l'existence, il ne s'est pas fait
tout seul. Eh bien, si! Tel est, en définitive, le grand triomphe
de la psychocritique : expliquer « scientifiquement » le théâtre
de Racine, c'est arriver à se passer complètement de Racine.
Il faut pousser plus loin encore la régression : si la singularité
de la personne consciente se dissout dans l'impersonnalité de
lois psychologiques inconscientes, l'inconscient lui-même n'est,
en fin de compte, qu'une illusion, et la loi psychologique qu'un
autre nom de la loi physique. Si Racine écrit sous l' « effet »
d'un déplacement de la libido, la libido n'est nullement un
comportement spécifique qu'il s'agirait de comprendre comme
une intention humaine : le psychique n'est qu'un « champ de
forces », le mental qu'un branle de « masses énergétiques », où
il se produit des « éboulements ». Dès lors, tout s'explique. Les
structures littéraires, mises précédemment en évidence par la
description phénoménologique? Le produit d'un parallélo-
gramme de forces : « Il me semble que nous voyons là transpa-
raître et se dessiner, au moins dans ses grandes lignes, le champ
de forces que nous recherchons » (p. 64). L'apparition du Père,
avec *Mithridate?* « C'est ici que le facteur quantitatif semble
 ouer un grand rôle. Si les masses d'énergie agressive n'étaient
pas aussi considérables, elles pourraient se dissiper de façon ou
d'autre » (p. 177) : il faudra donc des personnages guerriers. Le
sens propre de cette création consciente est donc dans l'accu-
mulation d'une certaine *quantité* d'énergie : c'est dire qu'il est,
à proprement parler, insignifiant. Écrire, comme toute action
humaine, n'est plus une intention, à comprendre par son but,
mais un effet, à expliquer par sa cause. Quand Racine croit
écrire, sa plume, en fait, est mue par des poussées d'énergie

cinétique. Alors qu'il pense être en train de faire une pièce (il devait être fort naïf, lui aussi), ses mots lui sont littéralement volés par le déterminisme universel : « ... Lorsque Racine nous retrace ainsi une loi psychologique fondamentale, il n'en sait certainement rien. Il croit tout simplement combiner une intrigue » (p. 182). Dans ces conditions, on n'a pas besoin de lui pour composer *Bajazet* : « Le récit de M. de Cézy contenait tous les éléments du mythe racinien. Il suffisait à Racine de les laisser s'orienter et se regrouper d'eux-mêmes » (p. 102). Quant à la recherche de l'unité et de la totalité significatives, que la critique s'était donné pour tâche de découvrir (en l'occurrence, l'unité d'une œuvre produite, à travers Racine, par les hasards des chocs moléculaires, et la totalité d'un théâtre dont la circonférence est bien définie, mais dont le centre n'est, littéralement, nulle part), en voici enfin le vrai principe : « Le champ de forces sous-jacent contraint Racine à reprendre monotonement un même thème, qu'il mettra tout son art à varier » (p. 95). Pauvre Racine : émanation d'une force psychologique impersonnelle, qui est à son tour le reflet d'un état de l'univers, il est condamné à ressasser indéfiniment sa mélopée, semblable aux idiots que met en scène Samuel Beckett, à cela près, et c'est là toute l'étendue concédée à son génie, qu'il risque, avec un peu de chance, d'introduire quelques modestes variations dans la rengaine que l'Inconscient susurre par sa bouche.

Que s'est-il donc passé? « Comment en un plomb vil l'or pur s'est-il changé? » Et comment cette psychocritique, dont nous avons souligné, sur le plan descriptif, la fécondité exceptionnelle, a-t-elle abouti, sur le plan explicatif, à de telles absurdités? Mauron, comme Racine, est ici victime de Freud, non pas de Freud, savant génial, mais de Freud, scientiste attardé. Il faut, en effet, distinguer une approche concrète et une manipulation vécue, quotidienne, de la vie affective, la découverte des vrais rapports à soi et à autrui qui orientent et articulent notre existence, l'intuition prodigieuse de la profondeur et de l'ambiguïté humaines, bref, une compréhension nouvelle et authentique de l'être-au-monde; et puis, pour rendre compte

de l'expérience pratique du psychanaliste, la psychanalyse,
c'est-à-dire une théorie élaborée, à la fin du xixᵉ siècle, avec les
moyens du bord : associationnisme des entités psychiques distinctes et sans lien interne, pulsions, vibrations, dont on ne
sait plus trop si elles s'agitent dans la pensée ou dans l'éther;
réification de la conscience, dont les morceaux se brisent en
Moi, en Surmoi et en Ça, sans communication intelligible [1], et
dont les « états » sont produits par une causalité et un déterminisme psychophysiologiques qui achèvent d'en faire, non pas
même un phénomène à part entière, mais un simple épiphénomène; en un mot, tout le bric-à-brac du matérialisme scientiste
qui traînait dans l'idéologie de la Belle Époque, tout cet « humanisme » par vocation inhumain ou antihumain, pour lequel la
connaissance de l'homme consiste à en faire un objet parmi les
objets, une chose parmi les choses, et vise, en définitive, à dis-
soudre, dans le tourbillon de l'Universel abstrait et des « lois
scientifiques », ce qu'a d'unique et d'irrécupérable, par la pensée
objective, la présence humaine. En ce sens, il y aurait à faire
une psychanalyse de la psychanalyse, comme, d'ailleurs, de
toute idéologie matérialiste : en faisant de la conscience un
reflet de l'inconscient, sans réalité autonome, et en résorbant
inévitablement, tôt ou tard, l'inconscient dans quelque processus cérébral, le psychanaliste refuse le mystère et la responsabilité de sa propre existence, dont il se décharge sur l'univers;
pour mieux se fuir, il *se nie*, il se réfugie dans la matière, par
une soif de sécurité qui est l'équivalent, sur le plan théorique,
du désir infantile de retour à l'utérus maternel. D'où cette prolifération (théoriquement insoutenable, puisque la psychanalyse
se définit originellement par la décision de comprendre le psychologique comme psychologique) de vocables abusivement
empruntés aux sciences physiques : « quantité » et « transfert »

1. Et, comme il faut, quand même, imaginer cette communication, voici le modèle
d'intelligibilité qu'on nous propose : « L'œuvre d'art, greffée sur l'inconscient, en
est une autoconnaissance, également inconsciente » (p. 181). Un reflet de l'inconscient
devenant connaissance inconsciente de lui-même; un inconscient inconscient, se
muant en inconscient *consciemment inconscient* : ce schéma d'une double inconscience n'est qu'une double absurdité.

de « masses d'énergie », « attraction » et « déplacement » de « champ de forces », et autres « gravitations » ou « éboulements ». Ce choix d'un langage chosiste, cette volonté systématique jusqu'à l'absurdité de décrire les phénomènes psychiques en termes physiques, qu'aucune mesure, aucune expérience scientifiques ne justifient, trahissent le complexe du psychanaliste : ses vocables pseudo-objectifs sont autant de « métaphores obsédantes » qui nous livrent à leur tour son « mythe personnel ». Ce vœu de pétrification, pour la conscience, est une forme de suicide, et la superstructure théorique du freudisme marque, chez le psychanaliste, le triomphe de l'instinct de mort sur l'instinct de vie [1].

1. Ce n'est certes pas la variante lacanienne du freudisme français qui nous fera changer d'avis. Si Mauron avait repris le vocabulaire structuraliste de Lacan, au lieu du vocabulaire chosiste de Freud, il se serait mis, sans doute, en règle avec la mode, mais, philosophiquement, rien n'eût été différent. Pour s'en convaincre, il n'est que de lire l'étude théorique de Jean Reboul, « Jacques Lacan et les fondements de la psychanalyse » (*Critique*, décembre 1962), écrite dans le style quelque peu sibyllin propre à cette école, et qui fait regretter la brutale franchise de Freud. Que l'on remplace les « lois psychologiques impersonnelles » par un « formalisme dominant les conduites humaines et se réalisant en elles à leur insu » ou, comme dit Reboul, par « du formel qui se trouve là sans avoir été formalisé par personne »; que le Ça devienne le « lieu d'être du langage », et ce langage hypostasié une « structure symbolique inconsciente, transcendante par rapport à l'homme », cela ne change absolument rien au fait que « *l'homme n'est plus au centre de lui-même* », (et c'est pourquoi nous notions que le théâtre racinien, tel qu'il apparaît dans l'étude de Mauron, est une totalité dont la circonférence est bien définie, mais dont le centre n'est nulle part). Lacan a, du moins, le mérite d'avoir dit tout haut ce que tout freudien pense tout bas : « Je pense où je ne suis pas, je suis où je ne pense pas. » Et Reboul de commenter, en critiquant les zélateurs de l'*ego cogito* « sécurisant » : « Du *Discours sur la méthode* à la *Science des rêves*, aucun pont n'est pensable : il faut sauter... » Pour nous, nous ne « sauterons » pas, car ce saut est une sottise... Toute interprétation de l'homme incapable de rendre compte de ce *Cogito* qui reste indépassablement l'évidence première de l'existence humaine et la seule façon dont elle se saisit *concrètement* (l'inconscient étant, ne l'oublions pas, une hypothèse de la conscience, de sorte qu'il faut dire ici ce que l'adage romain disait de la paternité et de la maternité : l'inconscient est une question de probabilité, la conscience de certitude), toute interprétation qui décentre le sujet au profit de quelconques « lois » matérielles ou formelles est simplement fausse et trahit l'expérience même, à partir de laquelle la science est possible. Mais cette erreur n'est pas « innocente » : elle ne fait que manifester le *nihilisme* foncier de la pensée freudienne, le triomphe, en elle, de l'instinct de mort sur l'instinct de vie. C'est le très freudien et lacanien Reboul qui nous le dit : « L'homme n'est pas au centre de lui-même et la place de son désir est la béance de la « chose » hors

La psychocritique de Mauron partage donc exactement les heurs et les malheurs de la psychanalyse orthodoxe, dont elle se réclame. De même que Freud guérit effectivement ses malades, Mauron analyse efficacement ses textes : tant qu'il s'agit d'une expérience concrète qui explicite un comportement humain obscur à lui-même (littérairement, tant qu'il est question d'une élucidation critique qui thématise les motifs affectifs sous-jacents à l'œuvre), l'instrument psychanalytique fait merveille et il est irremplaçable. Dès l'instant où la *compréhension du psychisme* veut se transformer en *explication de l'esprit*, c'est-à-dire dès l'instant où une méthode *scientifique* prétend se constituer en système *philosophique*, subrepticement, d'ailleurs, et abusivement, puisqu'elle prétend devenir philosophie tout en restant science, on n'a plus affaire qu'à une position idéologique de mauvaise foi qui joue sur deux tableaux incompatibles. Au reste, cette métamorphose n'est pas sans danger, et, à se durcir indûment en concepts métaphysiques, les concepts méthodologiques finissent par gauchir et fausser la méthode. Il ne nous appartient pas de le montrer dans le champ de la psychologie [1], mais c'est patent dans le domaine de la critique. Quand, suivant fidèlement le mouvement d'hypostase freudien, Charles Mauron veut s'élever de l'explicitation à l'explication, les erreurs de la construction « génétique » retombent,

d'atteinte, interdite et non verbalisable, cernée par les métaphores et les sublimations s'épuisant à la colmater ou à la cacher, sans aboutir à mieux qu'aux derniers leurres (dont la beauté, déchue de sa fonction de splendeur du vrai) qui voilent, en la dévoilant, la pulsion de mort... Nous rejoignons ici les profondes intuitions de Sade, de Nietzsche, de Georges Bataille, sur la mort dans l'ubris et le jaillissement terminal dont se couronne la *libido* sur le sommet qui l'abolit... D'où l'affirmation d'une éthique du désir qui ne serait pas sans rapport avec le pessimisme dionysiaque tel que Freud le pressentait... » Cette psychanalyse, dont la « vérité scientifique » débouche sur une saisie métaphorique du réel dont elle était le travestissement théorique, demande à être elle-même psychanalysée.

1. Signalons, toutefois, que les problèmes thérapeutiques obligent la théorie elle-même à se modifier : d'où la prolifération des écoles psychanalytiques, notamment aux États-Unis, où, avec les néo-freudiens et les psychanalistes existentiels, les horizons théoriques se sont singulièrement ouverts. Notre critique vise uniquement la philosophie déterministe qui anime la psychanalyse freudienne, laquelle est sinon la seule, du moins, jusqu'à nouvel ordre, la grande.

en fait, sur la description « structuraliste » et finissent par la
dénaturer. Si l'analyse thématique a une fonction, ce ne peut
être que de suivre et de restituer la *vie propre des thèmes :* leur
articulation et leur recoupement, certes, mais aussi leur naissance, leur évolution, leur aboutissement. Les métaphores
« gestaltistes » (structures, articulation, configuration, etc.),
certes utiles, tendent, comme dirait Bergson, à donner une
image trop spatiale (et statique) d'une réalité qui implique
nécessairement une durée (et un dynamisme). Les relations
humaines exprimées par l'acte d'écrire, comme par tout acte,
se nouent, se déforment, se reforment dans le temps, elles dessinent un devenir. On ne dit rien d'autre, lorsqu'on dit que la
réalité humaine n'a pas une « essence », mais une « existence »,
c'est-à-dire une essence qui se constitue elle-même en un perpétuel devenir. Mais le postulat psychanalytique « Wo es war,
soll ich werden » suppose juste l'inverse : il immobilise l'homme
dans une essence objective (sorte de « fonction » mathématique
définie par les lois impersonnelles de l'inconscient, où la seule
variable est dans le traumatisme infantile).

Dès lors qu'un homme est donné, une fois pour toutes, dans
son enfance, l'évolution apparente et la variété superficielle
des conduites sont illusoires : une vie n'est que la modulation
d'un thème unique; une œuvre aussi. La théorie de l' « œuvre
unique », chez Mauron, qui détruit toute spécificité des structures littéraires, est la contrepartie de l' « acte unique », que
reprend et revit sans cesse le robot freudien [1]. Aussi bien, la
durée s'étant immobilisée et ramassée tout entière en un seul
point, l'acte comme l'œuvre uniques sont toujours des actes et
des œuvres *manqués.* L'homme s'ingénie à diversifier ses comportements pour les adapter à de nouvelles situations concrètes,
tout comme Racine s'efforce de modifier son art pour l'adapter
à de nouvelles situations dramatiques : en vain. On en voit

---

1. Ce qui est vrai du malade, précisément *aliéné,* loin de servir de schéma explicatif aux actes de l'homme libre, ne se comprend que par opposition avec eux.
Le « déterminisme psychologique » ne rend pas la liberté illusoire; il n'est lui-même
que le *moment* de la liberté figée.

aussitôt les conséquences pour l'analyse thématique : à peine
a-t-elle fait surgir son objet qu'elle l'annihile; car si un thème
prend un sens, ce ne peut être que *par les variations successives
qui l'enrichissent*, c'est-à-dire par sa dynamique interne. Or, le
statisme inhérent à la position doctrinale de Mauron lui enlève
tout désir et tout moyen de comprendre le devenir propre des
thèmes : « Nous poursuivons les thèmes à travers leurs méta-
morphoses. Mais on n'analyse pas des variations : elles sont le
moment qui passe et que l'on goûte » (p. 39). A partir du moment
où l'on décrète que « l'important pour nous reste de savoir
quelle structure, et non point telle autre, a servi de charpente
obligée, et, pour tout dire, de fatalité intérieure à telle œuvre
d'art » (p. 17), la devise de la psychocritique devient forcément :
plus ça change, plus c'est la même chose. Renonçant à comprendre le sens de changements qu'elle frappe d'avance de nul-
lité, l'analyse thématique, par une radicale perversion de ses
fins, ne consistera plus à voir progresser le théâtre racinien de
La Thébaïde à *Athalie*, mais à faire régresser *Athalie* jusqu'à *La
Thébaïde*, à la faire, pour ainsi dire, rentrer dans cette matrice
qui la contenait déjà. Ce retournement de la méthode en altère
les résultats et conduit à de multiples interprétations simpli-
fiées et abusives. Tout ce qu'il y a de neuf finit par être raboté,
pour que les « faits » correspondent bien à la « loi ». Sans pouvoir entrer ici dans les détails, il faut signaler un certain nombre
de conséquences.

Tout d'abord, comme dans l' « œuvre unique » de Racine, il
faut bien distinguer, j'allais écrire des pièces de valeur inégale,
disons des reflets de diverse *qualité* (laquelle gît, par malheur,
dans les « variations » que l'on est incapable de comprendre),
on s'en remettra, en fait d'appréciation esthétique, au « moment
qui passe et que l'on goûte ». Tant de « vérité scientifique », si
souvent et hautement proclamée, pour se retrouver, au bout
du compte, nez à nez avec Anatole France et Jules Lemaître.
Le fantôme de l'impressionnisme n'est, d'ailleurs, pas le seul
qui ressuscite. La psychocritique, on s'en souvient, s'était constituée par le refus d'assimiler la psychanalyse littéraire à la

psychanalyse clinique, incapable de fournir, comme telle, un déchiffrement satisfaisant de l'œuvre d'art. Simplement, la structure de l'inconscient et celle de l'œuvre coïncident : « Il n'y a rien là de spécifiquement névrotique » (p. 181). Mais on détourne mal la psychanalyse de sa vocation première : de même que, pour le médecin des corps, tout homme en bonne santé tend à être un malade qui s'ignore, pour le médecin des âmes, tout être normal est un névrosé en puissance. On a donc beau nous rassurer et nous dire que les tragédies de Racine ne sont, en somme, que les divers symptômes de la crise juvénile par laquelle il liquide, comme vous et moi, son complexe d'Œdipe, *en fait*, toute l'analyse concrète que Mauron donne du théâtre racinien traite ce dernier comme l'évolution irrésolue d'une névrose de type obsessionnel, survivant à la phase œdipienne. C'était à prévoir. Dès lors qu'on condamne l'imagination poétique à être une éternelle redite, une monotone réitération de thèmes, qui se reproduisent avec la régularité des phénomènes naturels et que l'on peut « superposer » comme des « photographies » et enfermer dans des « réseaux », l'immobilité de l'imagination gagne fatalement l'œuvre imaginaire et fait de l'activité créatrice une véritable *paralysie*. L'écriture littéraire n'est donc qu'un type particulier de cette paralysie mentale que l'on nomme si bien une « fixation » et, malgré toute la bonne volonté du monde, on est bien obligé de prendre l'écrivain pour ce qu'il est : un malade. Tôt ou tard, la psychocritique revient donc à la psychanalyse clinique, et retombe aux errements qu'elle voulait éviter. Du coup, on retrouve tous les anciens spectres, que l'on croyait conjurés : après l'impressionnisme esthétique, la réduction biographique. La « génétique » de Mauron fait table rase des « structures » qu'il avait contribué à découvrir : comme au temps du post-lansonisme, la genèse du sens littéraire consiste à rejeter celui-ci hors de la littérature, dans la sphère des circonstances biographiques. C'est le même système de déchiffrement, seule la grille a changé. Dans la belle clarté des rapports d'émanation traditionnels, Pyrrhus ou Oreste = Racine en 1667, on introduit l'obscurité de divers

relais : Pyrrhus, c'est le Surmoi ou Oreste le Ça de Racine. Le
fond des choses n'est pas différent, et la preuve, c'est que, dans
les profondeurs abyssales de l'inconscient racinien, on découvre
brusquement tout l'attirail traditionnel : Port-Royal et les
actrices! « Andromaque représenterait le théâtre désiré malgré
les accusations d'ingratitude, d'infidélité, de sacrilège. Phèdre
représenterait la passion d'écrire qui, ayant perdu la bataille,
se reconnaît coupable... » (p. 184). Nous y voilà : la fameuse
« explication scientifique » consistera simplement à fabriquer
de toutes pièces à Racine un inconscient sur mesure, en y mettant tout le bric-à-brac de l'histoire littéraire, quitte à changer,
pour les besoins de la cause, de vocabulaire.

Je prendrai un exemple, celui du jansénisme, combien important, puisque tout le théâtre racinien n'est, en définitive, pour
Mauron, qu'un vaste scénario inconscient où Port-Royal joue
le rôle archétypal de la Mère et Racine, celui du Fils. Voyons
la psychocritique à l'œuvre : le jansénisme fut fondé par Saint-
Cyran, par son désir de réformer l'Église; mais ce désir, qui
traduit le refus du principe de réalité, est un vœu déguisé d'auto-
punition. Regardons de près la « théologie » du jansénisme : « Au
lieu de remonter jusqu'à saint Paul, avec les protestants, ou
d'accepter saint Thomas et l'Église, on s'arrête juste à saint
Augustin, à mi-chemin et entre deux chaînes » (p. 196). Dès
lors, tout s'éclaire : cette attitude de « protestant » à l'intérieur
du catholicisme, c'est le souhait de l'impossible, caractéristique
du châtiment que recherche le masochiste. Conclusion : « Le
jansénisme, ramené à ses éléments essentiels, présente la structure caractéristique d'une névrose obsessionnelle » (p. 198). Et
le savant d'invoquer la caution d'un orfèvre en la matière : « Ce
défaut d'équilibre a, naturellement, frappé les observateurs
objectifs. Si l'on me reprochait de parler de névrose, je citerais
Bossuet, qui parle de maladie » (p. 197). Hommage d'un « observateur objectif » à un autre, car comme chacun sait depuis La
Fontaine, les loups sont les meilleurs juges des agneaux. Après
le jugement de fait, le jugement de valeur qui s'en autorise :
« Médiocrité, d'ailleurs honorable, des âmes ainsi obsédées »

(p. 198), ce qui, on en conviendra, s'applique admirablement à Pascal, par exemple, ou à Racine. Bien sûr, on pourrait se dire que si Saint-Cyran, entre le pôle paulinien et le pôle thomiste, choisit la voie augustinienne, c'est qu'elle lui paraît *vraie*. Autrement dit, on pourrait croire qu'il s'agit d'un choix proprement *théologique;* ce qui ne veut pas dire que Saint-Cyran cesse d'être un homme et que son choix, comme tel, ne s'insère point dans le contexte de son existence subjective et sociale, mais ce qui implique qu'une fois achevé, *le sens d'un choix acquiert une vérité indépendante de sa genèse.* Tandis que, par une grâce exceptionnelle, la psychanalyse freudienne n'est pas réductible aux complexes que Freud avait certainement, la théologie de Saint-Cyran, elle, doit y être « ramenée ». On apprécie la différence. Il n'y a ni sens théologique, ou artistique, ou philosophique intrinsèque : ils sont tous réductibles, par définition, aux pulsions secrètes de l'inconscient qui se déguisent en art, en théologie ou en philosophie. Une exception miraculeuse : la science, qui n'est plus résorbable dans l'inconscience, et qui, seule, a donc le pouvoir de sécréter des significations autonomes. Je ne dis pas que l'explication psychocritique soit fausse : je dis qu'elle est absurde. Fausse, elle ne l'est pas; il est bien vrai qu'à chaque fois qu'un homme agit ou pense, il agit et pense *tout entier*, avec son corps, ses complexes, son intellect; son être total est impliqué dans sa moindre entreprise. C'est donc avec ses complexes propres que Saint-Cyran élaborera sa théologie, comme El Greco sa peinture avec ses troubles de vision. Mais on ne peut pas plus « ramener » le sens et, partant, la *valeur*, de la théologie janséniste aux complexes supposés ou réels qui la sous-tendent, qu'on ne saurait réduire la peinture du Gréco à n'exprimer qu'une malfonction oculaire. Cette volonté farouche et obsédante d'expliquer, envers et contre tout, *le supérieur par l'inférieur* (ici de supprimer les significations intrinsèques de l'activité consciente au profit de mécanismes inconscients), cette idée fixe, on la connaît : elle a un nom, le matérialisme. On aura compris ce que nous pourchassions dans les pages précédentes : nous rejetons absolument la

psychanalyse classique à partir du moment où sa méthode cesse
d'être une démarche euristique féconde pour devenir une métaphysique naturaliste camouflée.

Un dernier mot : nous n'avons pas psychanalysé assez loin
la psychanalyse. Si son matérialisme indique un « complexe de
fuite », comme toute philosophie déterministe de la conscience,
encore faut-il préciser le sens de cette fuite, qui n'est nullement
identique dans toutes les perspectives matérialistes. Il y a, en
fait, *des* matérialismes, comme il y a *des* spiritualismes. Or, le
complexe du psychanaliste, que la psychocritique de Mauron,
dans son inébranlable loyauté à la doctrine mère, reflète fidèlement, se trouve justement caché (c'est toujours le cas) là où il
se manifeste avec le plus d'évidence : ici, au lieu de sa plus
grande vérité. « Nous savons aujourd'hui que toutes les passions
naissent de l'inconscient, c'est-à-dire de relations familiales
secrètement persistantes » (p. 200). Personne, en effet, n'en
doute. Mais cet inconscient et ces relations familiales, la psychanalyse traditionnelle en fait des *systèmes clos*, un peu comme
Barthes décrivant les structures linguistiques. La vie inconsciente de l'esprit, refermée sur elle-même, perpétue dans ses
abîmes des habitudes et des angoisses millénaires : en ce sens,
l'inconscient de chaque homme reproduit, dans les lois de son
fonctionnement, celui de l'espèce. L'ontogenèse répète éternellement la phylogenèse. Et la famille aussi offre un certain type
de relations autarciques, dont la compréhension se suffit à
elle-même, ses structures différant dans chaque société, comme
les variables d'une fonction psychique identique. Cette clôture
a un sens protecteur; on referme l'inconscient et la famille sur
eux-mêmes, comme on ferme une porte : pour empêcher l'*histoire* d'entrer. Car si on laisse entrer l'histoire dans l'intériorité
close, dans la réalité monadique de l'esprit, plus de « fond
secret », de « profondeurs abyssales » d' « archétypes » ou de
« formes symboliques », où se trouve à jamais inscrit le destin
humain; plus d'essence, tout entière gouvernée par des lois
immuables et impersonnelles : il faut changer sa philosophie
d'épaule. Il faut d'abord jeter par-dessus bord la théorie pas-

séiste d'un temps réitératif : dire que l'homme n'a pas une essence, mais une existence, et dire que cette existence est fondamentalement historique, c'est admettre qu'il y a un *devenir* de l'homme; c'est reconnaître que s'il se définit par les relations concrètes qu'il noue avec le monde et les autres, il peut, en changeant ces relations, *se changer*. Mais alors, tout change, et la sexualité elle-même. Celle-ci n'est plus un champ de forces régi par sa dynamique interne : le « dedans » n'est, pour l'homme, que l'intériorisation ou organisation signifiante d'un « dehors ». Mon « amour » pour une femme n'est pas une entité ou force mise en branle mécaniquement dans mon psychisme; il est le sens unificateur d'un ensemble de conduites complexes, qui met en jeu non seulement le désir biologique et ses lois propres, mais un désir situé, c'est-à-dire *transformé par sa situation* dans une société donnée, à un certain moment collectif et personnel, dont ce « sentiment », censément universel, reçoit sa coloration affective unique. Il n'y a donc pas une archéologie, mais une histoire de l'amour, dont l'essai de Denis de Rougement, *L'Amour et l'Occident*, a pu donner l'esquisse. Mon existence, tout entière poreuse et ouverte, fait entrer en moi le monde et l'histoire.

Dès lors, par une réaction en chaîne, tout saute. S'il faut changer la théorie du temps psychanalytique et dire que l'homme n'est pas le passé, mais l'avenir de l'homme, c'est dire du coup que l'action humaine n'est pas répétition archétypale, mais libre invention. L'histoire, lieu de l'aliénation, est aussi le lieu d'une libération possible, ou, si l'on veut, d'une reconstruction de l'homme, d'une restructuration de ses instincts, d'un triomphe sur leur « fatalité ». Telle est, d'ailleurs, le sens de toute création littéraire authentique : loin de pouvoir être comprise par réduction à la « charpente obligée » que lui conférerait sa « fatalité intérieure », selon l'expression de Mauron, la littérature est, au contraire, ce mouvement permanent d'échappement, de transcendance par rapport à la contingence et à la pesanteur originelles des circonstances, mouvement incarné dans l'ouverture et la disponibilité d'un langage dont

le sens, nous l'avons vu, continue à se nourrir et à s'enrichir,
lorsqu'il est repris d'homme à homme et de génération à génération, au cours des âges. La littérature est le signe même d'une
liberté et appel à notre liberté, sur fond d'histoire et comme
sens possible de l'histoire. Sartre définissait avec raison la littérature par son pouvoir de contestation permanente; et c'est
cette *négativité* essentielle que la psychocritique voudra désarmer, comme on désamorce une charge explosive. Ce qu'on nous
raconte du jansénisme, son « ignorance des réalités », son vœu
de l'« impossible », son « goût de la persécution », son « maso-
chisme obsessionnel », tout cela peut s'appliquer mot pour mot
à n'importe quelle attitude novatrice, à plus forte raison révolutionnaire. Vouloir changer l'ordre établi, c'est, par définition,
vouloir l'impossible, jusqu'à ce que l'impossible soit devenu le
réel : Blanqui et tant d'années de prison, je suis sûr que la
psychanalyse y découvrirait sans mal un délire de la persécution et une névrose masochiste. Telle est l'explication toute
prête qu'elle tient en réserve pour toute contestation radicale
des « équilibres » : Jésus chassant les marchands du Temple
devait être lui aussi poussé par ses complexes, et Socrate. On
comprend que Mauron et Bossuet s'entendent spontanément
pour fustiger Saint-Cyran : le jansénisme contenait effectivement, comme les études récentes l'ont montré, un certain
ferment d'opposition non seulement spirituelle, mais politique
au régime d'alors. Le refus de l'histoire révèle ici son vrai
visage : la psychanalyse, comme éthique, risque de devenir
une pure idéologie conservatrice. Si les marxistes ont eu tort
de la rejeter en bloc, car la dynamique des instincts s'inscrit
aussi dans la dialectique de l'histoire [1], ils ont eu raison d'en
dénoncer l'arrière-fond idéologique. S'inspirant sans doute de
la maxime cartésienne selon laquelle il vaut mieux tâcher de
changer l'ordre de ses pensées que celui du monde, la vocation
de la psychanalyse est d'*adapter* l'individu à l'ordre général de
la société où il vit, de lui rendre une maîtrise suffisante de ses

---

1. Les travaux sociologiques récents d'un Vance Packard, par exemple, l'ont
assez montré.

émotions pour qu'il *s'y intègre*. Dans cette perspective, le révolté devient aisément un malade, et le révolutionnaire, un homme moins à combattre qu'à guérir. Ce n'est point par hasard si la psychanalyse a trouvé, aux États-Unis, sa terre d'élection. Mais si l'esprit n'est pas un vase clos, si ses conflits intérieurs reflètent non pas simplement des archétypes immémoriaux, mais les contradictions extérieures de l'histoire, la véritable guérison ne consiste plus dans une action qui vise purement à changer le moi, mais dans une praxis qui veut transformer le monde.

On comprend mieux à présent le décret péremptoire de Mauron et la nature de l'interdit qu'il jette d'emblée : « La personnalité et le génie n'ont pas, en vérité, d'explication historique » (p. 46). Bien sûr, on acceptera ce qu'il faut d'histoire (la petite), pour meubler l'inconscient anonyme et désert de Racine à grand renfort d'anecdotes. Mais l'histoire authentique, c'est-à-dire l'*historicité* radicale de toute existence humaine, le fait qu'elle s'assume tout entière dans une situation politique et sociale donnée, dont elle reçoit le sens qu'elle peut elle-même donner à son destin, cette histoire *constituante* n'apparaît jamais, et pour cause. La dimension politique de l'univers racinien n'existe plus; ce qui subsiste des nécessités du pouvoir, du jeu des moyens et des fins de la puissance, qui font que l'univers des personnages de Racine est, de par leur situation, un univers *dynastique* [1], ne survit plus que comme les sous-produits d'une activité de dérivation. Mauron fait, à la signification proprement politique, le même coup qu'à la signification théologique : rebaptisée « instinct guerrier » ou « énergie agressive », elle n'est plus que le déguisement de l'inconscient, le résidu de mécanismes psychiques : pour échapper à sa fatalité, le moi se scinde en deux, le moi amoureux et le moi témoin; « le second se retire du jeu : à la fois il évite tout reproche et cherche une autre issue, socialement approuvée, — la guerre, la politique » (p. 179). La guerre, la politique — ce contexte monarchique où tout destin racinien se joue et se perd — sont ainsi châtrés de leur

---

1. Cf. pp. 18 *sqq.*

sens historique : ce n'est plus seulement le théâtre, c'est l'Histoire qui est un songe. Il n'est pas jusqu'à la stratégie militaire qui ne soit dévorée par l'explication psychanalytique, dont il faudrait ici dénoncer le stade de fixation « oral » : attaquée de dos, une troupe fuit sous l'effet du complexe « des deux parents hostiles » : « On retrouve cette panique chez la troupe prise à revers (quand Blücher arrive, au lieu de Grouchy) et dans la hantise du traître » (p. 74). A s'en fier à la psychocritique, on ne croirait guère que Racine a vécu ses hantises et écrit ses tragédies au XVIIe siècle, bref, que son œuvre intériorise la condition humaine de son époque : les « structures » statiques que l'on nous découvre définissent un certain *espace* intérieur; elles n'ont aucun *temps* propre et ne sont d'aucun temps. Le Racine que l'on nous présente est strictement intemporel (la « vieille roche de l'inconscient »), donc littéralement *utopique*. La fidélité absolue de la psychocritique à la psychanalyse classique nous livre sans doute, sous la plume de Mauron, le rêve secret de Freud : comme les peuples heureux, les psychanalysés heureux n'ont pas d'Histoire.

2. *Sociologie du thème.*

Tout se passe comme si Lucien Goldmann avait médité les faiblesses de la psychocritique, sur le plan de la méthode et de la philosophie, et comme s'il avait voulu y remédier [1]. Car, s'il y a une fécondité pratique indéniable du déchiffrement psychanalytique, appliqué à la compréhension de l'œuvre littéraire (les réserves théoriques que nous avons été amené à émettre n'enlèvent rien au fait que, répétons-le, le regard de Charles Mauron sur Racine est l'un des plus pénétrants et des plus

1. Il s'agit, en fait, d'une recherche au départ absolument indépendante, et les travaux de L. Goldmann sur Racine sont antérieurs à ceux de Mauron. Mais Goldmann a dû, par la suite, s'interroger de façon précise et pressante sur les rapports, d'exclusion ou de complémentarité, entre psychanalyse et marxisme : nous verrons plus loin comment et pourquoi.

neufs, dans sa partie descriptive), les limites de l'explication psychanalytique l'empêchent de rendre compte du lien qui existe entre le réel et son expression thématique : « C'est ce que les sociologues ont découvert depuis longtemps en affirmant le caractère *historique et social* de la signification objective de *la vie affective et intellectuelle des individus* [1]. » Cette constatation, que Lucien Goldmann fait à propos des romans de Robbe-Grillet, peut servir d'épigraphe à l'ensemble de ses recherches. Non pas que Charles Mauron ait tort en assignant ses fins à la critique : il s'agit bien, pour elle, d'être « une étude scientifique et explicative de faits intellectuels et littéraires » (*D. C.*, p. 22). Tout comme Mauron parlait sans cesse de « vérité scientifique », Goldmann parle sans cesse de « science » : dans la Préface à *Pour une sociologie du roman*, les mots « science » et « scientifique » ne reviennent pas moins de six fois, à la page 11. Mauron ne s'est donc pas trompé de but, mais, si l'on peut dire, de science : il a opté pour la psychanalyse, alors qu'il fallait choisir la sociologie; car, comparant son effort à celui par lequel jadis se constituèrent les sciences positives de la nature, le sociologue se présente lui-même, en toute modestie, comme le Galilée de la critique *(ibid.)*. La critique sociologique ainsi entendue est scientifique, dans la mesure où elle permet de dégager des « lois »[2], à la fois positives et rigoureuses. Mais ces lois ne sont pas du même type que les lois naturelles des sciences physico-chimiques, qui supposent un déterminisme causal : « ... Tout pari sur une rationalité purement légale ou causale — exclusive de toute finalité — est, dans le domaine des faits humains irréalisable et contradictoire » (*D. C.*, p. 103). La véritable méthode, en sciences humaines, doit être dialectique, au sens marxiste du terme : par opposition aux « distorsions » que les analyses freu-

---

1. *Pour une sociologie du roman*, p. 208. Dans ce chapitre, nous utiliserons les abréviations suivantes :

D. C., *Le Dieu caché*, Bibliothèque des Idées, Gallimard, 1955.

S. R., *Pour une sociologie du roman*, Bibliothèque des Idées, Gallimard, 1964.

2. « ...la possibilité de les [les faits empiriques] comprendre et d'en dégager les lois et la signification est le seul critère valable pour juger de la valeur d'une méthode ou d'un système philosophique », *D. C.*, pp. 13-14.

diennes font subir aux faits culturels et historiques (*S. R.*,
p. 226) et en contraste avec la conception extérieure ou causale du conditionnement de l'individu par la société, que les
positions « rationalistes, empiristes ou phénoménologiques »
impliquent [1], « ...le marxisme nous paraît incomparablement
plus avancé, dans la mesure où il intègre non seulement l'avenir
comme facteur explicatif, mais aussi la signification individuelle des faits humains à côté de leur signification collective »
(*S. R.*, p. 226). La méthode marxiste est donc la seule méthode
complète, puisqu'elle se présente à la fois comme constitutive
d'une science positive et d'une philosophie première, c'est-à-dire
d'une science capable de jeter ses propres fondements et de justifier pleinement son propre statut.

La méthode que Lucien Goldmann propose à la critique littéraire, et qu'il appelle « structuraliste-génétique », nous paraît
particulièrement digne d'attention, car elle constitue la tentative
d'élaboration théorique la plus poussée et la plus systématique
pour donner à la recherche critique des fondements objectifs et
rigoureux, et pour la faire sortir enfin de ce que Goldmann
appelle les « spéculations subjectives et ingénieuses ». Au siècle
scientifique où nous sommes, on comprend l'intérêt profond
d'une réflexion qui vise avant tout à faire récupérer par la
science un domaine traditionnellement réservé aux à-peu-près
des enquêtes « littéraires », surtout quand cette science se pare,
en outre, des séductions politiques et morales du marxisme.
Plus encore que la critique linguistique ou métalogique de
Roland Barthes et que la critique psychanalytique de Charles
Mauron, la critique sociologique de Lucien Goldmann représente la pointe extrême de l'effort par lequel toute une partie
de la nouvelle critique cherche à se construire des modèles d'intelligibilité scientifiques. La tentative, j'allais dire la tentation,
n'est pas nouvelle : depuis Sainte-Beuve et Renan, depuis Taine
et Brunetière, bref, depuis l'avènement de l'idéologie positiviste

---

1. *S. R.*, p. 215. Ce rapprochement est particulièrement curieux (et malheureux),
car la position phénoménologique consiste précisément à nier tout interprétation
causale des phénomènes de conscience. Il s'agit donc, ici, simplement d'une erreur.

qui, dans la seconde moitié du xixᵉ siècle, a suivi le développement des sciences, la critique littéraire a voulu, elle aussi,
reposer désormais sur des bases scientifiques. Mais, là où la
science positiviste a échoué, la science positive doit réussir :
débarrassée des postulats du déterminisme causal et dialectisée
par l'apport marxiste, la pensée scientifique d'aujourd'hui est
en mesure de comprendre et d'expliquer les relations proprement humaines. Émile Hennequin disait, à la fin du siècle
dernier, qu'il fallait traiter l'œuvre d'art « comme signe ». Mais
de quoi? Il appartient à la sociologie structuraliste-génétique
de nous le dire.

Ici, comme dans toute recherche positive, les faits empiriques,
isolés et abstraits, sont le point de départ obligé. Mais leur
signification apparaît seulement lorsqu'on les constitue en certains ensembles, ou totalités significatives : c'est cette intégration à un ensemble qui donne les moyens de « dépasser le phénomène partiel et abstrait pour arriver à son essence concrète »
(*D. C.*, p. 16). Les faits culturels prennent donc une signification par leur mise en place dans certaines structures, et « le sens
valable est celui qui permet de retrouver la cohérence entière
de l'œuvre, à moins que cette cohérence n'existe pas » (p. 22).
Rien là que les préambules, maintenant familiers, à toute entreprise de la critique contemporaine : le problème, cependant, est
de savoir *où* découvrir ce sens « valable » qui permet de retrouver la « cohérence entière ». Pour Barthes, le principe de cette
cohérence était strictement interne et inhérent à l'organisation
formelle du matériau signifiant. Pour Mauron, l'œuvre elle-même
annonçait et révélait le principe de sa propre unité, mais la clé
de celle-ci, en dernière analyse, était dans le système affectif
particulier à la personnalité inconsciente de l'auteur. Avec Mauron et contrairement à Barthes, Goldmann ne croit pas « que
la pensée et l'œuvre d'un auteur puissent se comprendre par
elles-mêmes en restant sur le plan des écrits » (*D. C.*, p. 16).
Mais, contrairement à Mauron, il faut tenir que « tout ensemble
d'œuvres d'un individu n'est pas déjà en tant que tel une structure significative » (*D. C.*, p. 109). De même que, pour expliquer

l'œuvre, Mauron devait l'insérer dans la vie d'un individu, il va
falloir, à son tour, insérer cet individu dans l'ensemble qu'est le
groupe social, et dont il n'est qu'un élément. Le concept « opératoire », qui relie de façon intelligible œuvre, individu et groupe
et qui, pour Lucien Goldmann, constitue le fondement de toute
interprétation culturelle, est la « vision du monde » : c'est
« l'ensemble d'aspirations, de sentiments et d'idées qui réunit
les membres d'un groupe (le plus souvent d'une classe sociale)
et les oppose aux autres groupes » (p. 26). Ainsi doit se
comprendre la cohérence entière, ou presque, qui définit précisément les grandes œuvres, par opposition aux œuvres moins
importantes, qui sont simplement des œuvres de moindre cohérence : elle vient de la vision du monde, c'est-à-dire du « maximum de conscience possible du groupe social » que les écrivains
ou les philosophes expriment (p. 27). L'individu de génie est
justement celui qui arrive à donner ce maximum de conscience
ou, ce qui revient au même, cette cohérence extrême aux tendances réelles, affectives, intellectuelles, d'un groupe social et,
dans ses œuvres, il doit y avoir adéquation absolue entre la
vision du monde comme réalité vécue et l'univers créé par l'écrivain, puis, à son tour, entre l'univers créé par l'écrivain et les
moyens proprement littéraires dont il se sert pour l'exprimer
(*D. C.*, p. 349). Une première démarche, ou, si l'on préfère, un
premier palier de l'interprétation ira donc de l'examen interne
du texte à la vision du monde qu'il exprime, — par exemple,
chez Pascal ou Racine, la « vision tragique ».

Cependant, cette étape préalable, que Goldmann appelle la
compréhension ou l'étude phénoménologique, est littéralement
privée de tout sens, si elle ne débouche pas sur l'étape suivante
qu'elle exige, celle de l'explication ou de l'étude génétique. Si
l'individu donne le maximum de conscience aux tendances du
groupe, il ne les crée pas : c'est le groupe qui les élabore, même
à l'état confus, et c'est donc le groupe qui est le lieu de la création
culturelle, en particulier de celle qui produit une vision du
monde. Compréhension et explication sont donc en fait inséparables; ce sont deux moments d'un même processus : « ... Il y

a un progrès, discontinu sans doute, mais permanent, aussi bien dans la compréhension que dans l'explication génétique à mesure qu'on parvient à insérer les touts relatifs qu'on étudie dans les totalités plus grandes qui les embrassent et dont elles sont des éléments constitutifs » (*D. C.*, p. 105). Goldmann précisera encore, dans un ouvrage postérieur, la nature du rapport qui unit compréhension et explication, et qui est un mode spécial d'imbrication de l'une dans l'autre : « ... La mise en lumière d'une structure significative constitue un processus de *compréhension*, alors que son insertion dans une structure plus vaste est, par rapport à elle, un processus d'*explication*. A titre d'exemple : mettre en lumière la structure tragique des *Pensées* de Pascal et du théâtre racinien est un procédé de compréhension; les insérer dans le jansénisme extrémiste en dégageant la structure de celui-ci est un procédé de compréhension par rapport à ce dernier, mais un procédé d'explication par rapport aux écrits de Pascal et de Racine... » (*S. R.*, p. 223). On voit donc comment toute interprétation structuraliste a, pour complément nécessaire, une explication génétique; mais, inversement, toute explication génétique doit être une interprétation structuraliste : elle consiste en une mise en rapport des structures de l'œuvre littéraire ou artistique avec les structures du groupe social dont elles représentent l'expression cohérente. A la différence des écoles sociologiques antérieures, y compris une certaine forme rudimentaire de marxisme, qui essaient d'établir des identités ou des ressemblances de « contenus » entre l'univers imaginaire d'une œuvre et le monde social contemporain, la sociologie structuraliste fondée par Lukacs comprend la création artistique comme « création d'un monde dont la structure est analogue à la structure essentielle de la réalité sociale au sein de laquelle l'œuvre a été écrite » (*S. R.*, p. 209). En dernière analyse, la méthode « compréhensive-explicative », que nous propose Lucien Goldmann, se donne pour but d' « effectuer des groupements provisoires d'écrits à partir desquels il s'agira de rechercher dans la vie intellectuelle, politique, sociale et économique de l'époque, des groupements sociaux structurés, dans

lesquels on pourra intégrer, en tant qu'éléments partiels, les
œuvres étudiées, en établissant entre elles et l'ensemble des
relations intelligibles et, dans les cas les plus favorables, des
homologies » (*S. R.*, p. 223).

Ainsi, dans les textes pascaliens ou raciniens, l'étude interne
dégagera les grandes lignes d'une vision du monde tragique :
celle-ci consiste à vouloir, dans ce monde, la réalisation de valeurs
qui y sont strictement irréalisables; la conscience tragique ne
connaît ni degrés ni compromis; ignorant le plus ou le moins,
elle se définit par un *oui* et un *non* simultanés et indépassables,
par son exigence de « tout ou rien ». Or, cette structure de la
conscience tragique, immobilisée dans ses contradictions (à la
différence de la pensée dialectique, qui les surmonte), correspond très exactement à la structure des groupes jansénistes,
pris dans une insoluble contradiction : la noblesse de robe est
déchirée entre sa fidélité à la monarchie et l'évolution de la
politique monarchique, qui aboutit à la destruction de la classe
parlementaire; la conscience janséniste est donc condamnation
d'un monde radicalement mauvais, sans aucun espoir, pourtant,
de le changer. On aperçoit l'homologie des deux structures. De
même, le roman traditionnel raconte l'histoire d'un « héros
problématique », c'est-à-dire d'un personnage dont les valeurs
et l'existence le situent devant des problèmes insolubles, qu'il
n'arrive pas, d'ailleurs, à faire passer à la pleine conscience :
cette biographie imaginaire opère, sur le plan littéraire, la transposition de la vie quotidienne dans la société individualiste,
née de la production pour un marché. Parallèlement à la transformation de la vie économique et au remplacement de l'économie de libre concurrence (où s'affirme l'individu) par une
économie de cartels et de monopoles (qui supprime toute importance de l'individu), on assiste à l'évolution des formes roma-
nesques modernes. Le rôle du personnage individuel diminue,
des valeurs antithétiques, communautaires et collectives, apparaissent sous l'influence des idéologies socialistes. Puis, dans une
deuxième période, toute biographie s'efface, l'individu se dissout, pour faire place au « roman de l'absence du sujet ». Ainsi

peut-on expliquer la progression qui va, dans les romans de Malraux, des *Conquérants* à *La Condition humaine* et de *La Condition humaine* à *L'Espoir*, et celle qui mène ensuite des romans de Malraux lui-même à ceux de Nathalie Sarraute et de Robbe-Grillet. A propos de ces derniers (et à l'inverse de Roland Barthes, surtout sensible à la pure description objectale et à l'organisation interne des structures littéraires), Lucien Goldmann montre, dans la fatalité des *Gommes*, qui élimine toute possibilité de modification née d'un élément imprévisible du tempérament individuel, et dans l'inertie du *Voyeur*, qui frappe tous les habitants de l'île, des homologues exacts des mécanismes d'autorégulation du marché et de la passivité croissante, caractéristiques de la phase actuelle des sociétés industrielles occidentales. Mais les auteurs, direz-vous? Pascal? Racine? Malraux? Robbe-Grillet? Ils constituent une sorte de médiation, obligée, certes, mais inessentielle, entre les structures de l'œuvre et celles d'un groupe ou d'une société, que l'on peut seules réunir par un lien à la fois simple et nécessaire. C'est que « les véritables sujets de la création culturelle sont les groupes sociaux et non pas les individus isolés » (*S. R.*, p. 11) : l'homologie rigoureuse est donc entre la vision du monde exprimée dans l'œuvre et la vision du monde diffuse dans le groupe, et non pas entre les structures de l'œuvre et celles d'un psychisme ou d'une vie individuels. Les rapports psychologiques sont infiniment trop complexes pour qu'on puisse définir, grâce à leur étude, ce lien simple et nécessaire que fournit l'analyse sociologique; et la psychologie est, d'ailleurs, pour le moment du moins, bien loin de se présenter avec l'unité d'une science. « On pourrait donc, *en principe*, arriver, en étudiant l'individualité de l'auteur à la connaissance de la genèse et de la signification de certains éléments constitutifs de ses écrits. Malheureusement... en dehors du laboratoire et de l'analyse clinique, l'individu est pratiquement, dans l'état actuel de la psychologie, difficilement accessible à une étude précise et scientifique » (*D. C.*, p. 348). On voit pourquoi, aux yeux de Goldmann, la psychanalyse, dont il examine, dans un texte récent, les prétentions (*S. R.*, pp. 225 *sqq.*), se trouve finalement déboutée : la libido reste individuelle et ne débouche pas sur l'histoire. Utile par le biais, en quelque sorte, en fournissant des raccords entre la vie de l'individu et le destin du groupe, la psychanalyse, lorsqu'elle aura mis en évidence des significations affectives et biographiques, n'aura « ni touché ni même approché » les significations littéraires et philosophiques des écrits. On ne saurait certes nier que Lucien Goldmann nous présente une méthode soigneusement élaborée au contact des sciences humaines actuelles et de la tradition marxiste, dont elle offrirait, en somme, une synthèse.

Que penser de cette méthode et de son apport à la critique littéraire? Notons que, dans l'esprit de son créateur, l'explication sociologique ne constitue point, par elle-même, le tout de la critique littéraire. La première permettrait de « dégager la relation entre la vision du monde et l'univers d'êtres et de choses dans l'œuvre », la seconde de « dégager les relations entre, d'une part, cet univers et d'autre part, les moyens et les techniques proprement littéraires qu'a choisis l'écrivain pour l'exprimer » (*D. C.*, p. 350). En somme, en accolant Goldmann et Picard, on aurait exactement la « critique totale » que l'époque appelle. Bien entendu, Goldmann se taille, en cette affaire, la part du lion : de même qu'au Moyen Age, la philosophie devait être la servante de la théologie, la critique littéraire ne saurait être, dans cette perspective, qu'une discipline d'appoint (comme la psychanalyse), destinée à élucider des détails, certes, importants, mais uniquement d'après les directives fournies par l'enquête sociologique. On ne voit guère comment il pourrait en être autrement : puisque la mise en œuvre des techniques d'expression est tout entière réglée sur la vision du monde qu'elles ont pour but de manifester, la critique littéraire, telle que Lucien Goldmann l'envisage, est forcément secondaire ou, en tout cas, seconde, par rapport à l'étude sociologique, dont elle doit attendre les constats avant de se mettre en branle. Les rapports de la sociologie et de l'esthétique étant ainsi définis, selon le même schéma, d'ailleurs, que dans la psychocritique, quels sont les résultats, et quel progrès marquent-ils sur ceux de la recherche traditionnelle?

Curieusement, et pour des raisons qui s'éclairciront peu à peu, nous serons amené à redire ici, de la sociologie, ce que nous disions précédemment de la psychanalyse. La partie *descriptive* et la partie *explicative*, — inséparables, dans l'esprit de Goldmann comme de Mauron, puisque c'est l'explication de leur genèse qui permet la pleine compréhension des structures — sont, en fait, non seulement séparables, mais séparées, et de valeur fort inégale, au demeurant. Encore une fois, nous n'entendons pas, dans cet essai, juger le talent individuel d'un critique ni brosser le tableau général de la critique : il s'agit uniquement d'évaluer les différents types de méthodes qui sollicitent le chercheur d'aujourd'hui et d'apprécier la philosophie de la littérature que ces méthodes proposent ou impliquent. Quand nous doutons d'une méthode, le mérite personnel de son promoteur n'est pas plus contesté qu'il ne serait, d'ailleurs, assuré, dans le cas inverse. L'apport des travaux de Lucien Goldmann est ici hors de cause : ils ont rénové, dans une large mesure, notre compréhension de Pascal et du jansénisme, mis au point le précieux concept de vision tragique, jeté un jour nouveau sur l'évolution du roman moderne. Sur Malraux et Robbe-Grillet, nous devons à Goldmann les analyses les plus pénétrantes. Mais cette pénétration, à quoi la doit-il? Et à quel niveau s'exerce-t-elle? Pour Goldmann, la réponse ne fait aucun doute : comme tout savant, il croit devoir ses résultats à sa méthode, et cette méthode structuraliste-génétique, comme son nom l'indique, est valable précisément parce qu'elle peut à la fois dégager les structures essentielles de l'œuvre littéraire et rendre compte de leur genèse. Notre réponse sera différente. Comme c'était le cas pour la psychocritique, tout ce qu'il y a de fort, de neuf, de vrai, dans la critique sociologique de Lucien Goldmann, apparaît invariablement sur le plan de la compréhension et de la phénoménologie, bref, de l'étude interne. Les beaux chapitres sur la vision tragique de Pascal (Dieu, le monde, l'homme), le rapprochement original et frappant entre dialec-

tique janséniste et dialectique marxiste, dans leur contraste
même, les remarquables analyses sur le paradoxe, le pari ou la
réunion des contraires dans les *Pensées*, ou celles qui portent
sur la formation, la progression et la dissolution de l'idéologie
révolutionnaire dans les œuvres de Malraux, comme principe
de leur mouvement romanesque, tout cela, et bien d'autres
choses encore, ressortit exclusivement au domaine de l'étude
interne et de la description structurale. Bien entendu, celles-ci
mettent en jeu, chez le critique contemporain, des connaissances et des concepts précis, psychanalytiques, sociologiques
ou philosophiques, inconnus ou méconnus de la recherche traditionnelle, et qui permettent de découvrir, dans l'œuvre littéraire, des significations essentielles, jusque-là négligées ou
omises. Mais, dès qu'il s'agit de passer de la compréhension à
l'explication, c'est-à-dire d'appliquer intégralement au déchiffrement de la littérature le modèle d'intelligibilité élaboré dans
l'une quelconque des sciences positives, les choses ne manquent
pas de se gâter. Ce que nous avons déjà pu constater à propos
de la linguistique et de la psychanalyse, nous allons le vérifier
de nouveau en ce qui concerne la sociologie.

Le problème méthodologique central qui se pose à toute critique qui veut dégager l'unité et la cohérence propres des
œuvres d'art, c'est-à-dire comprendre celles-ci comme une organisation de structures concourantes, est celui du *découpage*.
Lucien Goldmann est le premier à s'en rendre compte : « Il
est évident que si pour connaître la structure réelle de la vie
humaine et historique, il faut la découper en structures *signifi-*
catives, il y a devant le chercheur d'innombrables possibilités
de faire dans la somme des données empiriques des découpages
erronés... » (*D. C.*, p. 106). Une fois de plus, nous achoppons aux
apories du scepticisme, déjà rencontrées en chemin, à l'éclatement de la vérité en vérités qui ne s'intègrent plus les unes aux
autres et laissent la connaissance globale désarticulée et désar-
mée. Mais, de la difficulté même, Goldmann fait sa solution :
« En face du grand nombre de mauvais découpages possibles de
l'objet et du petit nombre de découpages valables, c'est préci-

sément la recherche exclusive de totalités *significatives* qui constitue à notre connaissance le seul guide valable pour le chercheur » *(ibid.).* Autrement dit, le bon découpage est celui qui
dégagera des ensembles tels qu'ils intégreront le maximum de
sens possible. Cette définition rejoint exactement celle que
Roland Barthes donnait de la validité d'une critique, et nous
l'accepterons, pour notre part, volontiers. Le problème est donc
celui-ci : le type de critique que nous présente Lucien Goldmann,
au nom d'une sociologie marxiste rajeunie par l'apport structuraliste, intègre-t-il la plus grande quantité de sens littéraire,
et son découpage est-il le bon? Il ne fait aucun doute, pour nous,
que la réponse est négative.

Remarquons d'emblée que ce « découpage », qui prétend
atteindre une « totalité significative », commence par un décret
arbitraire : « ... Une étude positive valable des *Pensées* et du
théâtre racinien suppose non seulement une analyse de leur
structure interne, mais d'abord leur insertion dans les courants
de pensée et d'affectivité qui leur sont les plus rapprochées »,
c'est-à-dire, en l'occurrence, la pensée et la spiritualité jansénistes, à replacer, à leur tour, dans le contexte de la situation
économique, politique et sociale de la noblesse de robe (*D. C.*,
p. 110). On remarquera ce « d'abord » et l'ordre de priorité
qu'il implique. Toute recherche, en effet, commence par un
cercle vicieux : comme dit un proverbe anglais, qui vient en
premier, la poule ou l'œuf? Il s'agit de comprendre les faits par
une hypothèse, mais l'hypothèse, en retour, n'est justifiée que
par les faits. Il ne faut point tenter de nier ce cercle, mais d'en
sortir par la dynamique d'une démarche concrète, qui vient
aux faits, comme l'intelligentsia russe allait au peuple, en y
adhérant de plus en plus étroitement et en se corrigeant à ce
contact. A cet égard, admettons que toute interprétation est,
au début, arbitraire, puisqu'elle donne, selon l'expression de
Roland Barthes, un « coup d'arrêt » à la signification et décide
elle-même du niveau significatif qu'elle choisit. Mais il ne saurait y avoir pour autant *priorité* de l'hypothèse sur les faits,
sans quoi on ruine la dialectique même de la connaissance, qui

se définit par son va-et-vient : la nature de la signification
cherchée étant reconnue, il ne s'agit pas d'*imposer* un sens aux
phénomènes, mais, et c'est là l'essence de la phénoménologie,
de le faire surgir, à condition, bien sûr, qu'il y soit. On ne saurait
donc *d'abord* décider d'insérer le théâtre racinien dans les structures de la spiritualité et de la société jansénistes; il faut, au
contraire, montrer préalablement, par l'analyse interne, que le
théâtre de Racine *a bien un sens janséniste* (ce que de nombreux
critiques ont nié absolument), faute de quoi son insertion dans
le jansénisme, simplement justifiée par le sophisme de la proxi-
mité historique, n'est plus qu'un coup de force, et l'hypothèse
légitime une pétition de principe fallacieuse. C'est bien, en effet,
ce qui se passe. Alors que, dans le cas de Pascal, Goldmann
avait *montré* le sens janséniste des textes, pour Racine, il le
suppose, par contamination en quelque sorte. Malheureusement,
le « montage » du sens ainsi obtenu devient un découpage suspect. Après avoir tranché du sens, on vient à en retrancher;
et pour mieux découper, on coupe. Ayant décrété d'avance ce
qui, dans une œuvre, est essentiel ou ne l'est pas, au nom d'un
critère extérieur, le concept de « vision du monde », dont le
sociologue croit disposer pour définir la « cohérence » de cette
œuvre, Goldmann décide, sans plus, qu'on peut « laisser de
côté », chez Racine, *Alexandre* ou *La Thébaïde* (*D. C.*, p. 23).
Or, les analyses de Mauron, entre autres, ont clairement établi
l'affinité, la parenté thématiques de ces deux tragédies avec
les suivantes. Outre que, sur le simple plan empirique, un tel
saut à pieds joints par-dessus deux pièces est difficilement justi-
fiable, on sait, depuis Leibniz, que l'habitude commence au
premier acte. Les débuts d'un écrivain, s'ils sont souvent impar-
faits, sont toujours révélateurs. Ce curieux droit que le critique
s'arroge ici de manier les ciseaux de la censure, pour mieux
assurer sa découpe, il faut l'examiner de plus près.

La nouvelle critique parle volontiers de la cohérence et de
l'unité des œuvres; mais le tout n'est pas d'en parler, ni même
d'établir qu'elle existe : encore faut-il la définir, pour savoir
où la trouver. Or, il y a divers types de cohérence, selon le

niveau de signification auquel on s'arrête : les recherches de
Roland Barthes, par exemple, donnent la primauté à une
cohérence de type formel et lucide, celles de Charles Mauron à
une cohérence de type affectif inconscient. Si c'est bien un choix
du critique qui décide, parmi la multiplicité des significations,
de celles qui révèlent le sens essentiel, pour être libre, ce choix
ne saurait être arbitraire : la condition fondamentale qui le
limite (et que tous les critiques s'accordent à accepter) est que
*le sens ainsi choisi intègre la plus grande quantité de significations
possible, et, à la limite, la totalité.* Or, en vertu de ce principe
même, nous avons cru pouvoir reprocher à la cohérence formelle de Barthes de laisser échapper la dimension transcendante
du langage littéraire, qui en constitue un sens majeur; et à la
cohérence psychanalytique de Mauron, nous avons objecté que
la rigidité de sa conception excluait toute possibilité de comprendre les variations et le développement propre des thèmes,
privant ainsi l'œuvre du sens qu'elle acquiert par son devenir. A cet égard, la définition de la cohérence que propose
Lucien Goldmann nous paraît tout aussi mutilante. Pour lui,
en effet, une œuvre d'art n'est que l'expression, dans un langage spécifique (littérature, peinture, sculpture, etc.), d'une
« vision du monde » qui s'exprime également dans des ouvrages
philosophiques, théologiques ou dans les manifestations variées
de la vie quotidienne (*D. C.*, p. 301). La question qui se pose
alors est de savoir en quoi consiste la spécificité du langage littéraire, ce qui le *différencie* des autres. Nous avons déjà rencontré
la réponse : l'œuvre littéraire ou philosophique se définit par le
« maximum de conscience possible » qu'elle donne à la vision
du monde d'un groupe social, qui existe à l'état diffus ou confus
chez chacun de ses membres. Le grand créateur, dans le domaine
de l'esprit, est celui qui réussit à produire « un univers imaginaire, cohérent ou presque rigoureusement cohérent, dont la
structure correspond à celle vers laquelle tend l'ensemble du
groupe; quant à l'œuvre, elle est, entre autres, d'autant plus
médiocre ou plus importante que sa structure s'éloigne ou se
rapproche de la cohérence rigoureuse » (*S. R.*, p. 219). De ce

point de vue, l'analyse historico-sociologique, suffisamment poussée, fournit, de surcroît, le « critère de l'œuvre esthétiquement valable » (*D. C.*, p. 350). Mais ce que Goldmann ne semble pas avoir vu, c'est qu'en établissant un lien nécessaire entre analyse sociologique et critère esthétique, il ne jetait une tête de pont dans le domaine de l'esthétique que pour découvrir le flanc de sa sociologie. Car si le critère esthétique ainsi obtenu est inadmissible, il faut bien que l'analyse sociologique qui a contribué à le définir soit suspecte.

Il faut commencer par dénoncer, en matière d'esthétique comme d'éthique, la confusion qu'opère toujours la pensée marxiste entre jugements de fait et jugements de valeur[1]. La dialectique consisterait justement à pouvoir glisser *objectivement* d'un domaine à l'autre : « ... Aucune valeur ne doit être reconnue ou admise que dans la mesure où cette reconnaissance est fondée sur la connaissance positive et objective de la réalité, de même que toute connaissance valable de la réalité ne peut être fondée que sur une pratique — et cela veut dire sur la reconnaissance, explicite ou implicite, d'un ensemble de valeurs — conforme au progrès de l'histoire » (*D. C.*, p. 98). Les valeurs sont fondées sur la connaissance objective; la connaissance objective se fonde sur des valeurs, qui sont, à leur tour, « conformes au progrès de l'histoire », c'est-à-dire objectivement

---

1. Dans son *Essai de critique marxiste*, Auguste Cornu passe, lui aussi, tout *naturellement*, du plan du savoir à celui de l'action, du plan de l'étude à celui de la norme, sans souligner le saut radical que ce changement constitue : « Orientée essentiellement vers l'action, la critique marxiste ne s'en tient pas à ce mode d'analyse exacte des œuvres du passé, car ce serait réduire la pensée révolutionnaire à un effort de compréhension sans portée pratique, à un exercice contemplatif sans influence sur le processus de création artistique et littéraire. S'intégrant dans l'ensemble de la pensée révolutionnaire, la critique marxiste se pose comme objet non seulement l'appréciation du contenu d'une œuvre par référence constante aux rapports de classes qui la déterminent, mais aussi et surtout la contribution à l'élaboration d'œuvres nouvelles tournées vers l'avenir... » (cité par R. Fayolle, *La Critique littéraire*, 1964). Qu'on nous comprenne bien : pas un instant nous ne reprochons à la critique marxiste d'être *engagée;* c'est la vocation même de la critique de l'être, — et, sur ce point, Cornu a le mérite d'être plus net que Goldmann. Ce que nous lui reprochons, c'est de travestir la nature de son engagement, en faisant un corollaire de la connaissance; c'est de se donner frauduleusement des *certitudes*, là où il n'y a, en tout état de cause, que des *convictions*.

fondées. Ainsi la boucle serait bouclée, et le circuit de l'objectivité refermé par une dialectique, où faits et valeurs ne seraient
que les moments d'un processus unique. Or, il s'agit là d'un
sophisme fondamental, non pas seulement de la démarche de
Goldmann, mais de la philosophie marxiste en général. Celle-ci
a, certes, raison de vouloir articuler intelligiblement le champ
du réel et celui du possible, pour l'homme : la valeur suppose
toujours l'insertion d'un projet humain dans la réalité. Mais
dire qu'il n'y a de possibles humains que sur fond de réel
n'équivaut en rien à pouvoir *tirer* par un processus quelconque,
fût-il dialectique, le possible du réel : on ne passe ici d'un état
de l'être à un autre état de l'être que par la médiation du *non-
être*, par un saut qualitatif absolu, qui renvoie, hors de la sphère
de l'être, au surgissement de l'existence. Si, comme les analyses
de Heidegger et de Sartre l'ont montré, la conscience est précisément cette apparition néantisante au cœur de l'être, c'est que
tout projet humain implique la négation de la réalité donnée
au nom de la réalité possible, c'est-à-dire qui *n'est pas* encore.
Or, le « n'être pas encore » n'est point une manière d'« être
déjà », simplement latente. Les couleurs des tubes de peinture
ne « deviennent » pas un tableau, de la façon dont les nuages
« deviennent » de la pluie. Il n'y a aucun processus qui permette de passer des couleurs du tube au tableau peint, par une
dialectique du devenir : cette « possibilité », les couleurs, au sens
le plus strict, *ne l'ont pas;* elle vient à elles d'au-delà du monde,
par une libre et imprévisible invention, par un projet humain
qui seul peut dépasser le réel vers un *possible authentique* ou
valeur (ce qui « doit être », comme détermination de l'être qui
n'y est pas déjà contenue). Ainsi, le circuit de l'objectivité,
où l'on voulait prudemment s'enfermer, éclate dans le surgissement de l'existence subjective, qui, par la négation radicale
du fait, et par cette négation seulement, produit la valeur [1].

---

1. Même l'idéologie conservatrice de l' « acceptation du fait » et l'*amor fati* sont
des *dépassements*, donc des négations du fait en tant que simple fait, au même titre
que le désir de « transformer le monde » chez Marx ou de « changer la vie » chez
Rimbaud.

Aucune « connaissance objective », comme telle, ne peut fonder une valeur, puisque celle-ci est tout entière dans ce surplus de sens que la conscience invente et projette au-delà du réel. (Si, d'ailleurs, les valeurs n'étaient assurées qu'au terme de la connaissance scientifique, il n'y aurait jamais aucune valeur dans un investissement immédiat et absolu, comme l'amour.) Inversement, aucun ensemble de valeurs historiques ne peut *fonder* la connaissance scientifique, dont la vérité, si elle se manifeste dans l'histoire, est d'un ordre strictement non historique [1]. En bref, les significations objectives et les significations valorisantes ne peuvent à aucun moment passer les unes dans les autres, car elles appartiennent à des régions de l'être radicalement distinctes. S'il y a articulation intelligible entre elles, ce n'est pas par la médiation d'un processus, mais d'un *agent*. Aussi, à prétendre donner à des jugements normatifs la caution de jugements objectifs, aboutit-on à tout perdre, à l'instant où l'on croyait tout gagner : les deux registres ne se laissent pas impunément confondre. Alors qu'on pensait conférer aux valeurs élues tout le poids des faits, c'est la contamination inverse qui se produit, et ce que l'on nous propose comme jugement de fait *n'est qu'un jugement de valeur déguisé*.

Cette « cohérence rigoureuse », que découvrirait, selon Lucien Goldmann, l'analyse sociologique, et qui servirait *ensuite* de critère esthétique, est, en fait, *d'abord* un choix esthétique, qui guide, ou plutôt fourvoie, la recherche sociologique. Considérons un moment le type de cohérence impliqué par la « vision du monde », telle que l'entend Goldmann : c'est « *l'extrapolation conceptuelle* jusqu'à *l'extrême cohérence* des tendances réelles, affectives, intellectuelles et même motrices des membres d'un groupe » (*D. C.*, p. 349). En somme, le sociologue et l'artiste chemineraient, par des voies différentes (langage abstrait ou

---

1. Ce qui est exact, c'est que la connaissance peut aider (mais non fonder) le choix de valeurs « réalisables », qui est un choix parmi d'autres (la vision tragique implique, comme Goldmann le montre, le choix de l'irréalisable). De même, l'adoption historique de certaines valeurs (rigueur, détachement, rationalisme, etc.) peut faciliter, mais non fonder, le progrès de la connaissance scientifique.

langage littéraire), vers le même but : l'expression la plus rigoureuse d'une vision du monde; s'ils se rencontrent, c'est que leur démarche fondamentale se recoupe. Elle consiste, essentiellement, à *aller de l'ambiguïté à la clarté.* « ... C'est précisément le fait de *ne pas accepter l'ambiguïté*, de maintenir malgré et contre tout l'exigence de raison et de clarté, ...qui constitue l'essence et de la tragédie en particulier et de l'esprit classique en général » (p. 70). Cette définition d'une esthétique « classique » nous donne la clé de toute l'entreprise : loin qu'il soit la formulation d'une essence dégagée des faits par l'analyse culturelle, ce « classicisme » de gauche, comme jadis le classicisme de droite prôné par les maurrassiens, n'est qu'une fiction historique qui dissimule un choix personnel : « ... Il ne sera pas faux d'appeler classiques, dans un sens très large, toutes les œuvres littéraires et philosophiques centrées sur la compréhension rationnelle, et romantiques celles qui se détournent de la raison pour se réfugier dans l'affectif et dans l'imaginaire » (p. 52). Au cœur de cette prétendue définition, il y a un simple postulat : l'étude « rationnelle » serait tournée vers le réel, tandis que l'activité « affective et imaginaire » nous en détournerait, parce que, en somme, selon la formule hégélienne, le réel est le rationnel. Or, rien n'est plus faux : la rationalité n'épuise pas la réalité; sentiment et imagination sont des *révélateurs* du monde, dont ils dévoilent l'être, à un autre niveau que la raison, mais à titre égal. Loin que la vie affective serve de refuge contre le concret, c'est, au contraire, une certaine forme de rationalisme qui sert de refuge à l'esprit contre le réel. La « cohérence », que l'on trouverait au terme de l'analyse sociologique, n'est que le préjugé initial d'une esthétique intellectualiste, qui *suppose à l'art la même démarche fondamentale qu'à la science.* En fait, il s'agit de cohérences et de démarches inverses : d'abord, la cohérence de l'art n'est pas d'ordre intellectuel, mais existentiel [1]; ensuite, l'art ne va pas du complexe au simple, de l'ambigu au clair, mais du simple au complexe et

1. Cf. pp. 53-56.

du clair à l'ambigu. Comme nous l'avons vu précédemment [1], c'est précisément un certain type d'ambiguïté dont la richesse fonde et définit le langage littéraire. La « clarté classique » est une fausse clarté qu'on invente pour les besoins de sa cause, et nous ferons valoir, contre le « classicisme » de Goldmann, ce que nous avons déjà dit du « classicisme » de Picard [2]. Ce n'est, d'ailleurs, pas par hasard que l'attitude révolutionnaire épouse, en art, les préjugés réactionnaires : voulant court-circuiter l'individuel pour déboucher dans l'universel, on aboutit fatalement à privilégier, dans l'expression littéraire, le signifié évident (et rationnellement communicable), par rapport au signifié latent (et affectivement vécu). Mais la cohérence ainsi obtenue dépouille l'œuvre d'art de sa chair, pour s'extasier sur son squelette. La « vision du monde » n'est plus qu'un « schéma » intellectuel, dégagé par simplification et extrapolation extrêmes, le produit d'une distillation dont la recette consiste à faire évaporer le contenu littéraire pour trouver, au fond de l'alambic, l'essence de la littérature. Car, même en admettant pour vrai que fatalité et passivité représentent, dans les romans de Robbe-Grillet, des structures analogues à celles des mécanismes d'auto-régulation et de réification en marché néo-capitaliste, on aura simplement mis au jour *une signification sociologique possible de ces œuvres* (il y en a d'autres : on pourrait montrer l'affinité du matériel romanesque de l'auteur et des mythes collectifs de l'imagination contemporaine), et absolument pas *leur sens littéraire*. Celui-ci, selon notre analyse, ne s'obtient pas en privilégiant arbitrairement un certain ordre de significations, mais en faisant converger, vers une unité intelligible, la plus grande variété de significations humaines. Adopter la démarche inverse conduit inévitablement à un certain nombre d'abus.

Pour commencer, en coupant l'œuvre de ses racines affectives chez son auteur ou en dissipant cette affectivité dans la transparence d'une signification intellectuelle, par un excès inverse de celui de Mauron, qui voyait dans le théâtre racinien

1. Cf. pp. 35 *sqq.* et p. 93.
2. Cf. pp. 31-33 et 37-38.

un long cauchemar, le curieux matérialisme de Goldmann nous montre, au bout de la littérature, le rayonnement d'une idée. Mais cette idée n'est, au mieux, qu'une *formule :* obtenue par abstraction des qualités sensibles de l'œuvre, elle fait tenir Racine tout entier dans la loi janséniste du « monde refusé-monde accepté », ou Robbe-Grillet dans la loi économique de l'élimination de l'individu. Tout ce qui dépasse de ce lit de Procuste, sur lequel on étend la littérature, est péremptoirement coupé : la vision de Goldmann décide où commence et où finit la vision de Racine. *La Thébaïde* et *Alexandre*, au rebut; l'expression d'une vie, d'une âme, inutiles ou indifférentes : tout ce qui ne s'inscrit pas dans le cadre tracé à l'avance par la « cohérence » du critique est décrété insignifiant. Or, Freud nous avait précisément appris que, dans le domaine humain, l'apparence insignifiante signifie. Le détail, le fragment indiquent et expriment un homme autant que le chapitre achevé, bien que d'une autre manière. A élaguer ainsi tout le concret au profit d'une cohérence abstraite, on n'atteint pas le moins du monde à l'originalité d'un auteur, mais à sa *banalité.* Selon cette conception pour le moins étrange, les écrits de valeur moyenne ou faible seraient difficilement analysables, à l'inverse de la grande œuvre, « parce qu'ils sont l'expression d'individualités moyennes particulièrement complexes et surtout peu typiques et représentatives » (*D. C.*, p. 349). Si bien que l'écrivain de génie serait une sorte de porte-parole ou de porte-drapeau, simple et transparent au regard perçant du sociologue, tandis que l'imbécile aurait l'opacité des grands mystères. Déroulède, poète médiocre s'il en fut, à l'imagination retorse et fuyante, mettrait en déroute l'investigation sociologique de Goldmann, tandis que Rimbaud, l'exemple même de personnalité typique et représentative, comme chacun sait, serait une proie aisément digérée...

Mais alors, pourquoi la littérature? Si tout l'intérêt présumé d'un univers imaginaire tient à l'élaboration rigoureuse d'une vision du monde, et si la tâche de la critique est de tailler et d'émonder les détails, jusqu'à ce que cette vision du monde apparaisse, pourquoi se donner le mal de lire des œuvres difficiles et touffues, quand un manuel d'histoire ou d'économie politique ferait infiniment mieux l'affaire? A suivre Goldmann, on ne sent guère de différence (et il ne la sent guère lui-même) entre un littérateur et un philosophe, entre Racine et Pascal : pourquoi y en aurait-il, puisque tout grand auteur est marchand d'idéologie? Aussi le critique confond-il volontiers poètes et penseurs, en les citant indistinctement dans ses énumérations [1]. Contre Goldmann, les analyses de Barthes gardent toute leur force : en littérature, ce qui est dit ne fait qu'un avec une certaine façon d'être dit, et la critique ne saurait être l'abstraction d'une quintessence, commune à dix autres modes d'expression. Rien ne sert ici de faire appel, pour rétablir la spécificité littéraire, à une « esthétique » convoquée d'urgence : sans lien interne avec l'analyse sociologique, elle ne lui est pas juxtaposable, et la « critique totale », ce n'est pas Goldmann, plus Picard. C'est par une pure fiction qu'on peut distinguer une vision du monde et, à côté, séparément, des techniques destinées à l'exprimer. Il y a, au départ, un homme, un écrivain, chez qui une certaine vision engendre ·ses propres moyens d'expression par un mouvement spécifique, créateur de l'œuvre, — et c'est cela, avant tout, que la critique doit s'efforcer d'épouser et de ressaisir.

Or, cette tâche fondamentale, l'analyse sociologique ne peut aucunement la remplir. Ayant au préalable faussé, par un critère de cohérence extérieur à l'œuvre et, de plus, erroné, l'étude interne des textes, il est inévitable que le « découpage » proposé par Goldmann s'avère, à l'usage, restrictif et mutilant. Empruntant le schéma de « vision tragique », découvert à propos de Pascal, et le greffant par transplantation sur Racine, en vertu

1. « ...la tragédie du refus, exprimée par les écrits de Pascal, Racine et Kant... » (*D. C.*, p. 57). Ou encore : « ...les écrits de Sophocle, Shakespeare, Pascal, Racine et Kant sont avec ceux d'Homère, d'Eschyle, de Gœthe, de Hegel et de Marx, des sommets de l'art et de la pensée classique » (p. 52). Art et pensée, c'est tout un, — en théorie. Dans la pratique, toutefois, ce n'est pas par hasard que les analyses que Goldmann consacre à Pascal sont largement supérieures à celles qui portent sur Racine : la réflexion philosophique, qui va, elle aussi, du concret à l'abstrait, rencontre sans difficulté la démarche du sociologue; la création artistique, qui va du clair à l'ambigu, se dérobe naturellement à son enquête.

du postulat selon lequel toute pensée janséniste reproduit les mêmes structures [1], l'analyse du théâtre racinien, au lieu de nous en livrer la structuration concrète, n'aboutit, en fait, qu'à le *déstructurer*. Car il va s'agir de découper les pièces suivant le « primat de la raison pratique », propre à la vision tragique (acceptation et refus simultanés du monde, avec les diverses combinaisons dramatiques obtenues en mettant l'accent sur l'un ou l'autre des termes). On saisit sur le vif le procédé. Le théâtre de Racine étant, par définition, tragique, on lui appliquera *a priori* un déchiffrement qui n'est pas fourni par l'analyse interne, mais supposé par une conception de la tragédie. Corneille, lui, étant « pré-tragique », sera justiciable d'une approche « psychologique ». Or, on sait, depuis La Bruyère, que c'est exactement l'inverse : ce que sa fameuse formule veut dire, et en ce sens, elle reste parfaitement vraie, c'est que le théâtre cornélien est tout entier dominé et défini par le primat d'une éthique, ce que Goldmann appellerait une « raison pratique » (« les hommes tels qu'ils devraient être »), alors que l'univers racinien, comme Mauron le notait encore récemment, est situé en dessous du règne des valeurs, au niveau où l'homme se reçoit, sans se modifier, des mains de la nature (« les hommes tels qu'ils sont »). Restructuré par le décret du sociologue, le théâtre de Racine cesse rapidement d'être théâtral. Ainsi *Andromaque* n'est plus un conflit de personnages, auxquels Racine a donné un être propre dans une situation particulière : « Il n'y a dans la pièce que deux personnages présents : le *Monde* et *Andromaque* et un personnage présent et absent à la fois, le *Dieu* à double visage incarné par Hector et Astyanax... » (*D. C.*, p. 354). Oreste, Hermione, Pyrrhus sont des illusions inexistantes; Hector et Astyanax, la réalité cachée, mais vraie (comme Dieu). C'est une belle pièce, sans doute, et émouvante : malheureusement, c'est celle de Goldmann, non de Racine. Tout

---

1. Alors que, comme nous l'avons dit précédemment, une véritable analyse phénoménologique eût consisté à se faire indiquer d'abord, par l'examen attentif des œuvres, s'il y a bien un sens janséniste du théâtre de Racine et quelle est son importance réelle dans l'organisation intime de l'ensemble.

comme Mauron substituait à la lutte concrète des personnages raciniens un débat de concepts psychanalytiques, Goldmann remplace les conflits complexes entre existants singuliers par les contradictions toutes simples de son schéma dialectique. Les personnages *vrais* ne sont plus ceux que l'œil perçoit sur la scène, mais ceux que la critique découvre derrière le texte. Désormais nettoyé de son existence théâtrale et psychologique, le nouveau personnage est celui qui s'insère, non dans la texture d'une pièce, mais dans la cohérence d'une vision du monde. Qu'importe que Pyrrhus, comme Mauron et Barthes l'ont montré, soit un des rares personnages *positifs* du théâtre de Racine, qui cherche à se libérer du destin? Puisqu'il n'est pas question de s'arrêter aux subtilités de l'analyse psychologique, on mettra Pyrrhus, Oreste et Hermione dans le même sac, je veux dire dans la même catégorie du « Monde », caractérisée par la « passion sans conscience ni grandeur » (*D. C.*, p. 355). Racine a beau nous dire, dans sa seconde préface à *Britannicus*, qu'il s'est surtout attaché à peindre Agrippine [1], et, bien sûr, Néron, « monstre naissant », dans le cadre de leur Cour; Junie a beau être un personnage extérieur à ce tableau central et, en quelque sorte, adventice, dont l'auteur parle en dernier [2] et dont il s'agit, comme pour Aricie, de justifier l'existence : Racine se trompe. Les derniers seront les premiers. « Le sujet de *Britannicus* est le conflit entre Junie et le monde et la pièce ne se terminera qu'avec le dénouement de ce conflit » (p. 367). Peu importe que cette dernière affirmation soit d'une inexactitude flagrante, puisque le cri de Burrhus, qui clôt la tragédie : « Plût aux Dieux que ce fût le dernier de ses crimes! » indique assez que le personnage central, dont le mouvement de la pièce décrit la courbe de perdition, est celui-là même qui jetait son ombre sinistre sur le premier vers : « Quoi! tandis que Néron s'abandonne au sommeil... » Peu importe que, structuralement, puisqu'on parle structure, Junie appartienne, comme Monime ou Aricie, à ce

1. « C'est elle que je me suis surtout efforcé de bien exprimer, et ma tragédie n'est pas moins la disgrâce d'Agrippine que la mort de Britannicus. »
2. « Il me reste à parler de Junie. »

groupe de personnages purs — et mineurs — du monde féminin de Racine, dont le rôle contrapuntique est évident, face aux grands monstres sacrés : la tragédie tournera tout entière autour de Junie, du simple fait que la logique, non de la pièce, mais du schéma explicatif, l'exige. De même, pour les besoins de la distribution des personnages entre différents groupes définis à l'avance, on s'en tiendra à la vieille version « Aricie-demoiselle de pensionnat » et « Hippolyte-étranger à l'amour », alors que, chez Racine, toute innocence est déjà contaminée, et que les émois des cœurs vierges puisent à la même source empoisonnée que les passions pécheresses [1]. On pourrait multiplier les exemples. Inutile de poursuivre plus avant : en bonne méthode, aucun découpage ne saurait impunément se passer d'une analyse psychologique approfondie, au profit d'un principe directeur propre au critique, ni substituer l'intelligibilité d'une dialectique théoriquement établie à celle qu'esquissent spontanément les rapports concrets entre les personnages.

Le plus grave, toutefois, n'est pas là : il s'agit moins, en effet, d'incriminer un *excès* qu'une *absence de dialectique*. Après tout, à des inexactitudes de détail, il serait beaucoup pardonné, en faveur d'une compréhension vivante de l'ensemble. Si le principe d'explication fourni par l'étude des visions du monde était véritablement *génétique*, s'il nous permettait de surprendre la naissance et les variations des thèmes, s'il rendait compte de l'évolution et du devenir des œuvres, il importerait peu que telle ou telle interprétation soit, comme toute interprétation, contestable. Le malheur, c'est que cette dialectique, que l'auteur, en bon marxiste, invoque sans cesse, est, en fait, inexistante. Faute de pouvoir se situer au niveau de la création esthétique, faute de comprendre qu'une vision du monde théâtrale, par exemple, ne saurait relever du même type de cohérence qu'une vision du monde philosophique ou politique, la dialectique propre de la littérature s'évanouit et se résorbe dans la dialectique générale de l'histoire. Alors que la critique se propo-

---

1. Il est frappant que les signes, ou plutôt les symptômes de l'amour, soient décrits exactement selon les mêmes termes chez Hippolyte et chez Phèdre.

sait de mettre en évidence l'unité et la totalité d'une dramaturgie, c'est-à-dire le mouvement par lequel une pièce en appelle
une autre, y répond, la dépasse, selon une dynamique interne
qui organise et oriente chaque pièce autour de grands axes signifiants, — à chaque tournant capital du théâtre racinien, là
où la compréhension dialectique devrait précisément fonction-
ner, elle tombe en panne. Au lieu du tigre qu'il nous promettait,
Lucien Goldmann ne met, en fait, dans le moteur de sa dialectique défaillante, que les vieilleries les plus éventées de l'histoire
littéraire qui servaient déjà à meubler l'inconscient de Racine,
chez Mauron. Tout comme l'évolution du théâtre racinien ne
faisait que nous ramener, dans la psychocritique, par-delà
Freud, à Mornet, la méthode structuraliste-génétique nous fait
régresser, en deçà de Marx, jusqu'à Taine. S'agit-il, en effet, de
comprendre le lien qui unit *Andromaque*, *Britannicus* et *Bérénice?* Ces tragédies transposent simplement sur le plan littéraire
« la doctrine et l'expérience des solitaires telles qu'elles étaient
à l'époque du jansénisme tragique avant 1669 » (*D. C.*, p. 419).
Y a-t-il, comme Mauron le note de son côté, un profond changement avec *Mithridate?* Cela est dû à la « rencontre entre un
certain état psychique du poète et la situation politique de l'instant (Paix de l'Église depuis 1669, union nationale, guerre
contre la Hollande...) » (p. 406). Veut-on comprendre comment
l'on passe de *Phèdre* à *Athalie?* « ... L'explication la plus sérieuse
de cette évolution du théâtre racinien nous paraît encore se
trouver dans l'évolution parallèle que subissait en même temps
la pensée janséniste elle-même » (p. 442). Et l'on invoquera
la piété de type arnaldien. Comme on voit, sous une forme
marxiste, comme tantôt sous une forme freudienne, nous voici
de retour au *Racine-reflet* et au *théâtre-émanation*. C'est ailleurs,
dans une évolution *parallèle*, que se trouvera le secret de l'évolution propre d'une œuvre littéraire [1]. Mais ce « parallélisme »,

1. Bien entendu, *en théorie*, « si le marxisme... rattache tout mouvement spirituel
au développement des forces de production et des rapports sociaux déterminés par
celles-ci, il ne prétend pas les ramener strictement à ce développement et établir
entre ces deux mouvements un parallélisme absolu » (A. Cornu, *op. cit.*). Mais il est
tout de même curieux qu'*en pratique*, le matérialisme « dialectique » retombe spon-

comme le parallélisme psychophysiologique d'antan, reste encore
à expliquer. Il n'est absolument pas, en soi, intelligible. Pour
le rendre présentable, on donnera, sur les murs de cet édifice
lansonien, un coup de peinture marxiste : ce sera sur fond des
« contradictions de la classe robine » que se comprendra l'évolution de la pensée janséniste, évolution qui, à son tour, commande
celle du théâtre de Racine. « Il serait inutile d'insister longuement sur le lien entre la situation économique et sociale des
officiers au xviie siècle, attachés et opposés en même temps à
une forme particulière d'État, la monarchie absolue... et l'idéologie janséniste et tragique de la vanité essentielle du monde
et du salut dans la retraite et la solitude » (p. 133). Il est para-
doxal que Lucien Goldmann juge « inutile d'insister » sur la
nature du lien qui lui sert à insérer les structures idéologiques
dans les structures sociologiques, insertion qui, rappelons-le,
constitue pour lui le *nœud même de l'explication*. Si la littérature
ne fait que « transposer » une réalité sociale, encore convien-
drait-il d'éclairer les modalités et le *sens* de cette transposition
complexe du réel dans l'imaginaire : or, sur ce point capital,
la sociologie de Goldmann, comme la psychocritique de Mauron
ou l'histoire littéraire de Mornet, ne dispose, à l'inverse de toute
dialectique véritable, que de *rapports d'émanation*, fondés sur
un « postulat d'analogie » simpliste, tant de fois déjà dénoncé.
D'ailleurs, il est curieux que le schéma des contradictions de la
noblesse de robe, dont Lucien Goldmann se sert pour expliquer
le théâtre de Racine, serve aussi à Bernard Dort pour expliquer
le théâtre de Corneille, ce qui est, on l'avouera, surprenant [1].
Le moins qu'on puisse dire est que les contradictions de la
noblesse de robe ont bon dos, et que des « explications » aussi
commodes et aussi lâches, loin d'être évidentes, ont grand
besoin d'être, à leur tour, expliquées.

tanément aux schémas du matérialisme « mécaniste ». C'est qu'aucune philosophie
de la subjectivité, aucun *Cogito* n'ayant été intégrés à cette dialectique, *aucun
rythme propre ne peut être trouvé au mouvement de la pensée*. Postulé, il reste introuvable, et c'est bien normal : tant que (Lénine *dixit*) la pensée est un reflet du cerveau,
les superstructures continueront éternellement à *refléter* les infrastructures.
    1. *Pierre Corneille, dramaturge*, l'Arche, 1957.

Il ne s'agit pas de nier qu'il y ait eu effectivement des contradictions de classe au XVIIᵉ siècle, comme aux autres siècles, ni que la littérature, qui n'est pas faite au ciel par des anges, mais sur terre par des hommes, les ait vécues nécessairement à sa manière. Mais l'important, ici, est précisément de comprendre la *manière* dont elle les vit. Si toute activité humaine est historique, l'essentiel est de définir la *nature* de son lien à une histoire dont elle n'est pas simplement le produit, mais qu'elle contribue à produire. Le schéma « reflétant-reflété », que l'on finit par retrouver tôt ou tard, dans les explications marxistes, quelles que soient les médiations introduites, est l'inverse d'une compréhension véritablement dialectique. Car, ce qu'il faut comprendre, c'est comment, à partir d'une situation sociale et politique donnée, diverses entreprises élaborent divers sens (littéraires, artistiques, scientifiques, etc.), qui, une fois constitués, *créent leur domaine spécifique et autonome*, à la fois inséparable du mouvement de l'histoire où il s'inscrit, et irréductible au processus général de cette histoire. Il est certain que, sans les progrès du rationalisme, sans la montée de la classe bourgeoise, ni non plus, sans certaines dispositions psychiques personnelles, Pascal n'eût jamais inventé le calcul des probabilités; et, de ce point de vue, expliquer cette invention, c'est l'insérer dans certaines structures historiques et psychologiques précises. Mais son sens véritable, c'est-à-dire sa valeur propre, n'apparaissent que sur le plan *scientifique*, par leur insertion dans un ensemble de structures mathématiques, et non historiques ou psychiques. On se demande pourquoi il est nécessaire de rappeler, contre le psychanaliste ou le sociologue, à propos de la littérature, des vérités évidentes à en être banales, dans le domaine des sciences [1]. Si expliquer une œuvre littéraire, c'est, comme le veut Lucien

---

1. Après avoir longtemps parlé d'une « science socialiste » et d'une « science capitaliste » sous Staline, comme on avait parlé, à propos d'Einstein et de Freud, de « science juive » sous Hitler, il semble que les marxistes d'aujourd'hui aient définitivement abandonné de telles sornettes : il n'y a qu'une connaissance scientifique, dont les applications peuvent, certes, être différentes sous différents régimes, et dont les progrès peuvent être hâtés ou retardés par eux, mais qui, dans sa nature propre, ne dépend en rien de son mode d'apparition historique.

Goldmann, la comprendre par sa genèse, l'explication doit satisfaire à deux conditions primordiales : que le processus génétique soit lui-même pleinement intelligible, et qu'il sauvegarde, à travers sa genèse, l'autonomie du sens achevé.

Or, la sociologie de la littérature, telle que Goldmann nous la présente, nous semble faillir à ce double devoir. Pour commencer, le modèle d'intelligibilité qu'elle nous propose est, en soi, inintelligible. Et d'abord, il hésite entre deux formules. Tantôt, il s'agirait d'établir une « homologie » entre les structures de l'œuvre littéraire et celles de certains groupes sociaux. Tantôt il faudrait « insérer » une structure significative dans une structure plus vaste, insertion qui constituerait le passage de la compréhension à l'explication. L'auteur ne paraît pas voir que les deux démarches ne sont nullement identiques [1]. En réalité, la seconde représente un effort pour pallier la carence de la première. Prenons le type de relations « homologiques » : le mécanisme de la fatalité, dans *Les Gommes* de Robbe-Grillet, est l'homologue des mécanismes d'auto-régulation du marché, dans le système capitaliste actuel. Peu importe que ce soit vrai ou non; ce qui compte ici, c'est le type de compréhension impliqué par ce type de relations. Or, l'homologie est une simple variante sémantique du « parallélisme », dont il était précédemment question à propos de l'évolution du théâtre racinien : la structure de l'œuvre littéraire reproduit, c'est-à-dire reflète, la structure du monde réel, de même que, dans le parallélisme psychophysiologique, les mouvements de la pensée correspondent aux mouvements du cerveau, dans leurs configurations respectives. Autrement dit, si les séries sont parallèles, elles ne sont nullement égales, et l'une sert de fondement à l'autre : il y a le phénomène et l'épiphénomène, les structures du cerveau et celles de la pensée, les structures de la société et celles de la littérature, les secondes se comprenant toujours par rapport aux premières. L'homologie structurale établit donc une simple relation d'émanation « œuvre-société », « *Les Gommes*-marché

1. Elles sont données, en fait, comme équivalentes, et citées indistinctement l'une à la suite de l'autre (*S. R.*, p. 223).

néo-capitaliste », sans *aucune médiation intelligible* entre les
deux ordres de réalité, dont l'un est miroir de l'autre. Sans même
revenir ici sur le fait que la signification sociologique ainsi mise
au jour n'épuise en rien le sens littéraire de l'ouvrage, *qui a*
produit *Les Gommes?* Puisque le véritable sujet de la création
est non l'individu, mais le groupe auquel il appartient, quel
groupe peut refléter la signification *totale* des mécanismes du
marché capitaliste, pris globalement au point extrême d'abstraction où le réduit Goldmann? Les « nouveaux romanciers » ne
forment pas un groupe concret, au sens où les jansénistes en
constituaient un pour Pascal ou Racine. Cette vision totale des
dimensions d'ensemble de notre société, — fatalité des *Gommes,*
passivité du *Voyeur,* — il faudrait, en bonne logique, que ce soit
notre société tout entière qui l'ait élaborée, ce qui est absurde,
aucun individu ni aucun groupe n'étant commensurable à la
totalité significative d'une société, surtout lorsqu'elle reste divi-
sée en classes. En d'autres termes, l'homologie structurale n'a
aucun sens, du point de vue même de la sociologie structuraliste-
génétique, tant que n'est pas résolu le problème concret de
l'insertion.

Tout serait donc, théoriquement, résolu, si l'on pouvait trouver pour Robbe-Grillet une médiation équivalente à celle que
le jansénisme pouvait fournir pour Pascal ou Racine, et l'on
passerait d'une homologie vide à une insertion signifiante. Malheureusement, nous avons vu que, sur la nature de cette insertion, supposée aller de soi, la sociologie ne jette aucune lumière :
inutile, nous dit-on, d'insister sur le lien entre la situation des
officiers de robe au xviie siècle et l'idéologie janséniste. Insis-
tons, au contraire. Les contradictions d'une classe déchirée
entre son attachement et son opposition à l'État monarchique
offrent une signification *politique;* l'idéologie janséniste du
monde refusé et accepté à la fois se présente comme un sens
religieux donné à la vie. Si ces significations sont, en effet, liées,
quelle peut être la nature de ce lien? Le principe d'homologie
ne nous tire pas d'affaire. Nous avons bien deux séries parallèles, mais comment concevoir leur rapport? Va-t-on, à la

manière simpliste du marxisme traditionnel, réduire le sens religieux du jansénisme au sens politique des contradictions de classe? Tout ce que nous disions plus haut contre la réduction psychanalytique vaut, *mutatis mutandis*, contre la réduction historiciste [1]. Non seulement une telle réduction violerait le principe de la pensée dialectique dont elle se réclame, en faisant de la superstructure un reflet pur et simple de l'infrastructure, selon le schéma du matérialisme vulgaire; mais encore, elle abolirait la spécificité et l'autonomie des significations, reconnues à la science, et qu'il faut bien aussi conférer aux autres activités. L'homme rêve, agit ou écrit : cela ne nie point la réalité propre (et, par conséquent, l'interprétation particulière) du songe, de l'action ou de l'écriture. Mais, au bout du compte, l'agent est le même. Psychologie, politique et esthétique sont supportées par le même sujet. Si ces diverses activités se recoupent, s'il y a entre elles un rapport intelligible d'analogie ou d'homologie, c'est qu'elles se regroupent et communiquent, *au départ*, par le bas : par l'*existence humaine qui les fonde*. Faute de cette convergence concrète et préalable, les diversifications ultérieures de la praxis feront surgir des significations parallèles, incapables de jamais se rejoindre, et les « contradictions de la noblesse de robe » comme l' « idéologie du jansénisme » se regarderont éternellement en chiens de faïence. La seule réalité, ce sont des hommes, des individus, Pascal, Racine ou d'autres, qui ont chacun vécu, à la fois semblablement et différemment, une certaine situation historique, projetant leurs possibles à partir de cette histoire commune et créant, qui le calcul des probabilités, qui des tragédies, qui une théologie, sur fond de leur existence singulière. La seule coordination compréhensible des diverses structures significatives est donc *exactement l'inverse de celle que nous propose Goldmann* [2] : il ne s'agit pas d'insérer

1. Cf. pp. 120-121.
2. « Tout objet valable en sciences humaines, et cela veut dire toute totalité significative relative se comprend dans sa signification et s'explique dans sa genèse par son insertion dans la totalité spatio-temporelle dont elle fait partie » (*D. C.*, p. 105).

l'existence individuelle dans un cadre extérieur, où elle se clari-
fierait en se dissipant; il s'agit, au contraire, d'insérer ce cadre
extérieur dans une existence individuelle, c'est-à-dire de voir
*comment la multiplicité infinie des significations offertes par une
situation objective reçoit son sens du projet humain qui l'assume.*
Bien entendu, ce projet humain, à son tour, n'est pas une
entité mystérieuse, mais une façon d'assumer une situation :
on ne peut pas plus expliquer le projet par la situation que le
comprendre en dehors d'elle; les deux termes s'impliquent
mutuellement, et la vraie dialectique est celle qui les relie l'un
à l'autre dans un mouvement de dépassement perpétuel, non
celle qui fait évanouir le terme qui la gêne au profit de l'autre.
L'ennui, en effet, est que si le moteur véritable de la dialectique
historique n'est pas, comme le voudrait Goldmann, extériorisation de l'intériorité, mais intériorisation de l'extériorité, le
modèle d'intelligibilité proposé par les sciences humaines, et la
sociologie en particulier, perd toute efficace et cesse, pour
employer la terminologie à la mode, d'être « opératoire ».

Ce n'est point par hasard que l'entreprise de Lucien Goldmann vient achopper à la même difficulté que celle de Charles
Mauron : l'impossibilité, pour la pensée scientifique, de comprendre la singularité de l'existence subjective. De même que la
personnalité de Racine se dissipait vite dans les lois impersonnelles du psychisme inconscient, l'individualité de l'auteur est
ici un simple catalyseur, qui laisse paraître, à travers les œuvres,
les structures objectives du groupe. Dans les deux cas, la
conscience, comme mode individuel d'existence, n'a aucun statut ontologique qui soit intelligible. D'abord, il n'y a de science
que du général, et les sciences humaines ne sauraient échapper,
dans la création de leurs modèles, à cette règle; ensuite, il n'y
a de science que de l'objectif, et, dans l'approche scientifique,
l'homme doit nécessairement se présenter comme objet. Qu'il
s'agisse d'étudier le corps, le psychisme ou le comportement
social de l'homme, la science ne peut se constituer qu'en privilégiant la dimension du *pour-autrui* au détriment du *pour-soi*.
Il n'y a de science possible que lorsque la conscience connais-

sante du savant s'abolit pour constituer l'objet connu, et ce
décalage subsiste nécessairement, même quand cet objet est
l'homme [1]. Ce que toute pensée scientifique (à l'inverse des
rapports qui unissent l'activité littéraire et ses créations) est
condamnée à ne jamais pouvoir enfermer dans la science qu'elle
constitue, c'est précisément elle-même en train de constituer
cette science. Par là, le savant, comme *individu*, est toujours
de trop pour sa propre recherche : il la déborde et il se reste
fâcheusement sur les bras. D'où, face à son existence personnelle, ce « complexe de fuite », que nous dénoncions dans le
déterminisme théorique de la psychanalyse freudienne. Ce
complexe, nous le retrouvons ici, démesurément grossi par
l'énorme appareil méthodologique et philosophique de la dialectique marxiste : latent chez Mauron, il devient, chez Goldmann, agressif et guerrier. Or, comme il se situe au cœur du
vaste ensemble de recherches actuelles qui visent à faire de la
critique littéraire une science de la littérature, il convient de
débusquer et, si j'ose dire, de coincer cette prétention « scientifique » sur le terrain le plus essentiel à la littérature et le plus
étranger à la science, pour lui régler une bonne fois son compte.

Si, en effet, il n'y a de science que du général, il n'y a d'expression littéraire que de l'individuel. Les livres ne s'écrivent
pas : *quelqu'un* les écrit. On a beau ensuite nous expliquer que
« quelqu'un », c'est « On », le « ça » de l'inconscient ou le « nous »
de la conscience collective; on a beau vouloir se débarrasser,
autant que faire se peut, de cet individu gênant, l'auteur, — il
reste cette vérité première et déconcertante : sans auteur, pas
d'œuvres. De cette intrusion d'un destin singulier dans le jeu
pur et harmonieux des lois, il faudra donc s'accommoder tant
bien que mal, non sans contorsions intellectuelles. Le psychanaliste refera à l'écrivain une personnalité distincte en injectant

---

1. L. Goldmann souligne que la situation particulière des sciences humaines vient
du fait qu'il y a « identité partielle du sujet et de l'objet de la recherche ». Précisément, cette identité, dans toute recherche scientifique, ne saurait être que *partielle* :
mais, dans la réalité concrète comme dans l'expression philosophique et littéraire,
elle est *totale*.

dans son inconscient quelques détails bien choisis d'histoire littéraire. Qu'en sera-t-il du sociologue? Dans les meilleurs moments, il établira directement des rapports d'homologie entre les œuvres littéraires et les groupes sociaux, en se passant carrément de l'auteur. Ce résultat optimum n'induit, nous l'avons vu, qu'une euphorie passagère : il faut bien insérer l'œuvre dans le groupe, sans se contenter de les laisser face à face, comme un objet reflété dans un miroir. C'est alors qu'on insérera la structure tragique du théâtre racinien dans le jansénisme extrémiste, le jansénisme extrémiste dans l'histoire globale du jansénisme, l'histoire globale du jansénisme dans l'histoire de la noblesse de robe au XVIIᵉ siècle, l'histoire de la noblesse de robe dans l'histoire globale de la société française « et ainsi de suite » (*S. R.*, pp. 223-224). Il faudrait donc, logiquement, pour mieux comprendre le théâtre de Racine, insérer l'histoire de la société française dans celle de l'Europe, celle de l'Europe dans celle du monde au XVIIᵉ siècle, celle du monde au XVIIᵉ siècle dans l'histoire générale des civilisations, l'histoire générale des civilisations dans l'histoire de la Terre, l'histoire de la Terre dans celle du Cosmos et, si possible, insérer l'histoire du Cosmos dans celle de l'Esprit divin ou, à défaut, dans la grande aventure de la Matière : c'est fort bien d'aller d'insertion en insertion, mais, comme disait déjà Aristote, « il faut s'arrêter »[1]. Et, pour comprendre le théâtre racinien, pourquoi ne

---

1. On connaît ce texte admirable de Péguy, démystifiant les prétentions « scientifiques » de la critique de son temps : « Avons-nous à étudier, nous proposons nous d'étudier La Fontaine; au lieu de commencer par la première fable venue, nous commençons par l'esprit gaulois; le ciel; le sol; le climat; les aliments; la race; la littérature primitive; puis l'homme; ses mœurs; ses goûts... puis l'écrivain; ses tâtonnements classiques; ses escapades gauloises; puis l'écrivain, suite; opposition en France de la culture et de la nature... tout cela pour faire la première partie; pour faire la deuxième partie... la société française au XVIIᵉ siècle et dans La Fontaine; le roi; la cour; la noblesse... enfin troisième partie... comparaison de La Fontaine et de ses originaux, Ésope, Rabelais, Pilpay, Cassandre; l'expression; du style pittoresque; les mots propres; les mots familiers... enfin théorie de la fable poétique; nature de la poésie... c'est tout; je me demande avec effroi où résidera, dans tout cela la fable elle-même... » *Passim* (cité par R. Fayolle, *op. cit.*). Avec l'érudition traditionnelle, on est tellement encombré de savoir qu'on s'efforce en vain d'arriver au texte; avec Goldmann, c'est l'inverse : on part du texte, mais, par un mouvement

pas commencer par Racine? Ce qui paraît tout simple au lecteur
naïf est justement difficile pour le critique armé de si savante
sociologie : a-t-on oublié que l'auteur n'existe pas et que « les
véritables sujets de la création culturelle sont les groupes sociaux
et non pas les individus isolés [1] »? Seulement, faute de pouvoir
asseoir les œuvres, par le bas, sur le fondement d'une existence
individuelle, l'explication, aspirée par le haut, finit par se
perdre dans les galaxies. Il faudra donc redescendre sur terre
et modifier la première formule par une seconde : c'est « le
groupe social qui, — par l'intermédiaire du créateur — se
trouve être, en dernière instance, le véritable sujet de la création » (*S. R.*, p. 217).

Voilà donc l'écrivain ressuscité comme « intermédiaire »
et se glissant, pour arranger les choses, entre ses œuvres
et son groupe. Malheureusement, ce rôle d'intermédiaire, il
faut encore le comprendre, et là, rien ne vient nous aider.
La pensée de Goldmann se fait ici hésitante. Il y a, bien sûr,
la solution, toujours tentante, du miracle, et c'est celle qui
sera d'abord choisie : l'écrivain donne le maximum de conscience
aux tendances diffuses de son groupe parce qu'il est un « individu exceptionnel ». La formule apparemment séduit son auteur,
qui la répète jusqu'à trois fois (*D. C.*, p. 27). Mais c'est trop
ou trop peu : tout à l'heure, l'individu n'existait pas; maintenant, c'est un surhomme, et l'intermédiaire est devenu un
médium. On demandait une explication, on nous offre un pro-
dige. Comme dit joliment Barthes, il n'y a plus guère que les
positivistes pour croire, aujourd'hui, à la Muse. Mais ce n'est

centrifuge, on court bientôt se perdre dans des cadres de plus en plus vastes. On
dirait ces quêtes angoissées des personnages de Ionesco, qui tantôt cherchent déses-
pérément à rejoindre leur objet, tantôt suent d'ahan pour s'en éloigner.

1. « En général, la bonne critique doit se défier des individus et se garder de leur
faire une trop grande part. C'est la masse qui crée, car la masse possède éminemment
et avec un degré de spontanéité mille fois supérieur les instincts moraux de la nature
humaine... Les génies ne sont que les rédacteurs des inspirations de la foule... Les
relever par leur individualité, c'est les abaisser... » Au style près, on voit que le
scientisme de Renan n'avait pas attendu le structuralisme de Goldmann pour dire
exactement la même chose, et pour les mêmes raisons : l'individu est toujours *de
trop* pour la pensée objectiviste.

pas sérieux, et il va falloir trouver autre chose. Et c'est alors que le second miracle se produit, négateur, si l'on peut dire, du premier : il va falloir faire rentrer l'individu exceptionnel dans le rang, car la pensée scientifique ne connaît pas l'exception, mais la règle; or, la science à laquelle on se trouve obligé de faire appel n'est autre que cette discipline, précédemment récusée pour les distorsions qu'elle faisait subir aux faits culturels : la psychanalyse. *Mithridate,* nous nous en souvenons, était le fruit de « la rencontre entre un certain état psychique du poète et la situation politique de l'instant » : de même que pour faire l'amour, il faut être deux, pour faire la littérature, il faut que la situation politique « rencontre » un état psychique, et c'est là qu'intervient, à la réflexion, la psychanalyse prématurément déboutée : « La seule utilité, assez réduite d'ailleurs, des analyses psychologiques et psychanalytiques pour la critique littéraire, nous paraît être de pouvoir expliquer pourquoi dans telle situation concrète où tel groupe social a élaboré une certaine vision du monde tel individu a pu, grâce à sa biographie individuelle, se trouver particulièrement apte à créer un univers conceptuel ou imaginaire... » (*S. R.*, p. 227). Goldmann est ici bien ingrat, et l'utilité de la psychanalyse n'est pas si réduite, car elle lui tire une fière épine du pied, en lui offrant *le seul mode d'insertion concret* des structures sociologiques dans une œuvre littéraire, par la médiation enfin intelligible de l'auteur. Sœurs ennemies, devenues, par la force des choses, sœurs jumelles, la psychanalyse freudienne et la sociologie marxiste se prêteront désormais main-forte : passe-moi la rhubarbe, et je te passerai le séné; donne-moi l'individu, je te donnerai la société. Malheureusement, la psychanalyse, comme la plus belle fille du monde, ne peut donner que ce qu'elle a; à plus forte raison ne saurait-elle fournir ce dont elle manque le plus : la compréhension de l'unique et le fondement de l'individuel [1]. D'ailleurs, je ne sache pas que cette fréquentation soudaine soit si bonne pour le sociologue : cette vision du monde, définie comme un « maximum de conscience » chez l'artiste, le psychanaliste va la faire

1. Cf. pp. 111 *sqq.*

rentrer dans l'inconscient. Ainsi, Robbe-Grillet, en écrivant *Les Gommes*, ne se doutait guère que la fatalité de son récit mimait les mécanismes auto-régulateurs du marché : à cet égard, son roman se présente comme un *déguisement*, par images successives, d'une vérité qui lui échappe; on déchiffrera le sens des *Gommes* comme on déchiffre celui d'un rêve. Mais alors, comment penser *un maximum de conscience inconscient*[1]? Faudrait-il donc changer la définition d'une « vision du monde »? Loin d'être obtenue par extrême extrapolation conceptuelle, chez l'écrivain, serait-elle, au contraire, obscurcissement du concept par toute l'épaisseur de l'imaginaire? Va-t-on renverser la vapeur, et aller désormais du clair à l'ambigu, en littérature, au lieu d'aller du complexe au simple? Finalement, les hésitations de Goldmann à accueillir la psychanalyse au sein de sa sociologie étaient fondées : c'est le cheval de Troie, là où on attendait les taxis de la Marne. Tout est-il perdu, et faut-il donc renoncer à concevoir de façon intelligible le rôle d' « intermédiaire » de l'auteur et la médiation de l'individu, dans des créations dont l'essence est collective? C'est alors que se présente le troisième miracle. Ce que l'on ne pouvait demander sans vergogne à la Muse et sans danger à l'Inconscient, on va le demander à la Structure. Le structuralisme va voler enfin au secours du marxisme. Cet individu, qu'il lui est impossible, malgré son désir, de passer sous silence, et trop coûteux d'acquérir de la psychanalyse, le sociologue va tout simplement (et économiquement) le fabriquer lui-même, à partir des structures sociologiques, — directement, en somme, du producteur au consommateur : « ... Chacun de ces groupes agit sur sa conscience, contribuant ainsi à engendrer une structure unique, complexe et relativement incohérente... » (*S. R.*, p. 216). Nous y voilà : les groupes « agissent » sur la conscience et « engendrent » sa structure. Nous détenons enfin le modèle d'intelligibilité que nous cherchions avec persévérance : « La relation entre le groupe créateur et l'œuvre se présente le plus souvent sur le

---

1. Plus modeste, la psychocritique se contentait d'un *minimum* de conscience dans l'inconscience. Cf. p. 114, note 1.

modèle suivant : le groupe constitue un processus de structuration qui élabore dans la conscience de ses membres des tendances
affectives, intellectuelles et pratiques, vers une réponse cohérente aux problèmes que posent leurs relations avec la nature
et leurs relations interhumaines » (p. 219). Au lieu d'un cerveau
qui sécrète de la pensée, comme dans le matérialisme à l'ancienne, on a un « processus de structuration » qui « élabore des
tendances » dans une conscience. Poisson, je te baptise carpe :
c'est simple, mais il fallait y songer.

C'est simple, en effet, mais trop simple. Le procédé est efficace,
et la boucle bouclée : le fameux Individu, omis au départ, est
liquidé à l'arrivée. D'ailleurs, le « processus de structuration »
a des répondants classiques, et le marxisme structuraliste d'aujourd'hui ne fait que mettre dans le langage à la mode la vieille
Dialectique de la Nature, chez Engels. Par un processus ou par
une dialectique, on « engendre » *de la pensée*. Mais reste à savoir
qui pense. Le problème n'est pas neuf pour le marxisme : dans
les grands débats de l'après-guerre, Sartre et Merleau-Ponty
demandaient de façon pressante à Naville ou à Lukacs un
Cogito, qu'on leur refusait obstinément, comme une femme,
tendrement sollicitée, refuse les dernières bontés. Par un para-
logisme étrange, qui consiste à transposer illégitimement, dans
le domaine ontologique, une attitude légitime dans le domaine
éthique, le rejet de l'individualisme conduit à la négation de
l'individu, et la condamnation de l'égoïsme à l'incompréhension
de l'*Ego*. Le structuralisme-génétique de Goldmann n'échappe
pas à cette confusion. Quand on lui demande « qui pense? »,
Goldmann nous répond « on pense ». « Le grand défaut de la
plupart des travaux de psychologie a été de traiter trop souvent l'individu comme sujet absolu » (*D. C.*, p. 25). Donc, pas
de Je cartésien, kantien, fichtéen ou autre. « Le *sujet* de l'action
est un *groupe*, un « Nous »... » *(ibid.)*. Mais alors, quel est ce
Nous? Serait-ce une conscience collective? Non, cela aussi est
un mythe. Une collectivité « n'est rien d'autre qu'un réseau
complexe de relations interindividuelles » (*S. R.*, p. 214). Mais
qu'est-ce que des relations « interindividuelles » entre des indi-

vidus qui, littéralement, n'existent pas en tant que tels? Comment une réalité pourrait-elle naître de la mise en rapports de termes par eux-mêmes irréels? On nous déclare : c'est justement cela, la dialectique. Eh bien non, la dialectique n'est pas de la prestidigitation, elle ne fait pas du plein avec du vide, elle ne consiste pas à tirer le lapin de l'individualité du chapeau de la collectivité, en murmurant « abracadabra »[1]. Si le Moi comme substance cartésienne est un mythe, le Nous comme sujet réel est un leurre : il n'y a de Nous que par la pluralité des Je[2]. Certes, cette pluralité n'est pas pure sommation d'unités indépendantes : le fait d'exister au pluriel est une dimension fondamentale de chaque Je. Que la coexistence contribue à façonner et structurer l'existence humaine, nul ne le niera; mais, inversement, on ne peut penser la coexistence que sur le fondement de l'existence individuelle : tout le reste est fantasmagorie. Bien qu'ils soient empiriquement contemporains et simultanés, ontologiquement, le Je est antérieur au Nous. Le marxisme confond ici, au détriment de toute intelligibilité, ce que l'on appellerait, en termes heideggeriens, le plan ontique et le plan ontologique. S'il y a bien un *Mit-sein* ou « être-avec », qui fonde la communauté humaine, c'est comme structure d'un *Da-sein* ou être de l'homme au monde. Ou, selon la terminologie sartrienne, le « pour-autrui » apparaît sur le fondement du « pour-soi ». Plus simplement, la seule *insertion concrète* de l'homme dans le monde passe par la conscience de soi : c'est le commencement absolu, à partir duquel surgit l'homme dans le monde, au milieu des autres hommes, et par lequel une dialectique ultérieure des rapports de l'homme à la nature et à l'histoire peut s'esquisser. « Quand la maxime première et la règle d'or de Marx postule : ' Ce n'est pas la conscience des hommes qui détermine leur être, mais, au contraire, c'est leur être social qui

---

1. C'est ce qu'a fort bien compris Sartre, dans la *Critique de la Raison dialectique*, où il a tenté de remettre sur les pieds de la praxis individuelle la dialectique marxiste, qui avait déjà mis sur ses pieds concrets la dialectique idéaliste de Hegel. S'il y a réussi ou non, c'est une autre affaire.

2. Cf. *L'Être et le Néant*, l' « Être-avec » et le « Nous », pp. 484-503.

détermine leur conscience ' (Préface à la *Critique de l'Économie
politique*), force est de retourner exactement la proposition :
si l'histoire apparaît sur le fondement de l'existence et l'existence sur la base des structures d'être de la conscience, il faut
bien, en définitive, que ce soit la conscience des hommes qui
définisse leur être, y compris leur être social. Ce qui n'implique
en rien le retour à une philosophie idéaliste du Cogito, ni ne
diminue en rien l'importance primordiale des rapports écono-
miques, mais en fait des rapports humains. » Ce que j'écrivais
jadis contre le Sartre de la *Raison dialectique* [1], je le répé-
terais ici contre Goldmann. Seule, ce qu'il faut bien appeler
une *perversion radicale du sens du concret* (qui nous livre,
d'ailleurs, le secret de cette étrange « réduction » intellectualiste
que Goldmann fait subir à l'expression littéraire [2]) permet de
voir l'*abstrait* dans l'immédiat [3] et le *concret* dans le résultat
d'un « processus de conceptualisation dialectique [4] ». En fait de
matérialisme, n'est-ce pas là le plus bel exemple d'idéalisme,
et n'est-ce pas prendre un malin plaisir à combiner les difficultés
des deux systèmes [5]? De même que le concret, c'est la présence
immédiate et totale de soi à soi, qui médiatise toutes les autres
relations possibles, de même, le concret, en littérature, c'est la
richesse foisonnante et inépuisable de l'œuvre, son être-là,
touffu, opaque, et non quelque formule que l'on obtiendrait
par « extrapolation conceptuelle ». Dès lors, il faut opter, non
point nécessairement pour ou contre le marxisme, mais, à l'intérieur du marxisme, *il faut choisir son Marx*. Il y a le Marx de
la Sainte Famille, qui déclarait : « L'Histoire ne fait rien, ne
possède pas de richesse énorme, ne livre pas de batailles. Bien

1. Cf. S. Doubrovsky, « J.-P. Sartre et le mythe de la Raison dialectique », *Nouvelle Revue Française,* novembre 1961, p. 880.

2. *Vide supra,* pp. 142-145.

3. « ...les individus... apparaissent de manière manifeste comme les sujets sinon
derniers, du moins immédiats du comportement étudié » (*S. R.,* p. 214).

4. « L'essence, c'est l'insertion du fait individuel *abstrait* dans l'ensemble de ses
relations par un travail de conceptualisation qui le *concrétise* » (*D. C.,* p. 107). D'où
la prolifération de formules telles que « concrétiser » les faits humains par une
« conceptualisation dialectique » (p. 14), etc.

5. Cf. p. 145.

plutôt, c'est l'homme, l'homme réel et vivant qui fait tout, qui possède et qui combat... L'histoire elle-même n'est rien que l'activité des hommes poursuivant leurs fins. » Et il y a le Marx qui écrivait dans la Préface à la première édition du *Capital* : « Mon point de vue, selon lequel l'évolution de la formation économique d'une société apparaît comme un processus de l'histoire naturelle, peut moins que toute autre rendre l'individu responsable de relations dont il reste socialement la créature. » Le mérite de Marx est d'indiquer, avec une clarté exemplaire, le choix philosophique — et méthodologique — inéluctable : entre une activité poursuivant des fins et un processus de l'histoire naturelle ou sociale, entre les hommes qui font l'histoire et l'Histoire qui fait les hommes, il faut prendre parti. Une dialectique qui va de l'objectif à l'objectif, en faisant du subjectif un moment inessentiel, est une pseudo-dialectique, dont la phraséologie dissimule mal un retour effectif à une causalité naturaliste. La sociologie de Goldmann n'échappe pas à ce dilemme : son choix se trahit par son désir constant, voire obsessionnel, d'engendrer l'œuvre littéraire à partir des relations sociales, comme certaine psychanalyse entend la produire à partir d'une nature psychologique, *en faisant l'économie d'un auteur*, c'est-à-dire d'une conscience individuelle, libre et créatrice de sens. Ce n'est pas là un simple problème théorique, qui n'aurait d'intérêt que pour la discussion philosophique : cette décision de comprendre les faits humains à la troisième, et non à la première personne, est, comme dirait Barthes, un « pari fatal », qui engage chaque pas, ou faux pas, de l'analyse littéraire. Il pèse aussi (mais cela sort de notre domaine) sur la compréhension pratique que se donnent de l'homme certaines des sciences humaines, en leur état actuel. Ce qui peut être légitime pour la pensée scientifique, qui saisit l'homme comme objet, ne saurait l'être pour une critique de la littérature, qui saisit l'homme comme existence.

Cette nécessité, non point de se refuser à une compréhension génétique des faits culturels, mais de concevoir cette dernière en termes de projets, non de processus, s'impose à double titre.

Il faut, avons-nous dit, pour qu'une explication génétique soit satisfaisante, qu'elle remplisse deux conditions : d'abord, que le procès génétique lui-même soit pleinement intelligible; ensuite, qu'il sauvegarde l'autonomie du sens achevé. Or, les schémas explicatifs de type scientifique ou objectiviste, en rendant la genèse concrète incompréhensible par la suppression d'une libre subjectivité, finissent inévitablement par ruiner la valeur spécifique des créations culturelles. Nous avions déjà constaté que la psychocritique, en « ramenant » le sens religieux de la pensée janséniste à son sens psychologique supposé, détruisait, en fait, toute possibilité d'une spéculation théologique authentique : à partir du moment où l'on se donne les produits de l'esprit humain comme aboutissement d'un processus unique, leur apparente diversité n'est plus qu'un déguisement et l'interprétation consistera à réduire le multiple au dénominateur commun qui l'engendre. Ayant substitué à l'Inconscient l'Histoire, la sociologie des visions du monde tombe dans la même difficulté que la psychocritique. L'explication s'obtenant en insérant des totalités significatives dans des cadres spatio-temporels extérieurs, *toute signification intrinsèque se dissipe*, et l'explication consiste à détruire ce qu'avait révélé la compréhension. Ainsi Goldmann en vient à écrire qu'il n'y a pas « à la limite d'histoire valable ' de la philosophie ' ou ' des philosophies ', mais seulement une étude des pensées philosophiques en tant qu'expressions d'une vie et d'une conscience individuelles et une histoire de la société dans laquelle les pensées philosophiques y paraissent à la fois comme expressions des consciences individuelles et des consciences de classe » (*D. C.*, p. 107). On ne saurait dire avec plus d'ingénuité qu'une fois obtenue la genèse psychologique (expression d'une conscience individuelle) et la genèse sociale (expression d'une conscience de classe), il ne reste plus rien, au bout de compte, de la philosophie, sinon à simple titre d'*indice* révélateur d'un psychisme ou d'une société. La notion même de *vérité* philosophique n'a plus aucun sens, et l'histoire de la philosophie ne peut plus être l'étude de l'apparition et de la contestation, dans et par l'histoire, de significations philosophiques *valables comme telles*. Une seule exception miraculeuse : la philosophie de Lucien Goldmann, qui ne peut plus être simplement regardée comme « expression » d'une conscience individuelle et d'une conscience de classe, au même titre que les autres, mais qui brusquement est *vraie*, puisque c'est au nom de sa vérité que les tentatives précédentes peuvent être déchiffrées comme des illusions. De même que le système psychanalytique était la seule forme de pensée ayant un sens valable et vrai, indépendamment de sa genèse dans l'inconscient du psychanaliste, de même le système marxiste constitue, dans l'histoire, un point d'émergence d'une vérité absolue, qui permettra de relativiser toutes les autres : ce privilège injustifié et absurde, que la pensée « scientifique » réclame pour elle-même, de constituer un *avènement* irréductible à l'*événement*, il faut ou le lui refuser ou l'étendre aux autres activités de la pensée, et notamment à la création littéraire. Il est impossible de s'en tenir à cette « admiration historique », que Goldmann nous propose de nouveau à la suite de Renan, l'historicisme socialiste ressemblant comme un frère à l'historicisme bourgeois [1] : « ... C'est à partir d'une analyse historico-sociologique que la signification philosophique des *Pensées*, la signification littéraire et esthétique du théâtre de Kleist et la genèse des unes et des autres peuvent être comprises en tant que faits culturels » (*S. R.*, p. 228). Si les *Pensées* de Pascal ou le théâtre de Kleist paraissent au sociologue des « faits culturels » datés (c'est une de leurs significations possibles, disons une de leurs significations mortes), ces œuvres ne s'intègrent à la culture véritable, c'est-à-dire vivante, que dans la mesure où l'appel

---

1. Il faut citer ce texte de Renan, d'une monstrueuse sottise, qui a tant pesé, sur les études littéraires françaises : « L'admiration absolue est toujours superficielle : nul plus que moi n'admire les *Pensées* de Pascal, les *Sermons* de Bossuet. Mais je les admire comme œuvres du xviiᵉ siècle. Si ces œuvres paraissaient de nos jours, elles mériteraient à peine d'être remarquées. La vraie admiration est historique. » Je ne ferai pas l'injure à Goldmann, qui a plus que tout autre un sens de la permanence de certaines valeurs et a si bien montré la modernité de la dialectique pascalienne, d'identifier son attitude à celle de Renan. Le malheur, c'est que s'il s'en écarte en pratique, quand il s'agit de *compréhension*, il est incapable de s'en distinguer en théorie, quand il s'agit d'*explication*.

humain dont elles sont chargées est toujours aussi urgent, la
vue du monde qu'elles offrent aussi prégnante. Le malheur de
toute « admiration historique », c'est que les changements mêmes
de l'histoire rendent la permanence de l'admiration incompréhensible. Tandis que la psychocritique, pour rendre compte de
cette permanence, dispose au moins de la réitération des schèmes
inconscients à travers les âges, l'historicisme ne saurait s'accro-
cher à rien de fixe dans le flux de l'histoire. Pour qu'une philosophie ou une œuvre d'art gardent leur valeur au-delà des
circonstances particulières qui les ont vues naître ou, pour parler
comme Goldmann, au-delà du cadre spatio-temporel où elles
s'inscrivent, il faut bien qu'il y ait, au cœur de l'histoire, une
dimension transhistorique de l'être et du comprendre. Dans une
page curieuse, qui, à mon sens, suffit à mettre en cause le reste
de son entreprise, Lucien Goldmann touche lui-même le fond
du problème : cette possibilité de survie d'une philosophie ou
d'une œuvre d'art « repose », dit-il, « sur le fait qu'ils expriment
toujours la situation historique *transposée* sur le plan des grands
problèmes *fondamentaux* que posent les relations de l'homme
avec les autres hommes et avec l'univers. Or, le nombre de
réponses humainement *cohérentes* à cet ensemble de problèmes
étant limité par la structure même de la personne humaine,
chacune de ces réponses correspond à des situations historiques
différentes et souvent contraires » (*D. C.*, p. 30). L'analyse est
admirable et il n'y a pas un mot à y reprendre : mais où diable
Lucien Goldmann trouverait-il dans sa philosophie le moyen de
fonder une transhistoricité des situations historiques sur la
structure même de la personne humaine? La vocation d'une
méthode « matérialiste et dialectique » (p. 14) étant de produire
la subjectivité au terme infiniment complexe et lointain de
relations objectives, la *structure propre*, c'est-à-dire l'assise
ontologique dont on a soudain besoin pour la personne humaine,
transcendant ses conditions de manifestation historiques et les
fondant, est *strictement impensable.* Aussi Goldmann se hâte-
t-il de conjurer le spectre qu'il a si honnêtement, mais impru-
demment évoqué, en renvoyant le problème fondamental de la

« typologie des visions du monde » à une longue étude historique
et empirique, c'est-à-dire aux calendes grecques. La carence
même des approches objectivistes indique, pour ainsi dire, en
creux, la pleine compréhension qu'elles appellent. Puisque aussi
bien, en matière de comportements humains, le type d'intelligibilité, auquel nous sommes à chaque fois inéluctablement
renvoyés, implique la mise au jour, comme fondement des autres
structures, des structures propres de l'existence, il est temps,
après nous être longuement attardés en compagnie de la logique
formelle, de la linguistique, de la psychanalyse et de la sociologie, de regarder enfin du côté de chez Jaspers, Marcel, Heidegger, Sartre ou Merleau-Ponty, en un mot, du côté des philosophies existentielles.

QUATRIÈME PARTIE

Critique et philosophie

I. AU-DELA DES SCIENCES HUMAINES

Comme trop souvent la polémique consiste à déformer, pour mieux en triompher, la pensée adverse, et puisque cet ouvrage de contestation sera sûrement contesté à son tour, il est bon de nous arrêter un instant et de faire le point de l'enquête qui précède. Il ne manquera pas, soyons-en certains, de beaux esprits pour accuser ma position d'être « anti-scientifique » et « irrationaliste ». En soi, cette accusation me laisserait indifférent, mais elle est fausse. Autant préciser : refuser de construire le modèle d'intelligibilité de la critique d'après ceux des sciences humaines n'est pas plus être « contre la science », que rejeter un type de compréhension traditionnel dépassé n'implique qu'on soit « contre l'histoire littéraire ». Être contre la science ou contre l'histoire littéraire n'aurait guère plus de sens qu'être contre l'air qu'on respire ou la nourriture qui vous soutient. Deux remarques s'imposent donc. D'abord, loin de minimiser l'apport des diverses recherches scientifiques à la connaissance de la littérature, je suis convaincu, au contraire, de leur nécessité. A l'instar de l'homme, les produits de sa culture ont *aussi* leur

face objective, et relèvent, comme tels, d'études positives, gui-
dées par les disciplines modernes. Qu'il s'agisse de rendre l'outil
historique plus affiné et rigoureux encore; qu'il s'agisse, à un
pôle, d'articuler notre compréhension d'un texte littéraire aux
structures de la société où il est né, ou, à l'autre pôle, aux
structures linguistiques qu'il emprunte, rien ne peut remplacer
les précisions indispensables que seules nous donnent l'histoire
littéraire, la sociologie ou la linguistique. Et si toute œuvre
est, à sa manière, une biographie spiritualisée, comment ne pas
demander de précieux éclaircissements à la psychanalyse?
Pourrait-on, également, se passer, pour étudier une tragédie
ou un sonnet, de connaître avec exactitude les lois qui gouvernent ces genres et les raisons de leur formation, depuis leur
naissance jusqu'à leur déclin? Pourrait-on, si l'on veut scruter
le pouvoir d'envoûtement d'un poème, ignorer les travaux portant sur l'analyse des sons et des rythmes, qui tâchent de saisir
le moment où le langage poétique se constitue au sein de la
langue générale? Il est donc tout un domaine justiciable de
recherches esthétiques les plus strictes, de l'étude des genres à
la stylistique et à la phonétique modernes. Loin que nous
contestions l'utilité de ces différentes disciplines, c'est l'analyse
même que nous avons cru pouvoir donner du « sens littéraire »
qui la fonde : si, en effet, l'expression littéraire est fusion, dans
une écriture unique, d'une multiplicité de sens différents; si
elle vise à se donner, dans le langage, l'équivalent, en richesse
et profondeur, de l'existence humaine totale, il est évident que
chaque signification d'un ordre particulier (historique, sociologique, stylistique, psychologique, etc.) demande à être élucidée
par la science dont elle relève.

A ce propos — et ce sera la deuxième remarque —, les
exemples que j'ai choisi de discuter (métacritique de Roland
Barthes, psychocritique de Charles Mauron, sociologie des
visions du monde de Lucien Goldmann) n'épuisent nullement
les possibilités d'application, à la critique littéraire, des disciplines respectives dont ces auteurs s'inspirent. Il y a, chez un
Leo Spitzer, une approche des faits linguistiques fort différente

de celle de Roland Barthes; une psychanalyse jungienne, chez
une Maud Bodkin, qui donne de tout autres résultats que la
psychanalyse freudienne; une conception de la sociologie et de
l'anthropologie, dans les travaux de Gilbert Durand, portée
vers l'étude des grands archétypes imaginatifs et mythiques,
aux antipodes des travaux marxistes d'un Goldmann. Des
recherches expérimentales comme celles de Paul Delbouille sur
le pouvoir suggestif des sons en poésie n'ont rien de commun
avec les recherches d'esthétique historique conçues à la manière
de René Bray ou de Jacques Schérer [1]. Dans cet essai, je
n'ai pas plus cherché à faire le recensement complet des
diverses méthodes scientifiques, que je n'ai voulu brosser
un tableau systématique des tendances actuelles de la critique
littéraire. Sur des cas, qui m'ont semblé particulièrement
représentatifs des principaux courants idéologiques d'aujour-
d'hui (structuralisme, psychanalyse freudienne, marxisme),
j'ai essayé de dégager certains *types de compréhension* des
faits humains, donc des créations littéraires, qui engagent
radicalement le destin de la critique. Quelles que soient la
variété des points d'application et les variations des méthodes
et des théories scientifiques, le problème qui nous préoccupe
ici, et qui est d'ordre épistémologique, reste inchangé.

Sur cette question primordiale, ma position est claire :
je ne refuse aucun des secours, aucune des lumières que les
diverses sciences humaines peuvent et doivent apporter sur les
diverses significations de l'expression littéraire; au contraire,
je les appelle de mes vœux. Ce que, par contre, je récuse
absolument, c'est *la compétence d'une science humaine particulière à retrouver et à définir l'unité et la totalité des significations qui forment le sens d'une œuvre.* En d'autres termes, la
cohérence propre aux ouvrages de littérature échappe, par

1. Sur l'œuvre de Leo Spitzer, généralement méconnue en France, voir l'article
de J. Starobinski, « La Stylistique et ses méthodes : Leo Spitzer » (*Critique*, juillet
1964); Maud Bodkin, *Patterns of Poetry;* G. Durand, *Les Structures anthropologiques
de l'imaginaire*, 1960; P. Delbouille, *Poésie et Sonorités*, 1961. Bien entendu, ceci
n'est ni une bibliographie, ni même un début de bibliographie : quelques indications,
simplement, d'exemples qui nous paraissent significatifs.

7

principe, aux types de cohérence dont la science peut connaître. Certains diront : dans l'état actuel des sciences, — je dirai : en tout état de cause et par définition. Les différentes disciplines scientifiques ne peuvent entretenir entre elles que des rapports d'*exclusion* ou de *juxtaposition*. Découpant son objet selon sa perspective particulière, éclairant la face qu'elle a choisie, chaque science met en évidence une série de significations et de lois incapables de s'intégrer aux autres significations et aux autres lois révélées par les autres sciences. La linguistique structuraliste exclut, comme la logique formelle, une transitivité quelconque et un lien précis au réel. La psychanalyse, au contraire, commence par rétablir ce lien et l'ancre dans la fixité d'une psyché archaïque, tandis qu'une anthropologie marxiste, privilégiant le mouvement de l'histoire, mettra la compréhension de l'humain au cœur changeant des contradictions sociales. Or, les significations dégagées par l'analyse linguistique, psychologique ou historique ont ceci de particulier, qu'elles sont *toutes vraies, et toutes ensemble, sans pouvoir cependant s'articuler intelligiblement des unes aux autres ni se recouper dans leur objet.* Pour avoir une compréhension globale de celui-ci, il n'y aura d'autre ressource que d'additionner les perspectives et de juxtaposer les disciplines. Ainsi, nous l'avons vu, Lucien Goldmann croit arriver à une critique totale en accolant tantôt sociologie et esthétique, tantôt sociologie et psychanalyse. Mais un collage n'est, en aucun domaine, un mariage : rien ne réunit *de l'intérieur* des significations étrangères les unes aux autres, et qui ne se rejoignent jamais. On n'obtient pas plus de critique « totale » en mettant bout à bout un rien de psychanalyse, un soupçon d'esthétique et une bonne dose d'histoire, qu'on ne fait de théâtre « total » en ajoutant au texte de la musique, du ballet, voire des lambeaux de projection cinématographique. Puisque, de l'aveu général, la forme de critique vers laquelle tendent les recherches contemporaines est celle qui *intégrera la plus grande quantité de sens possible,* il en découle qu'aucun modèle d'intelligibilité à l'œuvre dans les sciences humaines ne saurait être retenu pour la critique littéraire; car ces modèles s'obtiennent soit par exclusion d'autres significations tout aussi légitimes, et l'on perd la plus grande quantité de sens possible; soit par sommation des divers sens possibles, mais ils ne sont pas intégrés.

Reste à expliquer pourquoi cet échec irrémédiable n'est pas immédiatement décelable, et pourquoi de nombreux critiques continuent et continueront à mettre leur espoir de fonder une analyse complète de la littérature sur une science particulière, histoire ou sociologie, linguistique ou stylistique, caractérologie ou psychanalyse, qu'ils constituent, en fait, en autant d'impérialismes interprétatifs rivaux : il y a une guerre des sciences, comme il y a une querelle des critiques. A la raison générale du prestige universel de la pensée scientifique, en ce milieu du xxe siècle (mais cela dure depuis le milieu du xixe), s'ajoute, selon moi, une raison précise, qui tient à la nature même des nouvelles sciences élaborées récemment sous le nom de sciences humaines. Celles-ci ont, en effet, cette particularité, qu'a fort bien vue Lucien Goldmann, qu'à la différence des sciences physiques, il y a, chez elles, identité partielle du sujet et de l'objet de la recherche. Par une tentation bien compréhensible, il suffit d'un léger glissement, pour que cette identité *partielle* passe à ses propres yeux pour cette identité *totale* qu'exige, nous l'avons montré, l'épistémologie propre des relations sujet-objet dans la création littéraire (cf. plus haut, pp. 156-157). Dès que la *compréhension* d'un certain secteur de l'activité humaine prétend passer à l'*explication* de l'homme, telle ou telle méthode scientifique prétend se donner soudain comme système philosophique. Nous l'avons constaté sur l'exemple de la psychanalyse (pp. 116-117) et du marxisme (pp. 127-128) [1]. Par une

---

1. Dans son étude « Méthode structurale et idéologies structuralistes » (*Critique*, novembre 1964), Robert Castel est amené à se poser la même question à propos du structuralisme et de Lévi-Strauss : « Le structuraliste — celui qui emploie la méthode structurale — est, *d'abord*, en ce sens, un ' savant ', qui discute et se discute comme tel. Peut-il être *en même temps* un ' idéologue ' sans jouer le double jeu de la science et de la philosophie, de la rigueur et du pathos que par ailleurs il prétend condamner? Ou bien y aurait-il deux poids et deux mesures, la rigueur étant bonne pour réfuter les autres, et, s'étant assuré ainsi d'une bonne conscience

métamorphose subite, qu'Ovide a oublié de nous conter, il pousserait au savant des ailes de philosophe :

> *Je suis oiseau; voyez mes ailes...*
> *Je suis souris; vivent les rats!*

Cette citation de La Fontaine, qu'affectionne Barthes, résume bien la situation. Je suis oiseau : je vous offre en surplomb une vision globale de la condition humaine. Je suis souris : je vous donne l'os de la science à ronger. Freudisme et surtout marxisme, suivis à présent par le structuralisme, jouent à l'envi sur les deux tableaux. Parfaitement justifiés comme moyens d'investigation pratiques et théoriques de certains secteurs (rapports affectifs ou relations sociales), qui sont du ressort d'une enquête empirique et positive, ils ne se haussent à la dignité d'un statut philosophique qu'en durcissant l'objectivité nécessaire à une méthode scientifique en *philosophie de l'objectivité*. Car, cette « identité partielle » du sujet et de l'objet de la connaissance, sur lesquelles les sciences humaines se fondent, mais qu'elles ne peuvent jamais dépasser vers une identité totale, on la fait jouer en sens unique, pour résorber, en fin de compte, la subjectivité dans un système objectif et se débarrasser une bonne fois de la conscience. Cette méthodologie, hypostasiée sous le nom de philosophie, est donc toujours, en fait, un matérialisme, dont l'orientation varie selon la science d'origine, mais dont le postulat métaphysique reste le même. Or, ce postulat est non seulement faux (ceci reste ouvert à la discussion), mais il est de mauvaise foi (cela est incontestable). La philosophie qu'on nous propose aurait, étant appuyée sur une science, l'avantage d'être « scientifique », tandis que la science, prenant son essor, s'épanouirait en synthèse métaphysique. En fait, l'opération est doublement frauduleuse. En prétendant nous fournir une « philosophie scientifique », elle consiste, pour commencer, à nous

scientifique aux dépens d'autrui, on se réserverait une certaine bonne conscience philosophique, qui consiste à affirmer naïvement le bien-fondé de son propre système? » On voit que le problème est strictement identique pour toutes les sciences humaines.

donner *une* science pour *la* science, comme si le problème fondamental de l'épistémologie contemporaine n'était pas justement
l'éclatement des sciences, la pluralité et le conflit des méthodes
et des approches, qu'aucune synthèse envisageable ne peut
surmonter. Par un tour de passe-passe, on nous offre comme
principe de compréhension synthétique une pensée incapable
de faire sa propre synthèse. (D'où les rivalités, souvent agressives, entre les diverses sciences, chacune réclamant le droit
de transformer son concubinage avec la philosophie en union
légitime : mais on n'a, au mieux, qu'une polygamie criarde.)
Cependant, par la contradiction d'une humeur inverse et per-
verse, à l'instant où l'on privilégie indûment une méthode
scientifique parmi d'autres, en la parant du prestige de philosophie première, on ruine définitivement la possibilité même de
toute philosophie, en proclamant que la seule connaissance
valable est la science. Mi-lion mi-chèvre, moitié science et
moitié philosophie (chaque moitié détruisant l'autre), le monstre
d'une « philosophie scientifique », qu'on prétend tirer des
sciences humaines ou leur imposer, n'est, très exactement,
qu'une chimère.

II. DESTINS CONJOINTS DE LA CRITIQUE
ET DE LA PHILOSOPHIE

Il convient donc d'aller chercher la philosophie où elle est, au point de départ naïf, et non au point d'arrivée élaboré de la connaissance, dans les assises mêmes de l'être. Reste la question préalable, que certains ne se feront pas faute de poser : pourquoi diantre aller chercher la philosophie? Et qu'est-il besoin d'elle pour guider les réflexions de la critique littéraire? La philosophie a, dans la culture contemporaine, un statut pour le moins ambigu : reine déchue, elle fait, à côté des sciences, figure de parente pauvre, que l'on reçoit par charité au bas bout de la table; mais il doit flotter, autour d'elle, quelque auréole de royauté, puisque toute conception du monde, même issue des sciences positives, n'a de cesse qu'elle ne se proclame philosophique. De Sextus Empiricus à Jean-François Revel, on demande avec un sourire sceptique : pourquoi des philosophes? Surtout depuis qu'il y a des savants. A chaque siècle, avec La Mothe Le Vayer et Bayle, au XVIIe, avec Voltaire ou Diderot, au XVIIIe, avec Comte ou Marx, au XIXe, avec toutes les variétés viennoises, anglo-saxonnes ou autres de scientisme et de positivisme, au XXe, on n'arrête pas d'enterrer la philosophie, laquelle, comme le phénix, n'arrête pas de renaître de ses cendres. Le mot « métaphysique », pour certains, comme le mot « mystique », s'il n'est pas dérisoire, est obscène : si on le lâche, c'est la stupeur indignée. Les mêmes bons esprits nous présenteront d'ailleurs, sans sourciller, de la pensée sécrétée par les cellules du cerveau, entre deux acides, ou des réflexes se combinant mécaniquement pour donner les comportements humains : cela, bien sûr, ce n'est pas de la métaphysique. C'est quoi? Eh bien, de la philosophie, si vous y tenez, mais, attention, de la philosophie sérieuse et scientifique. Nous avons assez parlé de ces fariboles. Toute vision globale et articulée des rapports de l'homme et de l'univers, tout système formel des relations de l'existence et de l'être est une métaphysique, qu'on le veuille ou non. Comme en toutes choses, il y a simplement de bonnes ou de mauvaises métaphysiques. Les mauvaises sont invariablement celles qui n'osent pas dire leur nom.

Peut-on, doit-on faire de la critique littéraire en dehors de toute préoccupation métaphysique? Baudelaire ne le pensait pas, qui disait avec raison que « la critique touche à chaque instant à la métaphysique » (cf. p. 196). C'est ce que croient pourtant nombre d'esprits, certains obtus, d'autres ouverts. Le refus de toute « idéologie », la peur de tout « engagement » ne m'étonnent pas chez certains universitaires : ils font partie de leur confort intellectuel et, il faut bien le dire, de leur formation professionnelle. Je suis, par contre, peiné de retrouver ce préjugé tenace chez un homme aussi éclairé que Robert Kanters, dans l'étude pleine de lucidité et de bonne volonté qu'il vient de consacrer à la « querelle des critiques » [1]. Il me permettra donc d'essayer de le convaincre. « La littérature, dit-il, est peut-être le plus long et le plus riche discours que l'esprit humain se soit adressé à lui-même : l'art de la critique est de faire parler ce discours... » On ne saurait rêver définition plus précise et plus concise. Mais l'auteur ne tarde pas à ajouter : « Cela suppose une absence totale de préjugés théoriques... Chaque fois que la critique s'appuie sur une philosophie déterminée, celle d'Aristote, ou celle de Taine, ou sur une grande théorie plus ou moins scientifique, celle de Marx, celle de Freud, demain peut-être celle de M. Lévi-Strauss, elle se condamne à valoir en tant que critique ce que vaut cette philosophie ou cette théorie, et même un peu moins parce que la transposition

1. *La Revue de Paris*, janvier 1966.

et l'application sont toujours approximatives. » En même temps, comme, à l'inverse de ces universitaires dont nous parlions, Robert Kanters est largement ouvert à son siècle, il veut une critique accueillante, qui « doit pouvoir tirer pleinement profit de toutes les disciplines, anciennes ou nouvelles ». Je lui demanderai alors comment, en l'absence totale de présuppositions théoriques, c'est-à-dire dans cet état d'impréparation idéologique, complète et volontaire, qu'il recommande, il est le moins du monde possible d'accueillir avec fruit ces disciplines qui s'imposent à l'attention contemporaine. On ne saurait, en effet, tirer profit des sciences humaines, ou d'une philosophie, par des intuitions glanées çà et là, au hasard de ce que Spitzer appelait si bien « la sensibilité eudémoniste » du critique. Pour pouvoir utiliser Marx ou Freud, point n'est besoin, certes, d'appartenir au parti communiste ou d'avoir été psychanalysé, mais il faut avoir réfléchi aux problèmes de la psychanalyse et du marxisme ; il faut, très exactement, disposer de cette réflexion philosophique, présentée comme non seulement encombrante, mais funeste. Une pensée tant soit peu cohérente implique des cadres théoriques, et la critique, pas plus que la création littéraire, n'est une fulguration intuitive : elle suppose un travail d'élaboration. Thibaudet distinguait, avec raison, la critique parlée, la critique d'artiste, la critique de professeurs. Ces différentes critiques ont différentes lois. Une critique des ensembles, comme veut l'être la critique moderne, a ses exigences : elle demande notamment que tout ce qu'il y a en elle de postulats implicites soit explicité ; que ces « préjugés théoriques », que toute pensée recèle bon gré mal gré, sortent de l'ombre où nous les refoulions, pour devenir des théories à part entière.

Seulement, chaque fois qu'une théorie sert de support à la critique, ce serait la catastrophe, car la critique se condamne d'avance à valoir ce que vaut cette théorie, et même un peu moins. Ne serait-il pas préférable, en ce cas, de laisser dormir en nous nos théories, comme, dans certaines névroses incurables, nos complexes ? Mais, d'abord, et en tout état de cause, la cri-

tique est-elle historiquement moins relative que les fameuses
théories qui risqueraient, si elle s'appuyait sur elles, de la perdre?
De toute façon, il n'y a rien de plus daté, de plus rapidement
dépassé et défraîchi, rien de plus fragile, que les commentaires
critiques : c'est un fatras, un dépotoir, où ce que disent Voltaire
sur Corneille, La Harpe sur Racine, Sainte-Beuve, Lemaître,
Faguet ou Lanson sur les classiques, n'a plus guère d'intérêt
que pour les fichiers de thèse. Il faudrait beaucoup d'optimisme
pour croire que, sans la philosophie, la critique vaut plus, et
plus longtemps, qu'avec elle. Quoi qu'on fasse, d'ailleurs, critique littéraire et philosophie font partie, implicitement ou explicitement, de l'idéologie sécrétée par chaque époque; ne pas
avoir d'idéologie, c'est une forme d'idéologie particulière : le
positivisme. Leur destin est donc conjoint : inséparable en
droit, il n'est jamais séparé en fait. A reconnaître franchement
sa solidarité, son alliance avec la philosophie, la critique n'a
rien à perdre. Elle a même tout à gagner. Mais, nous dit-on,
les théories passent. C'est vrai : la critique aussi. Seulement, le
fait qu'une vision de l'homme soit dépassée ne veut pas dire
qu'elle n'ait été qu'un prisme déformant. Nous en revenons au
texte de Sartre sur Blanchot (pp. 74-75). Sa passion, son tour d'esprit, sa philosophie inclinent le critique à telle interprétation,
plutôt qu'à telle autre, mais ils lui servent aussi de révélateurs.
Je dirai que, parmi ces révélateurs, une philosophie consciente
et organisée a des chances d'être le plus précis : grâce à l'influence de Bergson, Thibaudet aura mieux compris l'unité
profonde de la personnalité de Flaubert, qu'on scindait en
« réaliste » et « romantique »; par sa méditation heideggérienne,
Blanchot aura mieux saisi le sens du Néant chez Mallarmé. Et,
pour reprendre les exemples allégués par Robert Kanters, la
critique ne s'est pas si mal trouvée, chez Aristote, de son voisinage avec une philosophie qui nous a valu la seule conception
encore solide de l'action tragique et de la catharsis qu'elle provoque [1]. De même, ce n'est pas malgré sa philosophie, mais à

---

1. La philosophie aristotélicienne est loin, d'ailleurs, d'avoir épuisé ses vertus
et l'on sait qu'elle inspire, aux États-Unis notamment, toute une école critique.

cause d'elle, que Taine aura contribué au progrès de la critique moderne, par sa recherche d'une explication articulée et totale, bien plus que les Lemaître ou les Faguet par leur impressionnisme volubile. Les rapports trop étroits de la critique et d'*une* philosophie sont-ils donc sans danger, et les craintes de Kanters sont-elles sans fondement? Certes non. Des théories, comme de toutes choses, il y a le bon et le mauvais usage. Nous avons pu constater, dans les pages précédentes, les ravages que la *stricte application* d'une position doctrinale à la critique des textes peut produire, et Robert Kanters aurait beau jeu de retourner contre moi mes propres analyses. La situation est-elle alors sans issue? Je ne le crois pas, et nous verrons plus loin que dans les rapports, inévitables et souhaitables, entre réflexion théorique et pratique littéraire, le fait, bien vu par Kanters, que « la transposition et l'application sont toujours approximatives », n'est pas ce qui condamne, mais ce qui *sauve* la critique. (Cf. p. 236 *sq.*)

Loin donc que la démarche philosophique soit nuisible à la recherche critique, la conclusion ou, si l'on préfère, le principe central du présent essai affirme juste l'inverse : *une réflexion approfondie sur la littérature est d'ordre philosophique, ou elle n'est rien.* Ce n'est pas un axiome que nous avons fait descendre de l'univers des Idées, au départ; c'est une hypothèse, élaborée, comme toute hypothèse, au sein d'une expérience personnelle, que nous avons cru voir peu à peu confirmée et vérifiée par les faits. La critique actuelle, disions-nous, se caractérise, empiriquement et théoriquement, par un effort de compréhension unitaire et totalitaire; elle postule, comme foyer des significations diverses, comme lieu de leur recoupement, un certain sens fondamental, immanent à chaque œuvre prise dans son ensemble et qui ne s'achève que dans l'ensemble des œuvres. Cette recherche de la cohérence définit ce que nous avons appelé une « phénoménologie littéraire », qui se donne pour tâche la description des structures inhérentes à l'objet considéré. Mais l'on aboutit bientôt à une double contradiction. D'une part, les structures ainsi dégagées ne sont ni convergentes ni juxtaposables; il n'y a pas de « structure des structures », où elles viendraient se fondre et s'harmoniser. La quête de la cohérence fait éclater l'incohérence, celle de l'unité la désunion. D'autre part, l'objectivité des structures renvoie à la subjectivité du critique, c'est-à-dire à une façon de comprendre l'homme qui est, en fait, un choix personnel, une option métaphysique, même et surtout chez ceux qui croient avoir éliminé leur Moi au profit de leur Système [1]. Or, il n'y a point de choix qui comprenne tous les autres, il n'y a pas de « compréhension des compréhensions ». Avec les notions d'unité et d'objectivité, serait-ce aussi la notion de vérité qui se volatilise? Contre les solutions successives du relativisme, puis du formalisme de Roland Barthes, nous avons cru devoir maintenir la notion de vérité au cœur de la littérature, à plus forte raison de la critique. Mais de quelle vérité s'agit-il? Puisque nous avons récusé tour à tour les modèles d'interprétation fournis par les évidences du goût, comme par celles d'une esthétique formelle, et que nous avons refusé les types d'intelligibilité offerts tant par les sciences historiques que par les sciences humaines, il ne reste, par élimination, en quelque sorte, pour fonder la vérité de la critique, que la réflexion qui fonde aussi la vérité philosophique.

D'abord, leur statut épistémologique est le même. Alors que la littérature se définit précisément par la multiplicité significative au sein de l'unité expressive, la critique ne peut rejoindre, par aucune méthode objective, cette unité *déjà donnée* dans son objet : de même, la diversification des schémas explicatifs du monde n'arrive à rendre compte, en aucune manière, de l'unité,

1. J'ai mentionné, rapidement, certes, mais non pas injustement, je crois, ce que me paraît être le, ou plutôt les « complexes » du psychanaliste. Il ne serait pas difficile non plus de montrer à partir de quel champ affectif se développe la critique sociologique de Goldmann, et notamment sa « haine de l'individu ». L'être individuel, c'est l'être-pour-la-mort, l'indépassable tragique; l'être collectif, c'est, au contraire, le dépassement du tragique par la dialectique (leitmotiv du *Dieu caché*), qui ouvre à l'humanité la dimension de l'avenir, refusée à l'individu. On retrouve la même obsession théorique et pratique chez un Sartre, des *Mains sales* à la *Raison dialectique*. Mais, comme le même Sartre l'avait admirablement vu dans *Le Mur*, devant les douze balles du peloton d'exécution, l'avenir se bouche et l'homme redevient ce qu'il n'avait jamais cessé d'être : un individu. Que cette critique même révèle, à son tour, *mes* « complexes », rien de plus certain; la seule différence, c'est que ma théorie soit précisément là pour en rendre compte et les intégrer à la réflexion.

concrètement donnée, dans la totalité du réel. Cette « vérité »,
postulée et introuvable; cette volonté de compréhension systématique, qui n'arrive jamais à se refermer en un système;
cette quête passionnée de l'Unité, qui s'est irrémédiablement
brisée en pluralité; cette discipline qui est, par définition, la
« science des problèmes résolus », et qui ne parvient jamais à
les résoudre : qui, au passage, n'a reconnu la philosophie, mais
aussi bien la critique? Ce statut d'*ambiguïté*, radicale et indépassable, que Merleau-Ponty assignait à la perception du réel,
et qui servait d'horizon à la quête philosophique, nos analyses
l'ont retrouvé dans l'expression littéraire, et il délimite le champ
de l'enquête critique. Une première précision s'impose ici :
quand nous parlons de philosophie, il s'agit des *philosophies
existentielles*, auxquelles nous avons fait maintes allusions dans
cet essai, sans aborder le problème de face. Pour nous, le progrès
même de la philosophie moderne, depuis Jaspers, Heidegger et
Marcel, sans parler de leur ancêtre à tous, Kierkegaard, ou de
l'ancêtre de Kierkegaard, Pascal, commence par la prise de
conscience de son inévitable échec. Le monde où nous vivons
est celui de la réalité une et de la vérité éclatée : aucune connaissance n'est commensurable à l'Être; le rationnel ne saisit que
des fragments ou des surfaces du réel, des profils discontinus,
qu'aucune conceptualisation ultime ne peut intégrer. Aussi
doit-on considérer, non sans regret, toutes les grandes machines
rationalistes du xixe siècle, depuis l'idéalisme hégélien jusqu'au
matérialisme dialectique, comme des laissés-pour-compte. A la
différence des théories scientifiques, constitutives du savoir
dans un secteur déterminé de l'univers, la philosophie, réflexion
sur notre être-au-monde total, commence désormais par la
méditation de son non-savoir.

Pour la critique littéraire, invoquer sa parenté avec la philosophie, telle que nous l'entendons, n'est pas une solution de
facilité : c'est même l'inverse de ce confort intellectuel qui
caractérise souvent l'application, au déchiffrement de la littérature, des instruments de connaissance élaborés par les diverses
disciplines scientifiques. Comme dit si bien J. Starobinski, « la

philosophie a sur les sciences humaines la supériorité de mieux
connaître le risque et le non-fondé de son entreprise » [1]. Aucune
de ses enquêtes, certes, ne saurait prétendre à la certitude des
vérités objectives; mais elle comble précisément une lacune que
toute recherche objective laisse béante : son lieu d'apparition,
c'est-à-dire son lien ontologique à la subjectivité du chercheur.
S'il y a des sciences humaines, il n'y a pas, même en rêve, de
Science de l'Homme, savoir absolu qui résorberait en lui le
sujet contingent producteur de ce savoir. Il y a une existence
du savant, mais pas de science de l'existence. Reste cette situation fondamentale et inconfortable, qu'il faut s'efforcer de
comprendre : ce « monde cassé », selon la belle expression de
Marcel. Réfléchir à notre condition, c'est, d'abord *la réfléchir*,
en la ressaisissant aussi vierge, aussi totale que possible, à sa
source, en son jaillissement premier. Cette description réflé-
chissante (on aura reconnu la phénoménologie) est retour à ce
point d'émergence absolu de toute réalité, où l'être se dévoile
pour une conscience, mais où la conscience se saisit portée par
l'être. Ce retour à ce point focal, qui est la démarche propre de
la méditation philosophique, nous l'appellerons, contre les
théories objectivistes, le retour au Cogito. Non plus ce beau
Cogito pellucide du cartésianisme, sereine et souveraine possession de soi d'une pensée-substance, mais clarté obscure qui
restitue le monde, sans le constituer, condamnée à élaborer la
diversité des sens sur le fondement d'un non-sens premier;
l'activité postérieure de la raison ne dissipe pas ce niveau
primitif et ambigu du concret, elle le suppose, au contraire :
le seul lieu, sinon d'élaboration, du moins d'épreuve, de la
vérité demeure le monde perçu, ou, si l'on veut, le monde naïf.
Le réel n'est pas au terme d'une conceptualisation dialectique,
comme le voulait le rationalisme marxiste de Goldmann, il en
est l'origine irrécupérable et immédiate; il faut appliquer à la
dialectique marxiste le traitement qu'elle applique à la dialectique hégélienne et la « remettre sur ses pieds » : l'immédiat

---

1. « Les directions nouvelles de la recherche critique », *art. cit.*

n'est pas l'aboutissement, mais le support des médiations. Car ce Cogito pré-réflexif, que découvre la réflexion, n'est pas une contemplation immobile de soi par soi à l'intérieur d'une conscience : il jette la conscience tout entière hors de soi, dans le monde; il définit l'homme par les projets concrets, perception et praxis, que sa survie lui impose; il dépasse sans cesse le réel qui l'investit par l'invention des possibles; bref, il est mouvement et principe de mouvement. Le Cogito ne fait donc pas paraître une pensée désincarnée, mais une intention pratique, en situation dans l'être et l'histoire [1]. Il ne nous livre nullement une essence humaine, mais une existence en train de se faire, par chacun de ses actes, et qui n'est pourtant résumée et achevée en aucun d'eux. Avec ce Cogito, que les analyses précédentes nous ont amené peu à peu à mettre au jour, le philosophe ne dispose donc pas d'une panacée, d'un « Sésame, ouvre-toi », d'une recette magique pour *expliquer* quoi que ce soit. Il possède simplement un moyen de *comprendre* comment les diverses significations mises en jeu par les diverses activités humaines peuvent s'articuler entre elles, non point comme totalité d'un Savoir objectif, pour former cette « structure des structures » introuvable, mais comme projets qui sont autant d'expressions partielles de la situation fondamentale d'un même sujet pensant et agissant.

Cependant, il n'y a point non plus de « compréhension des compréhensions », aucun point de vue de ce sujet sur lui-même qui lui permette de se saisir comme totalité signifiante : comme dit Sartre, la conscience est une « totalité détotalisée », et c'est en vain qu'une philosophie de l'existence chercherait à faire le total des significations humaines, c'est-à-dire à se constituer en système global [2]. C'est pourquoi nous avons toujours parlé,

---

1. C'est avec raison que Freud a défini l'homme par le « Désir » et Heidegger par le « Souci » : le Cogito fait naître le monde non par une intention connaissante, mais, fondamentalement, par une tension affective.

2. Que Sartre, comme philosophe, ait essayé, aussi bien dans *L'Être et le Néant* que dans la *Raison dialectique*, de ressaisir cette totalité qui n'est jamais pour lui, comme homme, que « détotalisée », c'est à la fois sa grandeur et son échec. C'est disons, la grandeur et l'échec de toute philosophie.

dans cet essai, *des* philosophies existentielles : aucun Cogito réflexif ne saurait dissiper dans une clarté ultime l'ambiguïté originelle du Cogito irréfléchi. Chaque approche éclaire un aspect; chaque philosophie se saisit d'un sens. Aucune philosophie ne s'empare de tous les sens et de tous les aspects. Mais cet échec fondamental de la philosophie est aussi la source de son progrès : c'est parce que la recherche philosophique ne peut jamais découvrir que des vérités partielles, qu'elle peut se poursuivre; c'est parce qu'elle ne peut jamais dégager que des significations ambiguës, qu'elle doit se contredire [1]. Il y a donc bien une histoire de la philosophie, dont le sens dépend non de la psychologie du philosophe ou des conflits de sa classe, mais de la nature même de la philosophie. Elle ne peut être que succession d'efforts contraires, et qui pourtant se complètent, où le nié est (à la différence de ce qui se passe dans les sciences) d'une certaine façon conservé, où les vérités distinctes ou adverses, y compris celles de la science, doivent apprendre à coexister, sans jamais pourtant s'unir ou se confondre. La philosophie, en ce sens, c'est donc l'histoire de la philosophie, à condition de comprendre une fois pour toutes que cette historicité n'est pas une extériorité, mais l'accomplissement, dans l'histoire, d'une activité humaine autonome; à condition aussi de bien voir que ce relativisme historique ne devient que par erreur un pur scepticisme : « Il n'y a pas *une* philosophie qui contienne toutes les philosophies; la philosophie tout entière est, à certains moments, en chacune... Donc la vérité, le tout sont là dès le début — mais comme tâche à accomplir, et ils ne sont donc pas encore là [2]. » Tel est le statut étroit, mais ferme, que Merleau-Ponty, méditant sur l'histoire de la philosophie, assigne à la vérité philosophique : partie de l'immédiat, elle s'enrichit,

---

1. Comme Georges Gurvitch l'a bien vu dans son *Dialectique et Sociologie*, la véritable dialectique, au niveau de l'existence humaine, n'est jamais couple d'antinomies claires et nettes, de concepts distincts, élégamment surmontés par la synthèse, à la façon du rationalisme hégélien ou marxiste : infiniment plus fluide, elle « implique également des réciprocités, des ambiguïtés et des contraires, sans parler des complémentarités et des implications mutuelles ».

2. *Signes*, p. 161.

mais aussi se complique et se contredit, par des médiations infinies; une phénoménologie du réel se dépasse, mais aussi se perd, dans la dialectique ouverte d'une histoire qui n'a pas de terme. Vérité partielle et partiale d'une totalisation en cours et jamais achevée, saisie progressive de la conscience de soi à travers toute l'épaisseur du monde et de l'histoire, qui n'aboutit jamais à une coïncidence : tel est le mode de compréhension que nous propose la réflexion philosophique. Pour les esprits épris d'absolu, c'est peu. Le sens philosophique est toujours, comme le sens littéraire, un sens ambigu; ce que le philosophe veut dire déborde toujours ce qu'il dit : grâce à quoi, sans doute, Aristote et Hegel se survivent chez Heidegger et Marx. Mais ce sens ambigu est aussi, en fin de compte, un sens « déçu » et, avouons-le, décevant. Ni science, mais se voulant savoir; en deçà de toute méthode, mais se choisissant méthodique; chercheuse d'un absolu concret, mais vouée au relatif abstrait; méditation systématique sur l'impossibilité des systèmes, la réflexion philosophique, inconfortable, est cependant impérieuse : le plus haut point sans doute où s'affirme l'exigence humaine de clarté et de sagesse, ce moment de la grandeur de l'homme est aussi celui où se montre, dans toute sa nudité, sa faiblesse. La philosophie, activité noble et absurde bien plus que celles, mentionnées jadis par Camus, du don Juan ou du comédien, toujours à faire, sans cesse défaite et refaite, se trouve éternellement devant sa tâche comme Sisyphe devant son rocher.

Les amateurs de vérités « objectives » et « rigoureuses » n'y trouveront guère leur compte, non plus que les tenants de la certitude ineffable. Il faut en prendre son parti : « Une philosophie concrète n'est pas une philosophie heureuse [1]. » Ni objective ni subjective, la vérité philosophique est, comme l'existence qu'elle réfléchit, au point de rencontre, à la fois distinct et obscur, où surgissent et se définissent, dans le Regard et dans le Désir, l'un pour l'autre et l'un par l'autre, la conscience et le monde. Or, ce type de vérité, limité et exigeant, ce modèle de

---

1. *Signes*, p. 198.

compréhension, global et ouvert, est, croyons-nous, celui-là
même que peut et que doit se proposer la critique littéraire,
dès qu'elle cesse d'être simple série de questions sur la littérature,
pour se faire mise en question de la littérature. On peut dire que
ce changement d'intérêt et d'orientation constitue le passage
même de l'ancienne critique à la nouvelle, et la meilleure définition de leur opposition. Tant qu'on se pose des questions *sur*
l'œuvre, c'est-à-dire quand on la constitue en objet, on aura,
selon le biais, quantité de réponses objectives. Et, dans la mesure
où toute œuvre se présente comme un objet, les significations
ainsi dégagées sont parfaitement légitimes. L'homme aussi est,
par tout un côté, objet. Mais — et nous avons pu le vérifier,
pour ainsi dire, expérimentalement — aucune signification
objective ne peut faire la synthèse des autres et en offrir une
articulation intelligible. C'est que l'homme et ses créations culturelles sont ces existants particuliers, à la fois radicalement
objectifs et radicalement subjectifs, ce que nous appelions, dans
nos précédentes analyses, de « faux objets » ou « objets-sujets ».
Tout entier *là*, dans les comportements du corps, les pages du
livre, les couleurs de la toile, leur sens est toujours *au-delà* de
ces supports extérieurs, pour la conscience qui les perçoit. Ces
sens différents ne sont pas pour autant éparpillés : ils se
regroupent et se rejoignent pour former le sens d'une conduite,
d'une pièce, d'un tableau. Ce sens, il s'est graduellement, mais
continûment, indiqué à nous au cours d'analyses fragmentaires,
qu'il s'agit à présent de rassembler

III. LA CRITIQUE COMME PSYCHANALYSE
EXISTENTIELLE

1. *Le Cogito de l'écrivain.*

Lorsque, cessant de se poser des questions sur l'œuvre, la critique *met l'œuvre en question*, c'est-à-dire remplace la question : « quelles sont les significations de l'œuvre? » par celle-ci : « qu'est-ce que cette œuvre signifie? », l'œuvre, comme objet, s'évanouit. Car l'objet esthétique n'est pas une chose, mais « un mode spécial d'apparition de l'Autre » (p. 52), et ses structures ne forment un tout que comme expression d'une « conscience structurante ». Cette conscience ne saurait être la simple conscience intellectuelle : la cohérence véritable se trouve au niveau affectif, et la communication esthétique au niveau du vécu (p. 55). De ces constructions intellectuelles que sont les grandes philosophies, Merleau-Ponty a pu justement dire que « le système, l'explication, la déduction n'ont jamais été l'essentiel. Ces arrangements exprimaient — et cachaient — un rapport avec l'être, les autres, le monde » [1] : à plus forte raison est-ce vrai des créations littéraires. S'il y a bien une « vision » qui porte de bout en bout l'œuvre d'art (p. 59), cette vision n'est pas une vue de l'esprit, qui pourrait tenir dans une formule : c'est, pour l'écrivain, « la convergence totale de son être dans son œuvre » (p. 80), l'effort global par lequel un homme s'efforce de *dire* ce que, pour lui, sa condition d'homme signifie (p. 100).

---

1. *Signes*, p. 199.

Mais dire, ici, n'est pas déclarer; ce n'est pas mettre en circulation des idées, que le commentateur devrait ensuite condenser et cataloguer. Le contenu idéologique lui-même est toujours porté par ces rapports plus profonds, « avec l'être, les autres, le monde », et si le langage veut toujours dire plus qu'il ne dit, si ce que dit l'écrivain prend son sens plein par ce qu'il ne dit pas (p. 37), c'est que tout arrangement significatif, comme l'écrit plus haut Merleau-Ponty, à la fois « exprime » et « cache » ces rapports fondamentaux qu'il vise à manifester.

En admettant que nos analyses soient exactes, elles fournissent du même coup à la critique sa fin et ses moyens, sa justification et ses critères. Et aussi ses limites. Si, selon la formule de Robert Kanters, la critique consiste à « faire parler ce discours » qu'est la littérature, ce ne saurait être pour *redire* ce que ce discours dit déjà et mieux. A moins d'être cette critique-paraphrase, cette critique-bavardage, bref, cette critique inexistante, qu'est trop souvent la critique traditionnelle [1], la véritable critique est celle qui *ajoute* à l'œuvre, et qui *s'y ajoute*, et non point s'y résorbe; ce n'est ni une doublure ni un reflet. Non qu'elle se constitue comme écran entre le texte et le lecteur : cela, c'est la critique d'humeur, qui se raconte à propos des autres. Insignifiante chez les médiocres, cette littérature seconde peut, chez des esprits intéressants, ne pas manquer d'intérêt : mais Barbey d'Aurevilly, critique, c'est Barbey d'Aurevilly romancier. Si la critique se veut compréhension éclairante de la littérature, justifiée en elle-même, mais non pour elle-même, son rôle est indiqué par la nature même de la création littéraire : puisque toute expression est à la fois manifestation et dissimulation, *la critique consistera à révéler ce qui se cache et à raccorder ce qui se donne à ce qui se dérobe, dans un effort pour dégager la totalité de l'expression.* Afin d'éviter tout malentendu, notons que, si cette totalité reste à dégager, et la critique à faire, ce n'est pas en vertu d'une quelconque défaillance de l'auteur, lequel, pour s'accomplir jusqu'au bout, aurait

1. Cf. pp. 46-48.

besoin d'une aide extérieure. La justification de la critique n'est pas due à une imperfection de la littérature, l'œuvre censément parfaite pouvant, à la limite, se passer de tout éclairage supplémentaire et contenant en elle tout son sens. La totalité du sens est toujours, et par principe, *en suspens*, de par la nature du langage (pp. 35 *sqq.*) comme de par la situation, ontologique et historique, de l'œuvre (pp. 48 *sqq.*). A aucun moment, et fût-il l'auteur le plus lucide de l'ouvrage le plus achevé, l'écrivain ne peut en formuler intégralement le sens [1]. A cet égard, et à chaque moment de l'histoire, le critique — et tout lecteur, en général, — est l'accoucheur de l'écrivain. Simplement, au lieu d'un accouchement de fortune, dans l'arrière-boutique de la parlerie banale, la nouvelle critique, à la différence de l'ancienne, entend utiliser des instruments précis pour délivrer le sens. Nous dirons que, pour nous, l'analyse critique se présente exactement comme une *psychanalyse existentielle*, selon l'expression inventée par Sartre. Psychanalyse : la connaissance, chez autrui, de ce qui est caché à autrui ou de ce qu'autrui se cache, met le critique dans la même position, en face de son texte, que le psychanaliste, en face de son patient. Dans les deux cas, il s'agit de rendre la totalité d'un comportement humain intelligible, en faisant apparaître le lien entre des significations obvies et des significations latentes, en replaçant l'organisation globale de conduites réelles ou imaginaires, imparfaitement cohérentes ou manifestement contradictoires, dans le contexte du projet fondamental qui les sous-tend et les soutient. Psychanalyse existentielle : ce projet fondamental ne saurait être arrêté au niveau de la libido, mais les rapports sexuels eux-mêmes reprennent et intègrent, sur le plan psychosomatique qui leur est propre, des relations plus profondes avec l'être, les autres, le monde. Le déchiffrement

---

1. Cette nécessité de droit, les diverses investigations empiriques la retrouvent, dans leurs domaines, comme des « barrières » de fait : pour la psychocritique, l'œuvre d'art est une auto-analyse, mais inconsciente ou ne parvenant jamais à la pleine conscience; pour la sociologie de Lukacs et de Goldmann, le roman traditionnel met en scène la biographie d'un héros « problématique », c'est-à-dire d'un héros dont l'existence et les valeurs le situent devant des problèmes insolubles, et dont il ne peut se rendre tout à fait compte, à cause de son aliénation historique.

de ces relations, une psychanalyse existentielle le demandera
tout naturellement aux philosophies de l'existence, et c'est en
ce sens que la critique actuelle me paraît éminemment solidaire
et tributaire des recherches de la philosophie contemporaine.
Celle-ci s'efforce en effet d'*élucider*, sur le plan théorique, ces
relations premières de l'homme au réel, ce sens total d'une condition humaine, que la littérature *projette* intégralement donc
ambigument, sur le plan de l'imaginaire. Dans le champ de
leur exploration commune, la philosophie entretient avec la littérature des rapports de *plus grande conscience*, mais la littérature de *plus grande fidélité à l'existence*. Le travail spécifique et
irremplaçable de la critique littéraire consiste donc à donner le
maximum de conscience, à un moment donné de l'histoire, aux
vérités authentiques et transhistoriques de la littérature.

Il en découle un certain nombre de conséquences, et aussi de
difficultés, que nous n'avons nullement l'intention de passer
sous silence, car la critique ainsi entendue consiste bien moins
à apporter de nouvelles solutions à des problèmes anciens, qu'à
poser de nouveaux problèmes, qu'elle ne peut pas toujours
résoudre. Commençons, toutefois, par les avantages que l'on
peut mettre à son actif. Si l'on se réfère au type de compréhension instauré par la réflexion philosophique, on voit que, sans
négliger un instant l'apport des différentes sciences, la tâche
de la philosophie n'est pas de servir de bureau centralisateur à
l'information scientifique. Pas plus qu'elle n'est la servante de
la théologie, selon le vieux dicton, la philosophie n'est la servante de la science; elle tâche, au contraire, à faire ce que celle-ci
ne saurait faire : intégrer la multiplicité contradictoire des
démarches de la connaissance, en prenant celle-ci à son départ,
comme un rapport d'être, de sorte que ses divers degrés (affectivité, perception, science) puissent être articulés entre eux
selon les structures ontologiques qu'ils manifestent. De même,
la critique ne saurait ignorer les significations mises au jour
par les diverses études positives des textes littéraires : son travail, pourtant, ne consiste pas à en faire l'impossible addition,
mais à les mettre en place, à les hiérarchiser, à les articuler de

la seule façon intelligible : en reliant les multiples aspects de
l'œuvre littéraire à l'*intention signifiante* qui l'anime et la soutient, mais aussi la traverse et la dépasse[1]. Car la compréhension
d'une œuvre ne peut pas *s'arrêter* à l'œuvre prise isolément, en
quelque sorte, et l'explorer comme une réalité fermée sur elle-
même, ainsi que le voudrait Picard, quand il reproche naïvement
à la nouvelle critique de chercher ses significations « ailleurs »
que « dans » l'œuvre : celle-ci n'existe pas *en soi* (et c'est pourquoi aucune approche objective ne saurait fournir la clé de son
unité); elle n'est point donnée, une fois pour toutes, comme
un ensemble de *structures spatialement cohérentes*, qui seraient
là et se tiendraient devant nous d'un seul tenant, dans un livre
et sur une scène [2]. Si une analyse thématique véritable, disions-
nous plus haut, implique la compréhension dynamique du
déroulement et du devenir propres des thèmes (p. 109), c'est
que l'existence de l'œuvre littéraire est elle-même constituée
par la convergence d'une double durée : celle de la conscience
créatrice et celle de la conscience spectatrice. *Andromaque* n'est
pas un existant spatial, mais *temporel :* la pièce n'existe, à
strictement parler, que dans la mesure où Racine, en l'écrivant,
reporte, synthétise, à chaque instant de la durée, le sens inclus
dans le moment précédent et le dépasse vers le moment suivant,
sans qu'à aucun moment, le sens total ne se condense et ne se
livre en un point unique. En même temps, *Andromaque* n'existe
que dans la mesure où je lis ou vois la pièce, c'est-à-dire la
constitue, vers après vers, scène après scène, comme l'horizon
de mes saisies successives, qui recule et s'évanouit à proportion que j'avance : à aucun instant, je ne puis mettre la main
sur un objet dont la synthèse existerait *déjà* quelque part. Le
sens d'*Andromaque*, c'est le point de fuite, pour ainsi dire, de
mon expérience. Aussi bien du point de vue de la conscience

---

1. Voir aussi pp. 207-208.
2. Ce n'est point par hasard que les approches objectivistes reposent sur l'exploi-
tation d'un certain nombre de métaphores *spatiales :* Picard et les « structures littéraires »; Barthes et l' « organisation des formes »; Mauron et les « réseaux » d'images;
Goldmann et l' « homologie structurelle ».

créatrice que spectatrice, du point de vue de l'écrivain que du critique, on peut donc dire à la fois que le sens *habite l'œuvre* (il n'est rien en dehors de l'assemblage des mots, comme le tableau en dehors de l'assemblage des couleurs) et qu'il est toujours *au-delà de sa matérialité immédiate* (il n'existe que dans l'unité synthétique d'une aperception). Essayons de dégager rapidement les conséquences méthodologiques, pour la critique littéraire, de cette situation fondamentale.

Le domaine de la « matérialité » de l'œuvre ressortit, de droit, aux disciplines objectives : de l'établissement du texte à l'examen de sa cohérence stylistique, de l'étude des canons esthétiques à celle de l'histoire des genres, Racine, à un premier niveau, appartient à l'érudit, au linguiste, au lexicographe, à l'historien de la littérature, à l'esthéticien. On ne peut, en aucune manière, se passer de leurs services. A un deuxième niveau, l'œuvre de Racine apparaît non plus dans sa réalité *objectale*, mais *documentaire :* il s'agit là d'un sens qui constitue déjà une synthèse, puisqu'il regroupe les divers aspects matériels en les subsumant sous une signification générale : Racine comme témoin d'une époque et d'une civilisation (Taine disait : dans ce théâtre où il ne parle ni de son temps ni de sa vie, on trouve l'histoire de sa vie et de son temps); Racine comme manifestant une certaine tendance du jansénisme et un certain aspect de la lutte des classes; bref, Racine comme moment de l'Histoire, où histoire littéraire, histoire spirituelle et histoire générale se recoupent. Mais ce sens historique ou sociologique synthétise le théâtre de Racine en tant que document, et non en tant qu'œuvre littéraire, car il en définit l'intérêt dans un cadre significatif *extérieur à son intention profonde*, qui est non point historique, mais transhistorique : à travers son histoire et mon histoire, comme à travers sa vie et ma vie, Racine me parle du destin de l'homme, Racine met sa condition et ma condition en question. Sans nier le moins du monde les autres sens, mais en les hiérarchisant, en les mettant en place et à leur place, comme seconds par rapport à une intentionalité première, qu'il s'agit de dégager, la critique littéraire, à propre-

ment parler, commence à partir du moment où, cessant de
prendre la littérature pour objet de jouissance ou d'étude, on y
découvre l'expression la plus riche et la plus complète d'une
expérience métaphysique, c'est-à-dire du sens total que prend,
pour un homme, l'expérience humaine.

J'entends d'ici le tollé général : quoi, de la métaphysique!
A cause des sots, il ne faut point avoir peur des mots. Relisons
donc Baudelaire, sur les arts : « Comme ils sont toujours le
beau exprimé par le sentiment, la passion et la rêverie de chacun, c'est-à-dire la variété dans l'unité, ou les faces diverses de
l'absolu, — la critique touche à chaque instant à la métaphysique. » A condition de donner à ce terme l'acception précise
qui est sienne, dans le contexte des philosophies modernes de
l'existence, et de le dépouiller de tout relent médiéval d'omniscience, le sens ultime que nous cherchions comme support des
significations dérivées et multiples, le principe unificateur de
compréhension dont nous étions en quête, n'est autre que *l'intention métaphysique qui est au cœur vivant de l'expression
littéraire.* J'entends de nouveau le rire des benêts (car le propre
des benêts, c'est un certain rire) : et *Le Chapeau de paille
d'Italie*, et *La Dame de chez Maxim?* Faudrait-il, dans ces excel-
lentes comédies, chercher un « sens métaphysique », et faut-il
imaginer Labiche et Feydeau faisant de la métaphysique sans
le savoir, comme M. Jourdain faisait de la prose? Encore une
fois, entendons-nous. Pour donner à une expression un sens
« métaphysique », point n'est besoin de prendre l'air inspiré
qu'avait jadis la statue de Musset près de la Comédie-Française;
point n'est besoin non plus d'employer gravement un jargon
philosophique sur un ton doctoral. Le rire contient un sentiment d'ensemble de la condition humaine, tout autant que les
angoisses et les larmes, et Rabelais le savait, qui disait que
« rire est le propre de l'homme ». C'est même ce sentiment d'ensemble qui définit, par sa présence ou son absence, la *qualité*
de l'expression drolatique, ce qui distingue précisément Labiche,
habile artisan, de Feydeau, véritable artiste : les pantins
désarticulés de Feydeau présentent une vision articulée du

dérisoire humain, par le rythme hallucinant de leurs gestes méca-
niques, — vision annonciatrice des Ionesco ou des Beckett, —
tandis que les sages intrigues des sages bourgeois de Labiche ne
nous entraînent jamais au-delà du simple divertissement. Quels
que soient les moyens esthétiques employés, et qui varient avec
les genres et les époques, les goûts et les tempéraments, qu'il
s'agisse de comédie ou de tragédie, de poésie ou de roman, du
xviie siècle ou du xxe siècle, le seul critère authentique, parce
que le seul inchangeable, de la valeur littéraire, est *l'unité et la
profondeur de la vision du monde qu'une œuvre ou un ensemble
d'œuvres nous propose.* Mais cette « unité » n'est pas celle d'un
principe abstrait, d'un thème théorique, dont l'œuvre serait
l'éternel ressassement; la « profondeur » n'est point quelque
vertu ineffable et mystique; ni la « vision du monde », un
schéma conceptuel obtenu par réduction de l'œuvre à son
essence. Si la nouvelle critique semble souvent parler le même
langage, ou employer des formules identiques, ceux-ci changent,
en réalité, de signe, selon le sens qu'on donne aux mots. Dans
la perspective qui est nôtre, et pour résumer les analyses
éparses dans cet essai, si toute existence humaine met en jeu
et en question ses rapports fondamentaux avec l'être, les
autres, le monde et Dieu, son *unité* ne saurait être qu'une
thématisation affective et concrète, accompagnée d'un plus ou
moins grand degré de conscience théorique; la *profondeur* de
l'œuvre littéraire n'est que la richesse, convergente à travers
leur foisonnement, des divers niveaux d'expressivité symbolique; la *vision du monde*, enfin, c'est le sens ultime, le goût
dernier qu'a, pour un homme, son être (« noces » de Camus,
« nausée » de Sartre), à partir desquels s'élaborent les littéra-
tures et se construisent les philosophies, celles qui ont une prétention « scientifique » autant que les autres [1]. Dans le domaine
littéraire, qui nous occupe, une grande œuvre est celle qui, par

1. Camus l'a dit admirablement dans sa Préface à *L'Envers et l'endroit* : « ...une
œuvre d'homme n'est rien d'autre que ce long cheminement pour retrouver par les
détours de l'art les deux ou trois images simples et grandes sur lesquelles le cœur,
une première fois, s'est ouvert ». La critique est aussi un long cheminement pour les
retrouver, d'une autre manière.

la texture de son langage, l'agencement de ses thèmes, le déploie-
ment de ses images, le jeu subtil des énoncés et des sous-enten-
dus, bref, par l'appareil d'une rhétorique complexe, évoque,
pour nous et par nous, le sens global que peut prendre, à tout
moment de l'histoire, ce mystère absolu que reste, pour l'homme,
sa propre existence.

Loin de négliger les considérations esthétiques et historiques
(deux reproches que l'on fait couramment à la nouvelle critique), l'approche que nous proposons, sous le nom de « psychanalyse existentielle », fonde intelligiblement les significations
esthétiques et historiques, en rendant possible la communication vécue de lecteur à écrivain, malgré les variations des
techniques expressives et les changements des situations historiques. Le type de compréhension qu'appelle la littérature est
donc d'un tout autre ordre que celui des grands systèmes explicatifs, où il faudrait faire « rentrer » les œuvres; le seul sens
valable est, au contraire, celui qu'on en fait « sortir ». « ...Quand
vous aurez expliqué Racine par son époque, par son milieu,
par son enfance, il restera Phèdre, l'inexplicable [1]. » L'*inexpli-
quable* : il faut prendre le mot de Sartre au sens strict. *Phèdre*
est très exactement inexplicable, parce qu'elle est le point de
départ, et non le point d'arrivée, de toute explication possible,
et que, contrairement au vieux mythe rationaliste, il n'y a pas
d'explication qui finirait par s'expliquer elle-même ni de savoir
qui finirait par se refermer sur soi, comme un serpent se mord
la queue. Comme je l'ai dit ailleurs, « de même qu'il n'y a
pas d'explication scientifique de la perception, parce que toute
science et toute explication se constituent sur fond originel de
déjà-perçu, la réalité artistique est entièrement donnée et définie
par le contact primitif avec l'objet d'art [2] ». Il n'y a donc pas
plus, en critique, d'*en-deçà de l'œuvre*, qu'il n'y a, pour la perception, d'*en-deçà de la chose* : pour la perception naturelle
comme pour la perception esthétique, la rencontre avec l'objet

1. *Saint Genet*, p. 222.
2. *Corneille*, p. 16.

est un commencement absolu. « Les classifications, comparaisons, relations et élaborations subséquentes de la pensée réfléchie ne sont possibles qu'à partir de cette présence première, indépassable et irréductible. [1] » *La compréhension critique ne saurait donc être qu'une explicitation, et non une explication de l'œuvre.* On ne peut pas, comme le croit Goldmann, commencer par une « phénoménologie » des ouvrages de littérature, qui livrerait leur sens interne, puis continuer par une «explication génétique », qui récupérerait ensuite le sens de ces ouvrages et, en quelque sorte, les « produirait » au terme d'un processus : il ne s'agit que d'une chimère philosophique, d'un mirage que Bergson a parfaitement analysé comme « illusion rétrospective ». L'explication de type scientifique se donne le monde *avant* la conscience et le monde *sans* la conscience : elle fait apparaître la terre, puis l'homme sur la terre, puis la conscience chez l'homme. De même, on se donne la France du XVIIe siècle, les contradictions de son histoire, le jansénisme, la vie de Racine, et, au bout de tout cela, *Phèdre.* Mais la démarche scientifique, précisément, est abstraite, et la réflexion philosophique concrète : il n'y a de « terre » et d'« homme » que pour une conscience qui pense rétrospectivement leur apparition. La réalité concrète, le point de départ absolu, à partir duquel on pourra ensuite élaborer tous les atomes crochus ou tous les neutrons et positons qu'on voudra, pour rendre compte du réel, c'est *l'acte de conscience,* pour lequel et par lequel, chez le savant lui-même, le monde se constitue. De même, le foyer primitif du sens, le *terminus a quo* indépassable, c'est *Phèdre,* et c'est sur le fondement de cet existant contingent qu'on pourra ensuite établir toutes les liaisons nécessaires, exigées par l'élucidation théorique.

Si *Phèdre* n'est pas une chose tombée du ciel, un fragment de matière en provenance de je ne sais quel espace intersidéral, dont il faudrait, une fois la composition chimique connue, déduire l'origine; si, comme nous l'avons dit, sa cohérence n'est pas celle d'un objet spatial, mais d'une synthèse temporelle,

---

1. *Ibid.*

par laquelle la conscience de l'écrivain et celle du lecteur
dépassent perpétuellement le sens immédiatement créé ou perçu
vers un sens total, il faut se rendre compte que ce sens n'est
jamais *donné* à aucun moment : il est, pour toujours, en sursis.
Cette totalité significative qu'est *Phèdre* est à jamais ouverte.
De même qu'un acte, pris en soi, est incompréhensible sans
être relié aux autres actes d'un homme, mais que ces autres
actes, à leur tour, n'ont de sens que comme exprimant la direction d'une vie, concrétisée par chaque acte, certes, mais s'y
révélant sans s'y épuiser, de même chaque fragment, chaque
partie d'une œuvre (et toute saisie en est fragmentaire et par-
cellaire) ne devient véritablement compréhensible que replacée
dans *le mouvement global qui soutient et articule chacun des
moments discontinus*. C'est pourquoi le critique se trouve placé
devant les œuvres d'un auteur comme le psychanaliste devant
les actes d'une vie : l'œuvre et l'acte sont des synthèses provisoires, c'est-à-dire des expressions symboliques de l'élan général
d'une existence. *Comprendre* une œuvre, c'est rejoindre cet
élan; *expliciter* le sens d'une œuvre, c'est montrer comment il
se manifeste; *analyser* une œuvre, c'est rattacher les diverses
significations (stylistiques, esthétiques, historiques, etc.) à ce
projet fondamental, qui seul en assure l'unité intelligible. Définir
ce projet ou cet élan, c'est très exactement, pour le critique,
retrouver, chez l'écrivain, le Cogito préréflexif, que nous avait
découvert le philosophe, c'est-à-dire cette saisie première du
monde et d'autrui par la conscience, et les rapports affectifs
qu'elle noue avec eux. Mais ce Cogito (et c'est une différence
capitale entre psychanalyse classique et psychanalyse existentielle) n'est pas un Cogito immobile, et le temps vécu n'est pas
un temps réitératif, mais inventif : comme dit Sartre parlant
du choix de Genet d'être un saint et un criminel, « cette double
décision ne demeure pas inerte; elle vit, elle s'altère, elle s'enrichit au cours des années, elle se transforme au contact de l'expérience et par la dialectique de chacune des composantes : nous
aurons à la suivre dans son évolution » (p. 67). A cet égard,
Raymond Picard a raison de dénoncer un déchiffrement qui

ferait de la variété des créations littéraires le râbachage d'un
thème unique : ce type d'interprétation, dont les « psychana-
lyses-minute » de Jean-Paul Weber offrent la caricature, nous
en avons nous-même montré le danger dans les travaux les
plus sérieux de la psychocritique. « Il fallait changer si vous
vouliez rester vous-même » : ce mot superbe, mais injuste, de
Sartre à Camus, dit assez que, si l'homme est libre, vivre, c'est
aussi changer pour se demeurer fidèle. Si la psychanalyse existentielle comporte une partie *régressive*, qui remonte à un
complexe fondamental, elle comporte nécessairement une partie
progressive, qui saisit l'acte ou l'œuvre comme *dépassement, et
non reflet*, de ce « complexe ». Loin de réduire les variations thématiques à un éternel dénominateur commun (ce que font les
approches explicatives et objectivistes), il faut comprendre que
le changement n'est pas l'apparence, mais l'être de l'existence :
seulement, si le changement n'est pas éparpillement de significations incohérentes, s'il a un sens, c'est-à-dire une direction,
s'il suit une certaine ligne, c'est qu'il recèle en lui un principe
unificateur de ses propres variations, non à titre de cause pro-
duisant des effets, mais comme projet ayant sans cesse à être,
c'est-à-dire à se choisir et s'inventer parmi ses possibles, au
besoin contre lui-même, dans des situations toujours nouvelles.
Plutôt que d'unité et de totalité du sens d'une vie ou d'une
œuvre, il faut donc parler d'*unification* et de *totalisation*, étant
bien entendu qu'il ne s'agit pas de saisir une entité statique, une
essence, mais un dynamisme et un devenir.

   Cette fin théorique étant posée, quels sont les moyens pratiques qui s'offrent pour sa réalisation? Nous sommes bien en
possession du but général de la recherche : partis de l'œuvre
comme ensemble de structures littéraires, comme organisation
d'un certain langage, disons d'un certain style de parole très
précis, nous sommes renvoyés de *ce que dit l'œuvre* à ce qui *est
dit par l'œuvre*, à tout ce qu'elle exprime au-delà de tout ce
qu'elle énonce, à tout ce qu'elle tait et qui est au cœur de ce
qu'elle dit : ce travail de raccord de l'explicite et de l'implicite,
qui est le propre de la critique, délivre l'œuvre de son sens total

et donne au langage sa dimension d'être comme support des
significations. Si l'écriture est manière d'être, elle renvoie à son
tour à la présence, en elle et par elle, de l'écrivain. Le style de
l'œuvre indique donc le choix d'être d'un auteur : il dit la façon
dont une existence humaine a intégré et exprimé la totalité de
ses rapports concrets avec le monde [1]. L'œuvre médiatise toute
une série de relations biographiques, psychologiques, historiques, sociologiques, que les différentes études positives avaient
découvertes et saisies au niveau de la pensée *analytique :* il s'agit
à présent, non de les refuser ou de les ignorer, mais de les penser
de façon *synthétique,* de les regrouper et de les relier dialectiquement entre elles, de les intégrer au projet d'une existence,
puisque aussi bien l'existence consciente n'est rien d'autre que
mouvement d'unification des significations éparpillées en un
sens global de la vie, ou « vision » du monde. Il est bien évident que cette vision du monde n'est pas un système clos et
qu'elle communique, ne serait-ce que par l'emploi d'un langage
commun, ce que Barthes appellerait une « écriture », avec l'univers social et historique : en ce sens, toute littérature, comme le
veut Goldmann, est bien expression, par un individu, des structures d'un groupe. Mais cette même littérature, d'un autre point
de vue, par l'emploi de certaines images ou de certains mythes,
exprime les grands archétypes mentaux, que la psychanalyse
et l'anthropologie étudient. La critique existentielle ne refuse
aucune de ces données, pas plus qu'elle ne rejette les éléments
biographiques et historiques fournis par la recherche traditionnelle : elle est simplement une autre manière de les comprendre
et de les organiser. Au lieu d'aller de l'intérieur vers l'extérieur,
du dégagement de significations autonomes à leur insertion
dans des cadres objectifs, où elles se dissipent, elle fait le trajet
inverse : elle montre que la littérature, comme l'existence qu'elle
manifeste, absorbe et résorbe en elle les événements de la vie

---

1. En des temps où l'on n'avait pas encore inventé le vocabulaire existentialiste,
Buffon disait tout simplement : « Le style, c'est l'homme même. » Certains regrette-
ront cette simplicité. Nous pas : les termes d'aujourd'hui, s'ils sont plus lourds,
précisent ce que le « beau style » laisse dans le vague.

individuelle et collective (et non le contraire), comment ils sont,
en quelque sorte, digérés et assimilés symboliquement pour
constituer la chair et la trame de l'œuvre. En un mot, au lieu
d'être extériorisation d'une intériorité, *la compréhension critique
est intériorisation d'une extériorité :* L'acte même du Cogito n'est
rien d'autre, mais il est tout, ou, plus exactement, la condition
et le fondement de tout.

2. *La vie de l'écrivain et son œuvre.*

Seulement, la question qui se pose ici est la même que celle
que nous posions à Lucien Goldmann, quand sa philosophie
affirmait : « il y a de la pensée », et que nous lui demandions :
« qui pense? » Dans notre perspective, qui cogite? Le « Cogito
racinien », que nous prétendons retrouver comme foyer central
de toutes les significations ultérieures d'un théâtre tragique,
est-ce celui de Jean Racine? Dans ce cas, pour saisir son œuvre,
il faudrait passer par toute l'épaisseur de sa biographie, telle
que l'histoire nous la livre en morceaux, et le sens de l'œuvre
serait celui que nous reconstruirions en reconstruisant l'homme :
c'est une des tentations, nous le verrons, de la critique existentielle, autant que de la critique érudite. Il lui faudra y résister :
le Cogito, ainsi refait de toutes pièces extérieures, ne serait,
comme l'Inconscient hypothétique des psychanalistes, qu'une
simple conjecture. De toute façon, il s'agirait d'un déchiffrement moins littéraire qu'historique : en littérature, si l'œuvre
renvoie à l'auteur, ce n'est pas en tant qu'homme en général,
mais en tant qu'auteur de l'œuvre étudiée. On dira qu'il s'agit
d'une seule et même existence, et qu'un homme n'a pas trente-
six vies. C'est vrai. Ce que J. Starobinski dit de Rousseau s'applique à tous les autres écrivains : « A tout ou à raison, Rousseau n'a pas consenti à séparer sa pensée et son individualité,
ses théories et son destin personnel. Il faut le prendre tel qu'il
se donne, dans cette fusion et cette confusion de l'existence et

de l'idée » (*Jean-Jacques Rousseau*, Avant-propos). Puisque,
selon les analyses précédentes, la cohérence expressive d'une
œuvre est toujours, à travers la cohésion de son langage, d'ordre
existentiel, il va de soi que sens littéraire et sens biographique
coïncident, qu'ils sont, à un certain niveau de la création, fondus
et confondus. Mais, à moins de sombrer dans un total syncrétisme, la critique littéraire doit savoir ici exactement ce qu'elle
cherche, et, dans cette indistinction, distinguer son propre objet.
Les éléments de l'interprétation, si l'on peut dire, sont toujours
les mêmes, mais tout est dans la manière de les orienter et de
les ordonner. Lorsque Flaubert s'écrie : « Madame Bovary, c'est
moi », il s'agit de savoir si l'important, c'est d'étudier Madame
Bovary pour comprendre l'homme Flaubert, ou de faire servir
la connaissance de l'homme Flaubert à une compréhension plus
aiguë de Madame Bovary. En fait, bien entendu, il y a va-
et-vient de la réflexion d'un pôle à l'autre, mais il convient de
savoir quelle direction fondamentale imprimer à la recherche;
très précisément quel sens lui donner. Pour la critique littéraire,
la réponse ne fait, à mon avis, aucun doute : *le circuit de compréhension va de l'œuvre à l'auteur, pour se retourner sur l'œuvre,
et non de l'auteur à l'œuvre, pour se refermer sur l'auteur.* On
nous permettra de le répéter : sans auteur connu, il y a des
œuvres; sans œuvres connues, il n'y a pas d'auteur. Sur ce point,
la compréhension critique est, épistémologiquement, l'inverse
de la compréhension historique : *d'abord*, les tragédies; *ensuite*,
Racine. Ici, il y a primat absolu de l'œuvre. Certes, celle-ci
renvoie, pour être comprise, à une multitude de significations
(dont les biographiques) qu'elle médiatise : mais ces dernières
intéressent la critique uniquement dans la mesure où l'œuvre
les intègre, loin de se désintégrer en elles. Bref, si une critique
totale doit mettre en rapports intelligibles le sens d'une création
littéraire et le projet fondamental d'une vie, son rôle est de
faire servir la compréhension de la vie à celle de l'œuvre, et non
l'inverse, car le seul Racine que nous rencontrions, sur le plan
qui est le nôtre, c'est dans et par ses tragédies : elles sont, pour
nous, le point de contact premier et dernier que nous ayons avec

lui, en tant qu'écrivain [1]. La critique ne saurait donc être une biographie romancée maintenant par le philosophe, comme elle l'était tantôt par le psychanaliste, où l'on accrocherait çà et là, tant bien que mal, les écrits. Car les écrits sont *la seule totalité significative*, pour parler comme les structuralistes, dont la critique ait à connaître.

Sur ce point capital, c'est Lanson qui a raison contre Sainte-Beuve — et contre un certain Sartre : « Car au lieu d'employer les biographies à expliquer les œuvres, il a employé les œuvres à constituer des biographies. Il n'a pas traité autrement les chefs-d'œuvre de l'art littéraire qu'il ne traitait les mémoires hâtifs d'un général ou les effusions épistolaires d'une femme; toute cette écriture, il la met au même service, il s'en fait un point d'appui pour atteindre l'âme ou l'esprit : c'est précisément éliminer la qualité littéraire » (*Hommes et Livres*, Avant-propos). Certes, Sainte-Beuve, à son tour, n'a pas tort, et il s'agit bien d'atteindre l'« âme » ou l'« esprit », et il n'est pas question de revenir à je ne sais quel fétichisme de la « chose littéraire », culte dont R. Picard s'est institué grand prêtre. Simplement, cette « âme » ou cet « esprit » ne s'atteignent pleinement que sous cette forme spéciale de communication, par ce mode d'expression irremplaçable et privilégié qu'est l'œuvre d'art réussie. C'est donc bien un danger qui guette inévitablement toute critique « biographique », qu'elle soit traditionnelle, freudienne ou sartrienne, de mettre sur le même plan un chef-d'œuvre, un brouillon ou un extrait de lettre, sous prétexte qu'ils concourent également à peindre l'auteur en pied. Brouillons, lettres, détails biographiques n'ont d'intérêt que dans la mesure où ils permettent de mieux comprendre les chefs-d'œuvre. Et si l'on demande pourquoi cette valorisation du

---

1. Naturellement, on peut aussi s'intéresser à Racine comme courtisan, comme homme de lettres, comme témoin séculaire d'une certaine spiritualité janséniste, etc. Dès cet instant, le rapport « essentiel-inessentiel » s'invertit : l'œuvre n'est plus qu'un indice, parmi d'autres, qui renvoie à un homme, dont on s'efforce de ressaisir les démarches réelles dans un monde objectif. Cette attitude est parfaitement légitime : c'est celle de l'historien ou du sociologue. Elle n'a rien à voir avec celle du critique littéraire.

« chef-d'œuvre », qui oriente le destin de la critique, pourquoi cette décision de traiter différemment *Athalie*, les mémoires d'un général et les effusions épistolaires d'une femme, pourquoi ce choix qui fait de certains textes des fins inconditionnelles, et de certains textes de simples moyens d'accès à d'autres textes, je répondrai ceci : parce que les textes-moyens ne font que nous parler d'*un* homme; les textes-fins, à travers un homme, nous parlent de *l'*homme. Ce passage de l'article indéfini à l'article défini, c'est, dira-t-on, peu de chose; mais c'est toute la littérature.

Car la littérature donne au singulier, sans quitter le singulier (c'est ce qui la distingue de la philosophie) valeur d'universel, ou elle n'est pas. Je prendrai un exemple qui me paraît significatif. Dans une pénétrante étude consacrée à dénoncer l'« illusion thématique » chez J.-P. Richard (*Temps Modernes*, mai 1963), Otto Hahn pose fort bien le problème : « L'image se divise et se recompose, se ramifie et se charge de qualités nouvelles... Dans son travail sur Mallarmé, Richard s'est attaché à les suivre dans leur prolifération... Du même coup, il a décrit la structuration qualitative du réel : n'est-ce pas l'essence de l'œuvre d'art? Voilà l'illusion qui s'éveille. » En bon sartrien, Hahn objecte en effet : « ... Une des particularités du POUR SOI, considéré en lui-même, est d'être incompréhensible. Pour retrouver sa signification, il doit être confronté avec une réalité objective... Dans l'œuvre de Mallarmé, *il y a* des thèmes, *il y a* une organisation des images, mais ni les thèmes ni l'organisation des images ne sont descriptibles hors du mouvement réel qui les a produits. » Jusqu'ici, rien à dire. Mais Hahn ajoute : « Le thème n'a d'intérêt que par la manière dont il se rattache au monde réel d'une part, et d'autre part par la manière dont il est orienté par le projet. » Or, tout le problème (qui met en jeu l'essence même de la littérature et, partant, de la critique), c'est justement de savoir si la façon dont un thème se rattache au monde réel ne fait qu'un avec la façon dont il s'insère dans la vie et le projet *de l'auteur*. Otto Hahn, suivant en cela moins Sartre qu'une longue tradition de la critique française, semble le penser : ainsi, nous dit-il, « ce faune bien caché qui scrute les belles naïades » n'est compréhensible, comme thème poétique, que replacé dans la vie d'un Mallarmé dont la sexualité fut celle d'un timide et d'un voyeur, et dont l'érotisme, fortement féminisé, rêvera de femmes-paons, de lesbiennes qui se frôlent, etc. Je crois qu'il y a ici confusion de deux plans, que la critique doit distinguer, sous peine de voir s'évanouir son objet : celui de l'ancrage de l'art dans la réalité et celui de la réalité de l'art lui-même. Il est bien évident que les images de Mallarmé ne sont pas des absolus surgis mystérieusement on ne sait d'où, telles les sensations de la philosophie empiriste. L'image, dans sa *genèse*, ne se comprend que par son rapport au réel, non du type « reflétant-reflété », mais du type dialectique, comme projection symbolique surmontant des contradictions personnelles. Peut-on pour autant en conclure que l'*intérêt*, c'est-à-dire, en définitive, la *valeur* de cette image réside dans la manière dont elle s'inscrit dans le projet de l'auteur? C'est oublier que le monde humain dépasse de toutes parts ce projet individuel, et ce dépassement constitue précisément le *sens imaginaire*, prolongeable et récupérable par autrui. Car le *sens* de l'image du Faune est tout entier dans le surplus symbolique qu'il présente par rapport à sa *signification* pour Mallarmé; il est dans sa « sur-signification » : ainsi, ce Faune, qui, pour l'auteur, incarnera l'érotisme de la timidité fascinée, un lecteur habitué, lui, aux girons accueillants et aux succès faciles, éprouvera en lui un tout autre sentiment de la *distance infranchissable :* celle, par exemple, qui sépare, pour don Juan, ces femmes si aisément conquises de la Femme introuvable, cherchée à travers elles et à jamais inaccessible. La beauté du thème mallarméen, sa valeur (une fois de plus irréductible à sa genèse), c'est d'avoir transcendé sa cause occasionnelle, pour offrir à tout homme *une image signifiante de sa propre condition.* Et c'est pourquoi la marque, la seule marque d'une grande œuvre, c'est qu'elle propose une forme d'expérience universalisable. Le sens proprement *mallarméen* de l'image, bien entendu, la critique doit l'expliciter et le définir, mais à condition de viser à travers lui *tous les sens humains* qu'il appelle, un peu

comme on parle d'un « appel » d'air. C'est, d'ailleurs, Otto
Hahn, fût-ce au prix d'une contradiction avec ce qui précède,
qui le dit lui-même excellemment : « Le lecteur coule son expérience dans l'édifice formel de l'œuvre d'art... Et l'on a tout
autant compris quand on a nourri l'édifice formel de sa propre
expérience que lorsqu'on l'a nourri des expériences réelles de
l'auteur. »

Mais alors, voici J.-P. Richard rétabli soudain dans ses droits
par son critique même, puisque sa recherche a pour but de
décrire l'organicité interne d'un réseau de qualités symboliques.
Il faut donc corriger la formule de Hahn, selon laquelle « les
thèmes ni l'organisation des images ne sont descriptibles hors
du mouvement réel qui les a produits » : ils ne sont pas descriptibles hors du *mouvement imaginaire* qui les anime. Bien
entendu, un mouvement imaginaire est aussi un mouvement
réel, mais la réalité qui le porte est, avant tout, pour chaque
lecteur, *sa propre existence*. Certes, en épousant le mouvement
imaginaire de l'œuvre, la conscience du lecteur coïncide *partiellement* avec l'existence de celui qui l'a engendré. C'est pourquoi
la compréhension du thème inclut l'explicitation de son sens
pour son auteur ou, si l'on veut, retrouve sa genèse. Mais un
thème n'a de valeur que dans la mesure où la compréhension
est ici dépassée par la résonance, induisant une seconde zone
de compréhension, *la seule essentielle*, où l'expérience du lecteur
va de soi à soi en traversant l'expérience de l'auteur. Lorsque,
comme c'est souvent le cas, le rapport entre l'univers imaginaire
de l'œuvre et le projet réel de l'auteur n'est pas explicitable, la
compréhension essentielle n'en est pas altérée; et de ceci, il
y a une preuve par l'absurde : quand on ne *sait* rien ou presque
de l'auteur, comme pour Shakespeare ou Corneille, leurs écrits
n'en *parlent* pas moins, et c'est de cette voix-là que la critique
est à l'écoute. Dans ce cas, simplement, la totalisation du sens,
que la critique se propose, est moins complexe et moins complète,
dans la mesure où elle laisse échapper tout un ordre de significations. Dans le langage de cet essai, je dirai que le renvoi à
une biographie comme ensemble d'événements personnels, est

une des significations, nécessaire, de l'œuvre (sans auteur, pas d'œuvre), mais non point suffisante pour en constituer le *sens global* dont nous sommes en quête, puisque celui-ci exige la présence et le concours actifs d'Autrui.

Il ne s'agit pas pour autant de renoncer, chaque fois qu'elle est possible, à une mise en rapports intelligible entre écrits et écrivain, que, pour ma part, je n'ai cessé de réclamer. Puisque cet essai repose tout entier sur la conviction que la cohésion interne des œuvres est soutenue par la cohérence de l'existence individuelle et concrète (il n'y en a pas d'autre) qui se cherche à travers elles, il va de soi que sens littéraire et sens biographique doivent, comme je l'ai dit, coïncider à un certain niveau. Mais justement, à quel niveau? Voilà le problème, non pas seulement théorique, mais pratique, puisqu'il concerne la technique même de l'analyse littéraire. Ce problème, il faut l'examiner de plus près. Car, « employer les biographies à expliquer les œuvres », comme le voudrait Lanson, c'est vite dit : *comment?* C'est ici qu'il convient d'écouter la mise en garde, toujours valable, de Proust contre Sainte-Beuve, et, en fait, contre la tentation majeure de toute une longue tradition de la critique française : « Un livre est le produit d'un autre moi que celui que nous manifestons dans nos habitudes, dans la société, dans nos vices » (*Contre Sainte-Beuve*, « Idées », p. 157). Seuls les tenants d'une certaine histoire littéraire croient résoudre le problème à peu de frais, en pensant trouver le sens d'un livre dans la somme des détails extérieurs, notamment biographiques, qui s'y cacheraient : un tel mode d'emploi de la « biographie » est, nous l'avons suffisamment vu, le plus sûr moyen non d'expliquer, mais d'assassiner la littérature (cf. pp. 57-58), car il méconnaît cette évidence première, qu'il y a transformation et restructuration radicales du sens, quand on passe du plan du réel à celui de l'imaginaire (cf. p. 44, n. 1). Or, si la coïncidence entre sens biographique et sens littéraire n'est jamais donnée par une relation d'extériorité, si un livre n'est pas traduisible terme à terme dans un langage objectif ni commensurable aux faits et gestes de son auteur (et c'est ce que

Proust veut dire en parlant d'un « autre moi »), il y a à cela
une raison, que résume parfaitement Roland Barthes : c'est
qu'on a ici « un rapport entre *tout* l'auteur et *toute* l'œuvre, un
rapport des rapports, une correspondance homologique, et non
analogique » (*Essais*, p. 250). En un mot, si sens littéraire et
sens biographique coïncident finalement, c'est à condition de
changer complètement la nature du sens biographique.

L'erreur de la critique traditionnelle, c'est que, de même qu'elle
croit arriver à une compréhension de l'œuvre en mettant bout
à bout des apostilles et des notules, elle pense interpréter une
vie en accolant des épisodes et des anecdotes; ou plutôt, elle
s'imagine respecter la vérité d'une vie en refusant de l'interpréter. C'est ainsi que Raymond Picard essayait de « ne pas
juger », de « ne pas conclure », de « ne pas réduire à une unité »,
bien entendu, « factice », les menus faits de la biographie racinienne, sous prétexte que Racine « n'a guère introduit dans sa
vie cette logique et cette lucidité qu'on croit reconnaître dans
sa création esthétique » (cf. p. 63). Naturellement, entre une
« biographie », entendue comme simple succession empirique
d'événements disjoints ou superficiellement rejoints, et une
œuvre « logique » et « lucide », aucune commune mesure, voire
aucune communication pensable, sinon, de temps en temps, un
petit détail de la vie indiquant timidement du doigt un petit
détail de l'œuvre. C'est donc, au fond, en vertu du même principe que la critique traditionnelle, tantôt, ne trouvant pas assez
de sens à la vie, regarde exclusivement l'œuvre, tantôt, ne trouvant pas assez de sens à l'œuvre, se tourne uniquement vers la
vie. Dans les deux cas, le principe est absurde et, pour la
compréhension, stérilisant : il consiste à se figurer que l'on
peut interpréter soit une vie soit une œuvre en restant sur le
terrain des *faits*. (D'où cette mythologie de la « prudence » et
de l'« objectivité », que nous avons déjà rencontrée sur notre
chemin.) Or, on sait depuis Freud, bien que Picard et beaucoup
de ses collègues l'ignorent, qu'il y a dans toute vie, fût-elle la
plus désordonnée, une logique interne, même quand on n'a
pas « voulu » l'y mettre (toujours la mythologie du « sens volon-

taire » dans la vie autant que dans l'œuvre). Non que le sens volontaire, dans les deux cas, n'existe pas : il est partiel et superficiel; il ne fonde ni ne recouvre la totalité significative d'une vie ou d'une œuvre, et aucune vie ni aucune œuvre n'ont de sens que comme totalités significatives. Il est parfaitement vain de refuser, à la manière des positivistes de l'école du « détail », de *totaliser*, en particulier, le sens d'une vie, parce qu'on n'arriverait pas à un *total exact*. C'est la conception même de l'homme qu'il faut ici changer : si, comme Sartre l'a montré, la réalité humaine est une « totalité détotalisée », cela veut dire à la fois que notre existence est un mouvement de totalisation permanent, et que cette totalisation n'arrive jamais à un total. Chaque moment de ma vie projette, en avant et en arrière de lui, un certain sens, qui en est l'horizon mouvant, et à partir duquel peut se constituer mon passé ou mon avenir : or, ce sens, qui permet d'identifier et d'unifier cette vie comme *mienne*, sous sa dispersion, à aucun moment, pourtant, il n'est intégralement saisissable ni formulable; il est *présent*, sans être *là*. Aucune de mes actions n'est compréhensible en dehors de ce sens, sans qu'il se donne jamais en entier dans aucune de mes actions (cf. p. 200). On ne peut renoncer à l'appréhender sans renoncer à comprendre un homme et rendre l'ensemble de ses conduites insignifiantes; on ne peut non plus l'atteindre comme on atteint une *réalité*. La réalité d'une vie, c'est une suite de faits et gestes discontinus et partiellement obscurs à celui-là même qui les accomplit, en bref, une série de significations ouvertes et ambiguës, qui ne forment un sens total qu'en basculant dans la mort : soit la mort momentanée du survol rétrospectif, où l'on fait le bilan de son existence, en l'arrêtant arbitrairement à un horizon provisoire; soit la mort véritable qui nous livre sans recours à autrui, où l'arrêt est final et l'horizon définitif. De toute façon, le « sens » d'une vie, que je vis concrètement comme unification implicite de mes actes, est, du point de vue de la connaissance théorique, un possible projeté, par moi ou par un autre, *sur* ma vie, dont les événements jouent alors le rôle d'un « analogon ». Le sens de toute

vie humaine existe donc, très précisément, comme *un imaginaire*. C'est sur ce seul plan qu'une biographie intelligente ou,
tout simplement, intelligible, peut le découvrir, et jamais sur
celui de la réalité objective.

Il faut se garder soigneusement ici de l'erreur grossière qui
consisterait à confondre l'imaginaire avec le fictif ou l'illusoire.
L'illusion, sur ce point, est du côté d'un certain rationalisme :
aussi bien que le sentiment (cf. p. 143), l'imagination est une
façon, non de *voiler*, mais de *dévoiler* le réel. Car l'imaginaire
ne s'oppose pas au réel comme le faux au vrai, mais comme le
virtuel à l'actuel. Or, pour l'homme, à aucun niveau, l'existence
n'est actualité : elle n'est pas une concaténation d'instants,
pleins et séparés, causalement liés à la manière des phénomènes,
et, partant, d'un ordre de réalité relevant d'une explication
scientifique. Dans la mesure où l'existence concrète est toujours
ouverte, où elle a toujours « à être », où elle reste toujours à
combler, elle se projette dans une existence imaginaire où *elle
se donne symboliquement ce qui lui manque, comme thématisation
implicite du sens de cette existence* (cf. p. 102). L'imaginaire
n'étant rien d'autre que le moyen par lequel la conscience pré-
sentifie, dans l'anticipation ou le souvenir, les objets dont elle
manque pour combler son désir, le sens d'une vie, à son tour,
n'est rien d'autre que la signification de cette plénitude d'être,
dont l'existence est perpétuellement le manque. Ce qu'il est
essentiel, toutefois, de comprendre, c'est que cette plénitude ne
saurait être désignée autrement que par un langage symbolique.
Car, loin d'être erreur ou occultation, le symbole est la *vérité*
de ma vie concrète. C'est ce que la psychanalyse freudienne a
parfaitement compris, quand elle utilise la vie imaginaire comme
chiffre de l'existence quotidienne : tel rêve est le chiffre où se
donne tel désir secret, qui oriente mon comportement entier;
en « déchiffrant » ce rêve, on révèle la « réalité » de ce désir et le
« vrai » sens de mon comportement. Il ne faut point, pourtant,
que la psychanalyse soit ici dupe de son propre langage et de
son rationalisme sous-jacent : elle peut et doit parler *comme si*
l'activité du psychanalyste consistait à dépasser le sens symbo-

lique, en montrant ce qu'il y a *dessous;* il s'agit là d'une exigence d'ordre pratique et thérapeutique, qui fait prendre au patient conscience du sens réel de ses propres conduites, qu'il se masque. Mais il faut bien comprendre que *ce sens réel est à son tour un sens symbolique,* et ce qu'il y a « sous » un symbole, c'est un autre symbole. Passer d'une maladie à la santé mentale, ce n'est pas cesser soudain d'entretenir avec le monde des rapports symboliques, pour ne plus laisser subsister que des relations rationnelles : c'est seulement changer une structuration affective qui laisse l'individu isolé, sans prise sur soi, sur les autres et sur le monde, pour un investissement émotionnel conforme aux valeurs de la survie personnelle et de la vie collective. Dans la mesure où une psychanalyse existentielle, à la différence de la psychanalyse clinique, n'entend pas « déchiffrer » tel ou tel ensemble de conduites pratiques (sexuel ou autre), pour substituer le « bon » symbolisme au « mauvais », mais élucider la totalité significative d'une vie, c'est-à-dire, comme nous l'avons vu, articuler cette vie, à travers ses multiples manifestations, comme réalisation dynamique d'un certain schème imaginaire, il n'y a point de langage de la « réalité », qui pourrait remplacer ultimement le chiffre symbolique; pas de vérité objective, qui dissiperait l'appréhension subjective du réel. Le « désir d'être dieu », dont Sartre fait le projet fondamental de tout homme, n'est lui-même qu'un symbole des symboles, qui ne laisse rien subsister *en deçà* de la constitution symbolique de tout rapport vécu. Quand la psychanalyse existentielle prétend « déchiffrer » le sens d'une vie, il ne saurait être question de traduire des significations symboliques dans un langage non-symbolique ou rationnel [1], ce qui semble être l'ambition de la psychanalyse freudienne. Les notions qu'utilisent les philosophies de l'existence, l' « être », le « faire », l' « avoir », ne sont absolument pas des concepts univoques, à la façon des

---

1. Bien entendu, le langage scientifique est aussi, comme tout langage, symbolique. Mais le symbole logique est un signe univoque, soumis à des règles de transformation certaines, précises et objectives. Les deux types de symbolisme sont radicalement différents.

concepts scientifiques, mais le langage philosophique permet
précisément ici une compréhension plus aiguë du concret, parce
que ses concepts gardent assez d'ambiguïté pour rendre compte
de la réalité humaine, tout en ayant assez de clarté pour en
permettre une description articulée et intelligible. Analyser une
existence, c'est donc toujours transcrire un ordre de significations symboliques dans un autre, sans jamais dépasser l'expression symbolique elle-même. Si cette analyse n'est pas vaine et
si le progrès de la compréhension est possible, c'est que *certains
langages* permettent une intégration plus poussée et systématique des sens humains que le simple langage ordinaire.

Le rêve ou le désir n'est pas la littérature. Là où un événement de l'enfance, un accident traumatisant, dont rend compte
tel détail biographique, peut être la « clé » de mes conduites, il
est parfaitement inutile, pour ne pas dire absurde, de chercher
de telles « clés » pour la création littéraire. (Et c'est pourquoi
l'application de la psychanalyse classique à la compréhension
des œuvres est, par principe, restreinte.) Dans la mesure où la
littérature est langage *total*, c'est-à-dire visant à exprimer la
totalité des rapports humains à l'être, aux choses et aux
hommes, elle ne peut être explicitée par ces langages *partiels*,
que restent forcément les diverses psychanalyses cliniques.
Aucun détail biographique, aucun « trait de caractère », aucun
de ces « faits », dont la recherche érudite est friande, ne sauraient,
en tant que tels, révéler le sens d'une œuvre : seul l'ensemble
d'une vie, comme conduite signifiante, peut être mis en rapport
intelligible avec l'ensemble d'une œuvre, comme expression de
cette conduite. Car, de ce point de vue, le sens de son œuvre,
pour un écrivain, n'est rien d'autre que le sens de sa vie, *tel
qu'il se le donne synthétiquement dans l'acte d'écrire*. L'écrivain
est celui qui, en « portant son existence à l'imaginaire » (comme
on dit qu'un métal est porté au rouge), en la transportant au
sein du langage, fait surgir, sur le fond d'une langue commune,
sa propre parole comme sigle de son Moi total. Proust, une fois
de plus, a mieux que personne, saisi la démarche essentielle de
l'écriture : tandis que le mauvais écrivain « ne voit pas sa propre

pensée, alors invisible à lui, mais se contente de la grossière apparence qui la masque à chacun de nous à tout moment de notre vie », l'écrivain véritable est celui qui rejette les « expressions toutes faites, que ce qui en nous vient des autres — et des plus mauvais autres — nous suggère, quand nous voulons parler d'une chose, si nous ne descendons pas dans ce calme profond où la pensée *choisit les mots où elle se reflétera tout entière* » (*Contre Sainte-Beuve*, p. 365). Loin d'être créatrice de mirage et d'illusion, l'écriture authentique, d'abord rejet de la banalité qui voile à l'homme sa vraie condition (c'est le but même de cette « parlerie quotidienne », dénoncée par Heidegger), se constitue en *reflet total* du sens de l'être; elle fait affleurer, dans la trame de son discours, le sens symbolique qui hante perpétuellement l'existence de l'écrivain. En faisant communiquer au plus intime existence et langage, la littérature n'est rien d'autre que ce qui donne, dans les mots, ce dont la vie de l'écrivain est le manque : elle est le *chiffre de la vérité* sur un homme et sur le monde, tel qu'il lui apparaît. Mais ce chiffre n'est jamais, à rigoureusement parler, « déchiffrable », c'est-à-dire traduisible dans un langage qui serait enfin « le bon ». Si tel était le but secret de la critique, autant l'abandonner sur-le-champ. Dans son rapport à la littérature, la critique ne saurait viser à un plus haut degré de *vérité*, mais de *conscience* et d'*explicitation*, puisque aussi bien tout langage, y compris le sien, ne résout point, en définitive, mais, comme dit si bien Proust, reflète le mystère de l'être.

Pratiquement donc, la vie et l'œuvre d'un écrivain apparaissent au critique comme des systèmes homologues de relations symboliques, constitués par une même dialectique existentielle, selon un lien de l'imaginaire au réel que j'ai essayé de préciser. On comprend mieux cette ambivalence, que notait Lanson, cette double possibilité, qui sollicite tour à tour la critique d'employer les biographies à éclairer les œuvres et les œuvres à éclairer les biographies : en fait, autant de sens rayonne de l'œuvre vers la vie que de la vie vers l'œuvre, et une critique véritablement synthétique peut intelligiblement passer d'un

ordre de significations à l'autre. En théorie, il est loisible à la
démarche critique d'opérer dans les deux directions, d'aller et
venir d'un système symbolique à l'autre, puisqu'ils sont unis
par un rapport de réciprocité significative [1]. En pratique, si cet
essai privilégie absolument ce réseau symbolique qu'est l'œuvre,
c'est pour deux raisons, qui ne tiennent nullement à un quelconque fétichisme « esthétique », culte sacré de la littérature
entretenu par les vestales bourgeoises : la littérature est le
dévoilement le plus complet de l'existence, rien de plus, rien
de moins. Et c'est pourquoi il y a toujours priorité de l'œuvre
sur l'auteur. Pour une raison technique, d'abord : une œuvre
valable (c'est sa définition) forme toujours en soi un ensemble
significatif, alors que notre accès à la plupart des vies, lorsqu'il
n'est pas carrément nul, est trop fragmentaire pour permettre
une saisie synthétique rigoureuse. Mais surtout, si la compréhension d'une vie et d'une œuvre est homologue, elle n'est nullement analogue : la première a une dimension d'être fondamentalement historique, la seconde transhistorique. C'est ici le lieu
de préciser une distinction qui n'a cessé de guider cette enquête.
Cette distinction se trouve sans doute le plus clairement exprimée à la fin de *La Nausée*, quand le Roquentin de Sartre entreprend de donner un sens à sa vie par l'écriture : « Il faudrait que
ce soit un livre : je ne sais rien faire d'autre. Mais pas un livre
d'histoire : l'histoire, ça parle de ce qui a existé — jamais un
existant ne peut justifier l'existence d'un autre existant. Mon
erreur, c'était de vouloir ressusciter M. de Rollebon. Une autre
espèce de livre. Je ne sais pas très bien laquelle — mais il faudrait qu'on devine, derrière les mots imprimés derrière les pages,
quelque chose qui n'existerait pas, qui serait au-dessus de l'existence. » Il est curieux de voir, sur ce point, l'existentialisme
sartrien rejoindre l'essentialisme proustien : « La matière de nos
livres, la substance de nos phrases doit être immatérielle, non
pas prise telle quelle dans la réalité, mais nos phrases elles-
mêmes, et les épisodes aussi doivent être faits de la substance

1. C'est ce que Sartre a fait dans son admirable *Saint Genet*, qui sera étudié dans
le second volume.

transparente de nos minutes les meilleures, où nous sommes hors de la réalité et du présent » (*Contre Sainte-Beuve*, p. 368).

Que faut-il entendre au juste par là? C'est que la communication historique avec Autrui est, par rapport à la communication littéraire, diminuée de moitié, parce qu'elle est amputée de toute réciprocité. Le critique comme l'historien se trouvent devant des textes, devant des signes, dont ils tentent d'établir le sens. Mais la compréhension historique n'implique nullement l'historien dans l'objet de son étude, sinon par cette coïncidence partielle du sujet et de l'objet qui est le propre de toute science humaine. Le sens historique est au bout des travaux de l'historien, à distance de lui, perdu à jamais dans la contingence radicale de ce que jamais « on ne verra deux fois ». La communication est à sens unique : elle va de l'historien aux signes, qui reçoivent leur sens de lui, sans jamais le désigner en retour. Je puis élucider la vie de César ou le temps de Charlemagne, sans que cette élucidation éclaire ma vie ou mon temps, sinon très vaguement, soit à titre de « leçon morale » du genre « rien de ce qui est humain ne m'est étranger », soit à titre de simple relais menant indirectement du passé à l'histoire contemporaine, en traversant l'épaisseur des siècles. Autrement dit, dans la compréhension historique, notre contact avec autrui, institué sous forme cognitive, reste une hypothèse, où le système des signes est éternellement ouvert; ce contact est nécessairement un contact fragmentaire, dût-il consister à donner un sens global à des parcelles de sens. Or, même si je tente d'unifier la vie et l'œuvre de Racine dans leur mouvement de totalisation symbolique, même si j'arrive à faire communiquer ces deux systèmes de façon satisfaisante, il n'en demeure pas moins que je m'identifierai *bien plus immédiatement et pleinement* à Hermione ou à Pyrrhus, *jamais de la même manière* à Racine. C'est que le sens d'une vie reste irréductiblement singulier et contingent, prisonnier de la séparation historique, alors que le sens d'une œuvre, pourtant elle aussi située dans les plus étroites limites, culturellement, géographiquement, linguistiquement, est en droit comme en fait, fondamentalement universalisable. De ce

pouvoir d'universalisation, Hugo a donné la meilleure explication dans son cri célèbre : « Ah! insensé qui crois que je ne suis
pas toi! » Ce qui, pris à la lettre biographique, est absurde :
Hugo n'est pas moi. Rien ou presque de ce qui concerne l'individu Hugo ne me concerne. Pourtant, dans son œuvre, Hugo
est un *alter ego*. L'écrivain, disions-nous, est un homme qui *se*
trouve en trouvant son langage; mais, du même coup, il *nous*
trouve. Et c'est pourquoi la communication littéraire, à l'inverse
de l'historique, est à double sens.

Pourquoi et comment, dans la communication littéraire, ce
qui n'arrive jamais dans la communication historique (et toute
biographie est une forme d'histoire), le *moi* de l'écrivain devient-
il le *toi* du lecteur? Camus notait, dans *L'Homme révolté*, que
« sauf aux instants fulgurants de la plénitude » (et l'on peut
douter s'il existe de tels instants), « toute réalité est pour eux
[les hommes] inachevée. Leurs actes leur échappent dans
d'autres actes... ». Inversement, « l'effort de la grande littérature semble être de créer des univers clos ou des types ache-
vés ». On peut dire, en effet, de toute création littéraire authentique, ce que Camus disait du roman : « Qu'est-ce que le roman,
sinon cet univers où l'action trouve sa forme, où les mots de
la fin sont prononcés, les êtres livrés aux êtres, où toute vie
prend le visage du destin. » Cette fermeture de l'œuvre ne contredit pas son ouverture, dont, tout comme Roland Barthes, j'ai
toujours fait une exigence première. Je dirai, au contraire,
qu'elle la fonde. Car ici, l'ouverture, ou, si l'on veut, l'ambiguïté,
est d'un tout autre ordre que l'ouverture et l'ambiguïté historiques. Pour l'histoire, l'ouverture est un manque, l'ambiguïté
une privation de sens : les « données » d'une histoire personnelle
ou collective ne « parleront » jamais assez pour que le sens imaginaire par lequel l'historien les unifie devienne un sens nécessaire. En ce qui concerne l'art, au contraire, l'ouverture et l'ambiguïté attestent un surplus de sens : il y a dans l'œuvre trop
de sens, pour qu'aucune visée puisse s'en saisir. Barthes le dit
très bien dans sa récente mise au point : « Une œuvre est ʻ éternelle ʼ, non parce qu'elle impose un sens unique à des hommes

différents, mais parce qu'elle suggère des sens différents à un homme unique, qui parle toujours la même langue symbolique à travers des temps multiples : l'œuvre propose, l'homme dispose » (*Critique et Vérité*, pp. 51-52). Or, pour que l'œuvre propose, ou, pour qu'il y ait simplement une œuvre, il faut, comme Proust, et, avant lui, Mallarmé, l'ont bien dit, qu'il y ait eu *métamorphose du langage*, que du langage « pauvre » de la banalité, on soit passé au langage « riche » de la littérature. Ce passage, ainsi que Camus l'a senti, est celui d'une *contingence à une nécessité*. L'ouverture de l'œuvre coïncide très exactement avec la fermeture de son langage, c'est-à-dire avec sa totalisation. Aventure « belle et dure comme de l'acier », dont rêve le Roquentin de Sartre, « gouttes de lumière cimentées », dont parle Proust : les métaphores expriment la même essence littéraire. Si je m'identifie à Hermione et à Pyrrhus, pas à Racine, c'est que, par sa création imaginaire, l'auteur a transcendé ce qu'avait de nécessairement inachevé son existence : il a constitué son œuvre comme le sens complet qui manquait à sa propre vie; son œuvre, c'est sa contingence dépassée en nécessité; sa vie, plus son manque; ou, selon l'expression de Camus, sa vie « prenant le visage du destin », je préférerai encore dire *prenant le visage du symbole*. Car la nécessité n'est pas ici celle du concept; le « mot de la fin » n'est pas une réponse univoque et claire : c'est ce que je voulais dire en écrivant (p. 95) que, en littérature, toute réponse devient question, toute question réponse. La nécessité est tout entière d'*ordre expressif*, elle est uniquement dans la profondeur de l'expérience induite par l'organisation des formes signifiantes : toute langue symbolique *stricte*, c'est-à-dire se refermant sur son propre réseau significatif et s'offrant comme *univers* imaginaire, joint et rejoint en elle mythes personnels et archétypes collectifs; elle parle en même temps de tout un homme et de tout l'homme. Le chiffre inventé par un écrivain pour exprimer *totalement* son existence concerne forcément la mienne, il est le chiffre de la mienne. L'imaginaire devient ainsi le véhicule d'une transhistoire, où le moi réel du lecteur se trouve en retrouvant, à travers le langage de l'œuvre, le moi symbolique de l'auteur. « Ce moi-là, si nous voulons essayer de le comprendre, c'est au fond de nous-même, en essayant de le recréer en nous, que nous pouvons y parvenir » (*Contre Sainte-Beuve*, p. 157). Dès lors, pour la critique, il n'est d'autre voie que celle indiquée par Proust. De par la nature de la communication littéraire, l'analyse critique est une *analyse immanente à l'œuvre*, à condition de bien voir que cette immanence, à la fois et indissolublement clôture et ouverture, est la dialectisation d'une multiplicité de rapports transcendants, totalisés dans l'unité d'une parole symbolique, à la fois fixée à jamais et à jamais disponible [1].

3. *Le Cogito du critique.*

Si l'unité du théâtre de Racine nous renvoie à celle d'un Cogito racinien, et si, au terme des analyses précédentes, ce Cogito racinien ne peut s'atteindre ailleurs que dans et par le théâtre de Racine, nous sommes renvoyés à notre question première : ce Cogito racinien, qui n'est pas celui de Jean Racine, est-ce celui de ses personnages ? Ce serait oublier qu'Hermione, Oreste ou Pyrrhus ne sont point des existants réels : le seul Cogito qui se saisisse en eux est celui de Racine écrivant, de l'acteur jouant ou du lecteur lisant *Andromaque*. Parler de « psychanalyse existentielle » est vite dit : psychanalyse *de qui, par qui, pourquoi* et *comment ?* Voici les éléments de la réponse que, pour ma part, je ferai sur le plan théorique. D'abord, le

1. Certains trouveront cette analyse « compliquée ». Elle ne l'est sûrement pas assez. Il n'y a que certains professeurs de littérature pour croire que les problèmes de la littérature sont simples. Quand Raymond Picard croit ironiser sur les égarements des nouveaux critiques, qui considèrent l'œuvre littéraire comme « une collection de signes dont la signification est ailleurs », il ne semble pas se douter que la signification est toujours « ailleurs » que dans le signe, puisqu'elle est rapport à un objet visé à travers lui ; et quand il continue, avec la même ironie : « et, bien entendu, cet *ailleurs* se trouve au centre même de l'œuvre, puisqu'il est sa raison d'être » (pp. 113-114), il définit précisément, dans son ignorance même, le processus d'intériorisation de l'extériorité, qui constitue l'essence de toute saisie subjective du réel. L'*ici* de l'œuvre, comme type particulier d'« intériorité », n'est qu'un certain mode imaginaire de désignation et d'organisation des *ailleurs*.

seul Cogito dont la critique puisse connaître est celui *du critique en train de réfléchir sur le théâtre de Racine*, c'est-à-dire de *le réfléchir*. Si, selon les analyses précédentes (p. 194), l'œuvre prend consistance par unification synthétique, au cœur de ma propre temporalité, des expériences discontinues où elle se donne à moi par profils successifs, il est bien vrai, comme s'en plaint amèrement Raymond Picard, que « l'œuvre n'est plus dans l'œuvre » (*Nouv. Crit.*, p. 114); ajoutons, en parodiant le Sertorius de Corneille : « elle est toute où je suis ». Ce qui, bien entendu, ne veut pas dire que j' « invente » l'œuvre le moins du monde, mais qu'elle *se constitue*, littéralement, *à travers moi*. Car l'œuvre n'a jamais été « dans » l'œuvre que par l'illusion d'un réalisme naïf. D'abord, sur le plan perceptif, si l'œuvre, en tant qu'objet esthétique, existe bien en dehors de la conscience, comme livre ou tableau, celui-ci n'a de sens, comme toute chose, que par et pour une conscience : la conscience du critique, à cet égard, à l'exemple de toute conscience percevante, constitue le sens à mesure qu'il le découvre. C'est par mon regard que ce bleu, ce vert, ce rouge, forment une structure colorée, par ma lecture que l'encre sèche des pages devient les vers de Racine. Mais il y a plus : l'œuvre d'art est un imaginaire; sa matérialité n'est que l'analogon d'un sens qui la dépasse. Cette structure colorée ne devient annonciation ou crucifixion, cette croûte desséchée ne dit l'espoir ou la douleur que dans la mesure où un regard humain y projette ses possibles et transcende leur matérialité brute. Le sens du tableau est toujours en suspens sur le tableau, c'est-à-dire au-delà du tableau, jamais « dans » le tableau. Le sens du texte de Racine n'est pas « dans » le texte de Racine : il n'est que la résonance, le prolongement, l'écho infinis, sur tous les plans, du plus immédiat au plus subtil et au plus lointain, de l'expérience humaine qui rayonne à travers un langage. Quoi qu'il fasse, le critique est donc, au sens plein, le *révélateur* de l'œuvre : il n'y a d'œuvre que par lui (c'est, d'ailleurs ce qu'ont bien compris les écrivains contemporains, quand ils veulent donner explicitement au lecteur le rôle créateur qui est, de toute façon, le sien). Rien de plus vain que la chimère caressée par les critiques effarouchés de leur ombre, et qui rêvent de « s'effacer devant un texte qui ne les a pas attendus pour exister »[1] : cet effacement est, épistémologiquement, une sottise, et, moralement, une lâcheté. Impossible de se donner Racine et ses œuvres, comme entités existant en soi, qu'il s'agirait de recoller ensemble grâce à une méthode qui finirait par s'éliminer elle-même, pour laisser subsister, dans toute leur pureté, des significations objectives. La seule réalité, c'est la conscience du critique (ou d'ailleurs de l'historien) visant, à travers la totalisation de sa propre expérience des textes ou de la représentation scénique, une totalité significative qu'il ne saisit que par fragments et à des niveaux de compréhension et d'appréhension variables[2]. En d'autres termes, articuler les divers sens du théâtre de Racine pour tenter d'en restituer le mouvement intime, ce ne peut être, pour le critique, que dévoiler, par un retour réflexif sur lui-même, le principe unificateur de sa propre et multiple expérience du théâtre racinien : tout ce qu'il sait, tout ce qu'il sent, tout ce qu'il découvre, tout ce qui se dérobe, au cours de sa quête patiente et passionnée. De façon très précise, le Cogito racinien, qu'il s'agit de mettre à nu pour saisir la cohérence profonde du théâtre de Racine, c'est le Cogito du critique épousant le type d'existence qui se manifeste et se communique à travers les relations vécues par les personnages de Racine, relations ressenties, reprises, *réfléchies* par la conscience du critique.

Mais alors, ne craignons pas de dire que la psychanalyse de

1. Extrait d'une lettre au *Monde* (13 novembre 1965). C'était déjà le rêve d'André Suarès : « De toutes parts, on aboutit à la même conclusion : il faut avant tout s'effacer. Pour faire œuvre qui vaille, la même loi gouverne le talent du critique et le génie du poète tragique : le premier point est de se retirer de soi-même et de laisser la place à l'objet. » Comme si le théâtre de Racine n'était pas la présence la plus concrète de son être dans son œuvre ! La même loi gouverne, en effet, le talent du critique et le génie du poète : il faut, avant tout, exister.

2. Ces niveaux diffèrent non seulement selon le *mode* de perception, c'est-à-dire la durée propre de la conscience (cf. p. 70) mais aussi selon la *richesse* de cette perception, c'est-à-dire la culture et l'intelligence personnelles qui servent d'indice de réfraction. Si le critique est le « révélateur » de l'œuvre, l'œuvre se révèle d'autant plus et d'autant mieux que le révélateur est puissant.

l'œuvre racinienne, c'est *la psychanalyse du psychanaliste*. (Ceci est aussi vrai, d'ailleurs, dans une certaine mesure, du déchiffrement freudien, car tout déchiffrement de l'homme, si objectif qu'il se veuille, ne peut s'empêcher de renvoyer à la subjectivité de qui l'entreprend, ni d'être, selon la formule de R. Barthes, un « test projectif ».) Cette situation de fait indépassable explique pourquoi aucune critique ne saurait revendiquer, comme nous le posions plus haut, un type de vérité objectif. Mais il ne s'agit pas non plus de revenir à je ne sais quelle ineffable vérité « subjective ». La critique n'est pas un exercice de derviche tourneur. Si, selon notre postulat, l'œuvre d'art n'est qu'un mode particulier de l'apparition d'autrui, les analyses précédentes veulent simplement dire ceci : le « sens » d'une œuvre, comme le « sens » d'une conduite, n'est que l'unification synthétique par ma propre conscience des manifestations de l'Autre, sur fond d'une intersubjectivité commune. La conscience de l'Autre ne m'est jamais donnée comme telle, et il y a pourtant connaissance d'autrui : la communication littéraire n'est ni meilleure ni pire que cette communication générale, dont elle constitue un cas particulier. Si elle n'est jamais entière (il n'y a ni fusion ni identification avec l'Autre), elle admet des degrés de pénétration et de vérité, selon la qualité de mon adhésion, de ma disponibilité, de mon ouverture. Relations de l'univers racinien, disions-nous, *réfléchies* par la conscience du critique : ajoutons par la conscience attentive et *armée*. Dans la mesure où le Cogito du critique dispose d'une possibilité d'auto-élucidation plus complète à un moment qu'à un autre, dans la mesure où il y a une histoire, et, en particulier, une histoire de la pensée, il y a progrès dans la prise de conscience de soi et d'autrui, ou, si l'on veut, éclaircissement progressif des relations fondamentales de l'existence par une réflexion philosophique arrivée à un plus haut degré de maturité et de précision.

L'unification synthétique du théâtre de Racine par la conscience du critique n'est donc en rien gratuite : elle ne livre point une vérité de type objectif (personne, sinon Dieu, ne « sonde les reins et les cœurs » et ne peut prétendre connaître la vérité d'Autrui, comme le physicien celle de ses molécules et de ses atomes); mais elle offre ce que Merleau-Ponty appelait avec bonheur une *prise concrète,* une possibilité de vérification limitée et pragmatique par contact sans cesse renouvelé avec son objet. Test projectif, certes : dans la mesure, toutefois, où il permet de projeter avec précision un réseau significatif qui intègre non pas simplement la plus grande « quantité » de sens, mais, *qualitativement, l'intègre de manière intelligible* [1], je puis éprouver la validité concrète de la dialectique racinienne que je constitue contre l'ensemble des significations différentes et divergentes, dégagées par les recherches positives. Impossible, pourtant, d'accepter l'optimisme cartésien de Sartre, qui fait de cette « épreuve » une « évidence ». On se souvient du texte cité plus haut (p. 74) : la subjectivité du critique servirait de « révélateur » à l'objectivité de l'œuvre. « La conjecture, vraie ou fausse, sert à déchiffrer. Vraie, elle est remplie par l'évidence; fausse, elle s'efface en indiquant d'autres chemins. » En critique, aucun objet ne vient « remplir » une évidence, à la différence des mathématiques; à aucun moment, il ne livre à la conscience une essence translucide où se donnerait intégralement la « chose elle-même ». L'« évidence » reste toujours l'évidence de *quelqu'un* (alors que 2 et 2 font 4 est l'évidence de tout le monde, c'est-à-dire de personne), et ce qui est évident pour Sartre ne l'est absolument pas pour un autre [2]. A aucun moment, la rencontre heureuse du bon « révélateur » subjectif et de l'être de son objet ne livre une vérité immuable, qui serait le Racine ou le

1. Sur ce point, ma position est donc à l'opposé de celle de Barthes, lorsqu'il parle d' « intégrer (au sens mathématique du terme) la plus grande quantité possible de langage proustien » (*Essais,* p. 255). L' « intégration » du sens littéraire ne peut jamais être de ce type.

2. *Vide infra,* p. 75. A cette situation de fait, il y a des raisons précises. Si, en effet, l'œuvre est mode d'apparition d'Autrui, d'une part, il n'y a jamais connaissance évidente de l'Autre (il ne peut y avoir d'évidence que de soi à soi, et, en ce sens, l'évidence mathématique a pour corrélatif un objet idéal construit par la conscience); d'autre part, la connaissance d'Autrui m'engage tout entier, dans mon être et dans mes valeurs : mon jugement me juge. C'est pourquoi, en critique, l' « évidence » n'est jamais détachable de la personne, comme elle peut l'être dans les sciences.

Mallarmé « définitif ». A mi-chemin de l'évidence et de l'arbitraire, la vérité de la critique, comme celle de la philosophie,
n'a jamais fini de se chercher : partielle (adhérant toujours à
une subjectivité, elle reste une perspective), elle débouche néanmoins sur le réel, qu'elle atteint, sans pourtant l'étaler sous son
regard; elle offre, sur le monde de significations qu'elle vise,
une prise plus ou moins précise, plus ou moins correcte, sans
jamais aboutir à une mainmise. Cette saisie d'un absolu-relatif
est du type même de la vérité perceptive et, de fait, la critique
se présente, épistémologiquement, comme une perception particulière d'Autrui. Cette perception, que nous avons appelée
« psychanalyse existentielle » (pp. 192-193), il faut la cerner de
plus près, et répondre plus précisément à nos propres questions.

1º Psychanalyse *de qui?* Psychanalyse de l'*œuvre*, et non pas
de l'*homme*, d'une *existence* imaginaire, et non pas d'une *vie*
réelle. Pour des raisons examinées pages 204-205, il y a primat
ontologique de l'œuvre sur l'auteur, bien que, chaque fois que
cela est possible, la compréhension de l'œuvre doive passer par
la nature de son rapport à son auteur et, en quelque sorte,
l'intégrer à la totalité de son sens. Ainsi se trouve résolue la
double objection que Raymond Picard adressait à juste titre à
l'approche psychanalytique : de sacrifier la spécificité des structures littéraires, et de le faire au profit de la reconstruction
hasardeuse d'une entité psychique évanouie depuis des siècles,
et sur laquelle, le plus souvent, nous ne savons presque rien.
Loin de sacrifier les structures littéraires, l'analyse portera
précisément sur ces structures, dans la mesure où leur cohérence
exprime une certaine vision du monde, c'est-à-dire un certain
type de relations d'existence.

2º Psychanalyse *par qui?* Par un critique, lui-même situé
affectivement et historiquement dans l'existence, ce qui à la
fois assure et limite la communication du lecteur et de l'œuvre.
Le seul fondement possible de la permanence de l'art est la
transhistoricité des structures existentielles (pp. 168-169). Dans

la mesure où Je est aussi l'Autre, l'homme de 1966 peut toujours saisir le sens humain des peintures de Lascaux ou retrouver
le Cogito racinien. Mais si la loi perceptive, selon laquelle toute
révélation du réel est aussi dissimulation, s'applique à l'écrivain
et justifie la critique, comme activité d'explicitation, cette loi
s'applique, bien entendu, au critique lui-même : son regard
n'est pas un regard de surplomb, ni son analyse intemporelle.
Il aborde l'œuvre de son point de vue, situé dans l'espace et
dans le temps, du fond d'un engagement personnel. Le langage
ordinaire dit fort bien qu'une personne est « bien » ou « mal »
placée pour savoir quelque chose. On est, de même, bien ou
mal placé, historiquement, pour apprécier une œuvre. Les
moments de l'histoire ne sont pas plus équivalents que les
perspectives de l'espace. Ce n'est donc pas un hasard qu'une
intelligence aiguë comme celle de Voltaire ait été fermée au
théâtre de Corneille; ni pure coïncidence que les poètes de la
Pléiade, oubliés pendant deux siècles, soient reparus avec le
romantisme. Il y a des sympathies historiques, comme il y a
des affinités individuelles. Certaines périodes communiquent
spontanément; d'autres perdent contact et s'ignorent. L'historicité de la critique fait qu'à l'instant où elle découvre un
horizon, elle en dérobe un autre. Elle permet de voir, dans la
mesure où elle aveugle. C'est en vain qu'on chercherait une
époque commensurable à toutes les époques. Aucune psychanalyse n'est innocente; aucune psychanalyse n'est complète.
Toute psychanalyse promet dans l'exacte proportion où elle
compromet.

3º Psychanalyse *pourquoi?* Nous avons expliqué que le critique se trouvait dans la même position, en face de son objet,
que le psychanaliste, en face de son sujet. (p. 192). Il faut en
tirer les conséquences radicales. Puisqu'il s'agit, pour le critique,
d'élucider, dans la mesure de moyens nouveaux, un sens qui,
par principe, n'est pas *élucidable* au même degré pour l'écrivain
(pp. 50-51 et 192), ni d'ailleurs au même degré pour toutes les
époques; et puisque la tâche du critique est de « faire parler »

ce discours qu'est la littérature, — le critique, loin de se borner à résumer les intentions et les procédés conscients de l'écrivain, sera souvent amené à *faire dire à l'œuvre le contraire de ce que son auteur nous dit*. Dans *Qu'est-ce que la littérature?*, Sartre a eu parfaitement raison de montrer que « s'il est vrai que l'essence de l'œuvre littéraire, c'est la liberté se découvrant et se voulant totalement elle-même comme appel à la liberté des autres hommes, il est vrai aussi que les différentes formes de l'oppression, en cachant aux hommes qu'ils étaient libres, ont masqué aux auteurs tout ou partie de cette essence » (p. 189). Si la liberté de l'écrivain, comme celle de tout homme, est liberté en situation et aliénée par sa situation même, la littérature est *aliénée* « lorsqu'elle n'est pas parvenue à la conscience explicite de son autonomie et qu'elle se soumet aux puissances temporelles ou à une idéologie », et *abstraite* « lorsqu'elle n'a pas encore acquis la vue plénière de son essence » (p. 190). Autrement dit, si la littérature se crée, à chaque époque et avec chaque écrivain, son propre mythe, la tâche de la critique sera, en partie, une *démystification*. Ce qui ne revient nullement à diminuer la valeur de la littérature : en révélant l'aliénation de l'écrivain, la critique montre toujours aussi *comment son œuvre la dépasse* (ce dépassement est même la marque première des grandes créations); en rendant « concrète » la vue « abstraite » qu'une littérature a d'elle-même, on ne retranche pas, on ajoute à la plénitude du sens. A cet égard, je ne craindrai pas de dire que la psychanalyse littéraire a pour but *une certaine guérison de la littérature*, dans la mesure où toute cure psychanalytique, en libérant l'homme des mythes personnels où il s'enferme, le restitue à lui-même. Cette idée fera grincer des dents les amants de la Littérature désincarnée, éternellement pure et immobile, embaumée dans les manuels : leur forme d'amour est simplement une perversion idéaliste, une curieuse nécrophilie qui les rive à des momies.

De même donc que le sens global d'une vie, tel qu'il apparaît à autrui, peut être juste l'inverse de la signification mise volontairement dans chaque acte, de même le sens d'une

œuvre littéraire est souvent contraire aux desseins exprès de
son auteur. On sait que l'œuvre, politiquement modérée de
Rousseau ou résolument conservatrice de Balzac, ont, dans leur
contexte historique, un sens révolutionnaire. Comme j'ai essayé
de le montrer moi-même, les pièces de Corneille, qui *veulent*
proclamer le triomphe d'une liberté héroïque, sont, *en fait*, la
longue histoire de son échec. Et si l'on m'objecte que cet
exemple sent le soufre, pour ne pas dire le fagot, je me trouverai
un allié inattendu en la personne de Raymond Picard, peu
suspect d'audaces sacrilèges; car il ne fait pas autre chose, en
l'occurrence, pour Racine. Quand il nous dit que c'est « à tort
que l'on a opposé l'impuissance de Phèdre à la conscience qu'elle
a de sa responsabilité. Phèdre n'est pas impuissante en droit.
Elle se croit une victime des vengeances célestes; mais les dieux
ne sont pas autre chose que la personnification de nos limites;
et Phèdre sait que la revendication de la liberté est infinie...
Phèdre est un témoin de la liberté » (*Racine*, Pléiade, I, pp. 742-
743), Picard nous propose le modèle même d'une psychanalyse
existentielle : alors que Phèdre « se croit » victime des vengeances célestes, le critique-psychanaliste démystifie cette
fausse conscience : les dieux ne sont pas autre chose que la
personnification de nos limites (on remarquera même le « ne...
que » favori du psychanaliste, sa marque de fabrique.) Mais
cette fausse conscience n'est qu'une forme de mauvaise conscience ou, si l'on veut, de mauvaise foi : Phèdre *sait* que la
revendication de la liberté est infinie; sa fameuse « impuissance »
n'est qu'une conduite de démission. Cette soi-disant tragédie
de la fatalité, où l'on a voulu voir du jansénisme, est, en fait,
un témoignage sur la liberté, et « il y a dans cette pièce beaucoup plus d'humanisme que de christianisme » (p. 743). Cette
analyse toute sartrienne me paraît convaincante, et Picard a
tout à fait raison sur Racine, mais *contre Racine*. Car il ne fait
aucun doute que l'auteur, ici, pense comme son personnage :
dans sa Préface, il nous présente expressément Phèdre « engagée
par sa destinée et par la colère des Dieux » dans sa passion
illégitime, et, nous dit-il, « son crime est plutôt une punition

des Dieux qu'un mouvement de sa volonté ». On ne saurait être plus explicite. Racine, comme Phèdre, croit aux Dieux et au Destin; de *La Thébaïde* à *Athalie*, toute son œuvre est là pour nous montrer l'homme écrasé par le sang, l'hérédité, l'histoire, en un mot, par ces Dieux qui finiront par s'appeler Dieu, et sous lesquels la liberté humaine vacille comme une maigre flamme un jour de grand vent. Mais Racine se trompe et nous trompe : « Phèdre n'est pas impuissante en droit. » Racine est, telle Phèdre, et malgré lui, un témoin de la liberté. Picard vient donc et le démystifie : il lui fait rendre sa *vérité*, occultée par son aliénation historique et trois siècles de commentaires abrutissants. Bref, Picard assume pleinement sa responsabilité de critique : engagé, compromis lui-même jusqu'au bout par le sens qu'il y découvre, il nous montre que le théâtre racinien, pour sa plus grande gloire, *veut dire* le contraire de ce qu'il *dit;* ce faisant, il se contredit, mais il psychanalyse et guérit Racine [1].

4º Psychanalyse *comment?* Bien entendu, quand nous parlons ici de « psychanalyse » et de « guérison », ce sont des expressions métaphoriques, destinées à suggérer le parallélisme de certaines démarches, et non l'identité des moyens et des fins. Il y a bien, en effet, parallélisme des démarches, dans la mesure où la critique, comme la psychanalyse, se propose un certain type de connaissance d'Autrui (par l'unité profonde d'intention qui rassemble des manifestations multiples et divergentes); dans la mesure aussi où toutes deux supposent, envers leur objet, une attitude non de détachement, comme celle du physicien ou du chimiste, mais de sympathie armée (le psychanaliste est impliqué radicalement dans sa psychanalyse, et le critique dans son

---

1. On appréciera comme il convient la lettre au *Monde* (13 novembre 1965) où Ed. Guitton s'en prend en ces termes au coupable Pingaud : « Qu'il se réfère donc aux introductions de la Pléiade : il verra ce qu'un esprit informé et perspicace, sans aucune ambition idéologique d'aucune sorte, s'estime le droit de dire pour préparer le lecteur éventuel à une lecture de Racine. » L'exemple est plutôt mal choisi. Hélas! pour n'avoir d' « idéologie d'aucune sorte », il faudrait *cesser tout à fait de penser.* Concédons à ce Guitton, qui rêvait déjà de « s'effacer devant les textes », qu'il y arrive presque.

interprétation). Mais les fins ne sauraient être identiques, parce
que, d'abord, les écrivains ne sont pas des malades, — ou alors
il s'agit d'un mal d'être, inséparable de notre condition et incu-
rable; ensuite, parce que le critique a affaire à des œuvres, et
non à des hommes, ou, plus exactement, s'il vise l'homme, c'est
celui qui se donne dans ses œuvres, et non dans ses gestes ou
dans ses actes. Il en résulte une différence complète des moyens :
tandis que le clinicien peut faire bavarder ses patients sur son
canapé à longueur de mois ou d'années, le critique, le plus souvent, doit comprendre les « inflexions de voix chères qui se sont
tues ». Eût-il à connaître d'auteurs vivants, et fût-il, dans le
meilleur des cas, sur un pied d'intimité avec eux, comme Sartre
avec Genet, cela peut renforcer, mais en aucune façon changer,
la position du critique : le sens littéraire dont il est en quête ne
se livre à lui qu'à travers les signes écrits; il n'existe proprement
qu'au niveau de l'écriture, en tant qu'elle est ranimée par une
lecture. C'est dire que l'accouchement critique du « sens » ne
peut jamais être aussi vérifiable, dans ses résultats, que l'accouchement psychanalytique. C'est dire également qu'il ne peut
jamais être aussi complet, puisqu'il travaille sur des systèmes
expressifs limités, donnés une fois pour toutes, des invariants
élaborés en dehors de toute suggestion de l'enquêteur. Alors
que le médecin collabore avec son patient, c'est-à-dire avec une
liberté vivante, qui se modifie grâce à ce contact vécu, le critique, à travers les signes écrits, communique avec une liberté
figée ou, du moins, prisonnière, avec laquelle et sur laquelle il ne
peut rien. En conséquence, si le critique peut revendiquer une
conviction, il ne saurait légitimement prétendre à une *certitude*.
Le praticien peut, par un processus d'élucidation élaboré en
commun, vaincre, chez autrui, des résistances, pour le faire
accéder à la pleine conscience; ce qui *résiste* à jamais dans ce
que nous avons appelé l'ambiguïté insurmontable de l'œuvre
littéraire, c'est précisément une liberté hors d'atteinte et hors
de jeu. La création artistique a donc une manière de se dérober,
qui rend son déchiffrement à jamais conjectural. A cet égard,
Roland Barthes a raison de souligner ce qu'il nomme le carac-

tère « tremblé » ou « déçu » du sens littéraire, même lorsqu'il semble patent.

En même temps, le critique a, sur le psychanaliste, un immense avantage : c'est qu'il a affaire à des sujets qui lui offrent, dans leurs œuvres, *déjà donnée* à l'état latent, l'analyse même qu'il cherche à faire. Tandis que l'expression de la conscience malade ou quotidienne se perd en fantasmes ou s'éparpille en parlerie, auxquels l'interprète doit conférer du dehors l'unité signifiante qu'ils repoussent, l'expression littéraire, elle, représente le degré de conscience le plus profond que l'homme peut prendre de sa propre condition : même si cette conscience est partiellement aliénée, la grande œuvre dépasse toujours cette aliénation vers un dévoilement radical de la réalité humaine. La banalité ou la maladie, c'est la tragédie du sens qui se fuit; la littérature, c'est l'épiphanie du sens qui se trouve. La tâche du critique en est donc à la fois compliquée et simplifiée. Compliquée, parce que la plénitude du sens qu'il voudrait libérer déborde toujours son entreprise. Simplifiée, parce que la synthèse du sens a déjà été faite pour lui. Il convient d'insister sur cet aspect méthodologique de la « psychanalyse existentielle ». Il ne s'agit nullement d'utiliser des catégories *modernes* pour comprendre des œuvres *anciennes*, ce qui constituerait un anachronisme et, à la limite, un abus. C'est ainsi que l'on m'a reproché d'avoir employé, pour déchiffrer le théâtre de Corneille, une dialectique de la liberté sartrienne, alors que le schéma libertaire de Corneille était moliniste. Ce genre d'application d'instruments intellectuels contemporains aux œuvres du passé serait un procédé arbitraire et antihistorique. Le critique qui s'enfermerait dans une doctrine psychologique ou ontologique récente pour « comprendre » le passé se donnerait le ridicule de ces hommes de science qui croient que la « bonne » science, la seule qui compte, c'est toujours la dernière. Cette objection serait valable, si les instruments de la compréhension philosophique étaient du même type que ceux de la connaissance scientifique, c'est-à-dire *extérieurs à leur objet*. Or, il n'en est rien, et la meilleure réponse à cette objection, que Georges

Poulet a bien voulu me faire, dans un échange de correspondance, c'est lui-même, je crois, qui la fournit, dans un très beau
texte qu'il me permettra de citer : « Rien n'est plus facile que
de faire apparaître en chaque époque, sans forcer, sans ' tri-
cher ', une psychanalyse, une phénoménologie, un existentialisme, qui ont été les créations *sui generis* de cette époque. On
pourrait même dire que la littérature de chaque époque a pour
fonction précisément essentielle de se constituer en cette philosophie plus fondamentale, plus intime, plus étroitement liée
à l'expérience humaine, que la métaphysique ' officielle ' de ce
même temps. Aussi ne peut-il s'agir de transporter en Pascal
l'existentialisme de Kierkegaard, de Nietzsche ou de Heidegger;
il s'agit de faire réapparaître le fond authentiquement existentialiste qui est le trait caractéristique de Pascal (et qui l'a toujours été — même pour Pascal). » Ce texte capital me paraît
exactement définir la nature de la communication littéraire et
philosophique, qui fonde la critique. Il n'oublie, cependant,
qu'une chose : si la littérature de chaque époque se constitue
en cette philosophie « plus fondamentale » et « plus intime », et
définit ainsi cette zone de compréhension transhistorique que je
n'ai, pour ma part, cessé de réclamer, les différents moments de
l'histoire ne sont pas pour autant équivalents : dire que, du
XVIIe au XXe siècle, l'histoire *progresse*, c'est dire, comme
Sartre le disait de l'écrivain, que l'homme ne peut pas prendre
la même conscience de sa propre existence à toutes les époques,
que certains aspects fondamentaux de sa condition lui sont
voilés par la nature variable de ses aliénations : le progrès de
la pensée, inséparable du mouvement de l'histoire, consiste
donc dans une *explicitation de plus en plus précise* de la totalité
des structures existentielles. S'il ne s'agit pas de transporter
Kierkegaard ou Nietzsche chez Pascal, le « fond authentiquement existentialiste » de Pascal n'est pleinement saisissable qu'à
la lumière de Kierkegaard et de Nietzsche, de même qu'on ne
« retrouve » le Cogito chez saint Anselme que parce qu'il s'est
manifesté clairement chez Descartes. Le critique étant lui-
même enraciné dans sa propre histoire, sa compréhension du

passé passe forcément par celle qu'il a du présent : c'est rétrospectivement, grâce à la psychanalyse ou à l'existentialisme
qui se sont élaborés *depuis*, qu'il peut mieux saisir la signification de l'analyse racinienne ou de l'existentialisme pascalien.
C'est le schéma de la liberté sartrienne qui permet de comprendre ce qu'avait de valable le schéma moliniste, et dans la
mesure où, selon les propres termes de Poulet, la littérature
constitue une compréhension « plus étroitement liée à l'expérience humaine que la métaphysique ' officielle ' de ce même
temps », c'est précisément la grandeur du théâtre de Corneille,
qu'il incarne, à l'état implicite, une dialectique de la liberté qui
ne sera théoriquement explicitée que trois siècles plus tard.

Psychanalyser Racine, existentialiser Pascal, ce n'est donc
en aucun cas commettre un anachronisme, ou leur faire violence. Ainsi que le note fort bien Georges Poulet, il y a, chez
Racine et les Jansénistes, une véritable « psychanalyse augustinienne » : « Conception de l'être humain comme composé d'une
surface et d'un fond, fond lui-même obscur, impénétrable, et
cependant centre et principe déterminateur de toutes nos
actions et de toutes nos pensées. » Seulement, comprendre
Racine, au xxᵉ siècle, ce n'est pas le comprendre selon *sa* psychanalyse, mais selon *la nôtre*, dans la mesure où la nôtre est
dépassement dialectique de la sienne, c'est-à-dire sa conservation et sa négation. Notre psychanalyse ne vient pas de l'extérieur au théâtre de Racine, nous ne la lui imposons pas de
force : elle ne fait que reprendre, *à un niveau d'élucidation historiquement plus avancé*, la thématisation déjà constituée dans
l'œuvre même de Racine [1]. Il en va de même pour la philosophie : comme le notait Merleau-Ponty, si Descartes, Spinoza
ou Leibniz gardent aujourd'hui leur vérité, c'est dans la mesure
où notre recherche coïncide, en la dépassant, avec la leur.
« Malgré les apparences, le système n'a jamais été qu'un langage (et il était précieux à ce titre) pour traduire une manière

---

1. Tel est, d'ailleurs, exactement le rapport entre théorie freudienne et mythologie grecque, la première s'élaborant comme réflexion sur les thèmes irréfléchis
de la seconde, à partir d'une situation historique nouvelle du savoir.

cartésienne, spinoziste ou leibnizienne de se situer par rapport
à l'être, et il suffit, pour que la philosophie dure, que ce rapport
demeure problème, qu'il ne soit pas pris comme allant de soi...
C'est ce même rapport qu'on tente aujourd'hui de formuler
directement, et de là vient que la philosophie se sent chez elle
partout où il a lieu[1]... » Les diverses compréhensions de
l'homme qui constituent cette *philosophia perennis* ne sont donc
pas des coups de sonde discontinus, que chaque époque lance
isolément dans les profondeurs de notre condition : la vérité de
Pascal n'est pas, comme semble le dire Poulet, donnée une
fois pour toutes chez Pascal (ce qui nous ramènerait, sous une
autre forme, à la trop fameuse « admiration historique »); l'histoire n'est pas immobile, et, pour nous, la vérité de Pascal est
vérité devenue. Elle est ce rapport pascalien à l'être, qui demeure
par-delà l'éclatement et la disparition du système, et que nous
pouvons, de notre point de vue, dans notre situation, assumer
à nouveau. Ce qui nous conduit à préciser brièvement ici les
relations entre critique et philosophie, que nous avions esquis-
sées plus haut. S'il y a, selon nous, destin conjoint des deux
démarches, elles n'en sont pas pour autant identiques; si la critique doit chercher un type d'intelligibilité élaboré au voisinage
de la philosophie, critique et philosophie diffèrent cependant.
Par leur objet, d'abord : celui de la philosophie étant plus général, puisqu'elle entend ressaisir les structures de l'existence
dans toutes ses manifestations, alors que la critique ne vise que
l'expression de la réalité humaine dans un secteur particulier :
celui de l'art. Mais la critique littéraire n'est pas non plus une
philosophie de l'art, même si, au bout du compte, elle en
implique toujours une : la compréhension philosophique, fût-
elle concrète, va de l'individuel à l'universel; la compréhension
critique, suivant en cela le mouvement de l'expression littéraire
sur laquelle elle porte, va de l'universel à l'individuel. Ce qu'il
lui faut saisir, ce n'est pas la nature de *la* tragédie, c'est *cette*
tragédie de Racine. La philosophie *abstrait* le sens humain que

1. *Signes*, p. 199.

la littérature *incarne*. A cette différence de mouvement correspond nécessairement une différence de méthode, une différence d'esprit.

Le paradoxe propre de la recherche philosophique, c'est que, sachant le Système impossible et toujours en sursis dans l'histoire, elle doit néanmoins se constituer comme systématique. La philosophie proprement dite est à ce prix (c'est ce qui distingue le philosophe du penseur ou de l'essayiste) et, de ce point de vue, la réflexion d'un Heidegger ou d'un Sartre n'est pas moins « systématique » que celle de leurs prédécesseurs. Ce paradoxe, ou, si l'on préfère, cette contradiction, est le moteur même d'une saisie des structures d'être qui se veut totale, par principe. Phénoménologique, rationaliste ou marxiste, le « système », pour reprendre l'expression de Merleau-Ponty, est le *langage* obligé de la philosophie, même si la philosophie ne perdure qu'en deçà ou au-delà des systèmes. La critique littéraire peut-elle et doit-elle être, dans le même sens, systématique? C'est ce que pensent les critiques inspirées des sciences humaines, qui prétendent instituer un langage d'une rigueur telle qu'en se refermant sur lui-même, il enfermerait en lui l'essentiel de l'œuvre d'art. Pour notre part, nous ne croyons point que le langage de la critique puisse jamais devenir ce logos parfaitement articulé que veulent être, chacune à leur manière, les sciences humaines et la philosophie. On nous a fait, à plusieurs reprises, le reproche d'*éclectisme :* en parlant de « philosophies existentielles » au pluriel, sans désigner nommément laquelle, en utilisant des catégories prises çà et là, tantôt heideggériennes, tantôt sartriennes, tantôt merleau-pontiennes, sans parler des retours opportuns à Hegel, à Marx, voire à Descartes, on ferait, en somme, flèche de tout bois, au détriment de toute consistance intellectuelle. « Quel est donc votre système? » m'a-t-on demandé un jour, au sens où l'on demande à un joueur de montrer honnêtement ses cartes. Je l'admets volontiers : je n'ai pas de « système », et l'analyse existentielle défendue ici n'en propose et n'en suppose aucun. Mais ce qui serait tare essentielle chez le philosophe me paraît vertu néces-

saire chez le critique, et voici pourquoi. La critique ne saurait
être l'*application* à la littérature d'un déchiffrement élaboré *en
dehors d'elle*, au sens où l'on parle des « applications » pratiques
des diverses sciences. La critique n'est rien d'autre qu'une certaine *expérience de la littérature*, qui peut être conduite à plusieurs niveaux. La signification immédiate d'une représentation
théâtrale est élaborée dans le feuilleton dramatique; la signification ultime d'une pièce, ou plutôt, son horizon significatif
ne se saisissent point de la même manière. Loin que les diverses
significations, éprouvées dans les divers contacts, s'unissent
d'elles-mêmes en une convergence heureuse, elles sont contradictoires le plus souvent, et la recherche d'un sens global n'est
rien d'autre qu'un effort pour penser et relier ces contradictions,
pour se situer en un point où l'on puisse tenter de les *comprendre*
et de les *résoudre*. Ce point, toutefois, est un point virtuel, non
réel. Il indique une direction, non un terme de la recherche.
C'est, disions-nous, non une certitude, mais une conviction; je
dirai encore plus précisément que c'est moins une conviction
qu'une *démarche*. Vouloir trouver effectivement le point où ces
contradictions sont résolues, où la totalité du sens est achevée,
où l'homme devient diaphane pour l'homme, où l'Autre est
ressaisi comme Soi et le Soi coïncide parfaitement avec lui-
même, postuler cette possibilité, fût-ce en principe et à la
limite, et sous les déguisements du matérialisme historique ou
de l'existentialisme sartrien, c'est revenir à l'hybris déraison-
nable du rationalisme hégélien, c'est, sous prétexte de science,
introniser l'idéalisme absolu. On approche du centre d'une
œuvre ou d'une vie toujours plus près, de façon asymptotique,
sans y atteindre jamais, pour la bonne raison que ce « centre »
à aucun moment n'existe : il a toujours *à être*. Tel est le sens
de l'objection de Merleau-Ponty à l'analyse existentielle telle
que la conçoit Sartre : « Le Descartes absolu dont parlait Sartre,
celui qui a vécu et écrit une fois pour toutes il y a trois siècles,
si j'ai peine à retrouver son ' choix fondamental ', c'est peut-
être parce que Descartes lui-même, à aucun moment, n'a
coïncidé avec Descartes : ce qu'il est à nos yeux d'après les

textes, il ne l'a été que peu à peu, par réaction de lui-même sur lui-même, et l'idée de le saisir tout à sa source est peut-être illusoire si Descartes n'est pas quelque ' intuition centrale ', un caractère absolu, mais ce discours hésitant d'abord, qui s'affirme par l'expérience et l'exercice, qui s'apprend lui-même peu à peu, et ne cesse jamais tout à fait de viser cela même qu'il a résolument exclu » (*Signes*, p. 165). Ce centre, qu'est le sens fondamental du cartésianisme, s'indique sans cesse au critique, ainsi qu'à Descartes lui-même, comme un *horizon* vers lequel les lignes divergentes du cartésianisme semblent converger; mais le propre d'un horizon est de reculer quand on croit l'atteindre : on peut se diriger vers lui, non s'y installer. Dans la mesure où l'ambiguïté de l'existence humaine est insurmontable, l'ambiguïté de son expression concrète dans la littérature est indissipable. Il faut en prendre son parti : comme disait si bien Du Bos, la critique reste toujours une *approximation*.

Nous ajouterons simplement (mais cela fait toute la différence) : une approximation *méthodique*. Nous n'avons jamais cru que la communication littéraire soit une communion ineffable, et cet essai prétend le contraire. La critique veut, certes, une sympathie, mais, nous l'avons dit, *armée*, appuyée sur toutes les connaissances pertinentes que son temps peut lui fournir. Le problème est dans le bon usage de ces connaissances, car si, selon le mot de Rabelais, science sans conscience n'est que ruine de l'âme, elle est aussi ruine de l'art. S'il est vrai que a critique n'est pas explication, mais explicitation des œuvres littéraires, c'est l'œuvre elle-même qui doit indiquer la nature des moyens d'investigation appropriés [1]. Roland Barthes l'a très bien vu, quand il écrit qu'« il n'y a en critique aucun interdit, seulement des exigences et, par suite, des résistances » et que la critique doit chercher sa « pertinence » dans son objet. Mais s'il en est ainsi, il est impossible, comme Barthes le voudrait, de se faire indiquer *une fois pour toutes*, au départ, la nature particulière de l'explicitation requise par l'œuvre, pour

1. C'est pourquoi il faut noter le *caractère fortuit*, le plus souvent, de l'expérience critique véritable, ce qui revient à dire son caractère *concret*. Spitzer dit fort juste-

constituer ensuite la critique en langage circulaire d'une parfaite cohérence interne. Je crois que la critique doit renoncer à
ce vœu de pureté et s'admettre pour ce qu'elle est : un *langage
bâtard*. Car c'est à chaque tournant, pour ainsi dire, qu'il faut
que la compréhension se modèle sur son objet, pour ne point le
perdre et se perdre dans son propre système. Ce n'est pas
telle œuvre qui requerrait une élucidation psychologique et
telle autre une approche idéologique, c'est tel aspect, tel moment
de l'œuvre qui demande à être compris sur le plan psychologique, tel autre sur le plan idéologique, et parfois sur les deux
plans (et bien d'autres) simultanément. Le regard critique n'est
pas l'œil d'une caméra immobile, fixée au bon endroit et au
bon angle : c'est, selon la belle expression de J. Starobinski, un
« œil vivant », qui épouse fidèlement, par tâtonnements successifs, l'objet qu'il regarde. La critique, *c'est la continuité
d'une fin avec une discontinuité de moyens.* Dire qu'elle est
« unificatrice » et « totalitaire », c'est dire qu'elle reste toujours
en deçà de l'unité et de la totalité; dire qu'elle est ouverte,
c'est dire qu'elle est imparfaite. Elle ne dégage jamais d'essence
idéale; elle retrouve, avec plus ou moins de bonheur, le mouvement d'une existence. Si le Cogito philosophique ne récupère
jamais sa préréflexivité, ce que nous avons appelé le Cogito
critique n'acquiert jamais de translucidité. La preuve, ici, en

ment : « Pourquoi est-ce que j'affirme qu'il est impossible de donner au lecteur une
méthode raisonnée, à appliquer point par point à l'œuvre d'art? C'est que, pour
commencer, le premier pas, duquel tout dépend, ne peut jamais être prévu : il faut
qu'il ait déjà eu lieu. Ce premier pas, c'est la conscience d'avoir été frappé par un
détail, suivi par la conviction que ce détail est relié à l'essence de l'œuvre... » (*op. cit.*,
pp. 26-27). De son côté, Jean Rousset note avec raison : « L'instrument critique ne
doit pas préexister à l'analyse. Le lecteur demeurera disponible, mais toujours sensible et aux aguets, jusqu'au moment où surgira le signal stylistique, le fait de
structure imprévu et révélateur... » (*op. cit.*, p. XII). Cela ne signifie pas que le critique doive être dépourvu lui-même de ce que j'appellerai des « structures théoriques
d'accueil », pour revenir à un pur impressionnisme. Mais cela veut dire que l'élucidation théorique, en critique, ne saurait être un procédé mécanique, une règle que
l'on appliquerait, une grille que l'on transporterait allégrement d'un auteur à
l'autre : il ne peut s'agir que d'un instrument tout à fait souple. En un mot, *la
compréhension théorique doit être l'armature, non le corset, du sens.* Dont acte à
Robert Kanters.

est par l'absurde : à chaque fois que la critique se veut application rigide d'un système quelconque de déchiffrement (psychologique, sociologique, esthétique, philosophique, etc.), elle aboutit invariablement à supprimer, dans son objet, ce qui lui
résiste, au lieu de tenir compte de cette résistance pour infléchir
son propre tracé. A cet égard, les objections, même hâtives, de
Raymond Picard portent pleinement contre les critiques
« réductrices », quel que soit leur mode de réduction. Leur
découpage finit par désarticuler l'œuvre, leur restructuration
par la déstructurer, leur explication par la faire disparaître.

Mais alors, cette « approximation méthodique » sera-t-elle
aussi une approximation *méthodologique,* dissemblable en cela
du doute cartésien qui faisait jaillir en définitive la sûreté
éblouissante de la Méthode? Ayons la franchise et l'honnêteté
de répondre oui. A la question que nous posions : « psychanalyse comment? », il n'est pas de réponse qui tienne dans une
formule. Mais, dira-t-on, qu'est-ce qu'une analyse sans méthode?
L'analyse que nous proposons est moins affaire de méthode que
d'orientation fondamentale de la recherche; elle définit moins
une certaine sphère du savoir, qu'un certain climat de compréhension. Pour l'accès intime aux œuvres littéraires, il n'est
pas de voie royale; pas de « méthode » qui constitue une assurance tous risques; pas de savoir, mais un savoir-faire. Dans
la mesure où la littérature est expression d'une vision concrète
de notre destinée, et où les diverses philosophies de l'existence
se sont précisément attachées à cette élucidation du concret, la
critique nous semble tout naturellement devoir s'aider de leur
apport, c'est-à-dire des instruments conceptuels qu'elles se sont
forgés et des réponses, toujours limitées et partielles, qu'elles
présentent. Moins donc que d'une *méthode,* il s'agit plutôt là
d'un *cadre* de recherche, à l'intérieur duquel l'analyse doit se
mouvoir avec disponibilité et souplesse. Ainsi, il est évident
qu'une étude du regard chez Racine se laissera spontanément
guider par l'étude du regard chez Sartre, d'autant plus que les
rapports d'agressivité et de pétrification sado-masochistes que
la phénoménologie sartrienne découvre conviennent parfaite-

ment à l'univers racinien [1]. Mais Emmanuel Mounier a bien
montré ce qu'a de schématique et d'insuffisant l'analyse de
Sartre [2] : le regard amoureux et magnifiant que le poète jette
sur l'être, le regard d'un Blake, d'un Hugo et d'un Claudel, est
irréductible à l'esquisse de *L'Être et le Néant;* le critique devra
donc se tourner vers des philosophies différentes, personnalistes
ou autres, s'il veut, sur ce point, être fidèle à son objet. Aucune
philosophie n'étant commensurable à la totalité de l'expérience
humaine, on sera donc amené à demander à chacune des lumières
sur l'aspect de l'existence humaine qu'elle a le mieux éclairé;
on sera conduit à corriger Heidegger par Sartre, et Sartre par
Merleau-Ponty, quitte à revenir, pour des œuvres qui, comme
le théâtre cornélien, reposent tout entières sur les rapports
humains de Maître à Esclave, aux schémas si admirablement
développés par Hegel. Le critique est-il donc une sorte d'animal
philosophique invertébré, de femme-serpent qui s'enroule au
petit bonheur autour des textes? Et comment se fait cette
fameuse « intégration » des significations, que les sciences
humaines ou l'histoire étaient incapables d'accomplir? Comment une position idéologique qui n'est pas elle-même intégrée
pourrait-elle fournir le principe d'une intégration?

Je dirai de la critique ce que je disais de la psychanalyse :
comme la plus belle fille du monde, elle ne peut donner que ce
qu'elle a. Ce qu'elle n'a pas, et ce qu'elle ne saurait à coup sûr
avoir, c'est un système théorique capable d'assurer une totalisation *effective* des sens d'une œuvre. Il suffit, pour que sa
tâche soit utile et féconde, qu'elle possède le principe d'une totalisation *possible,* c'est-à-dire une certaine compréhension fondamentale de la réalité humaine et de la façon dont celle-ci
engendre les sens. Ce sera ma réponse théorique au reproche
d'éclectisme. Quelles que soient leurs différences ou leurs divergences, les philosophies existentielles offrent un type de compréhension parfaitement défini, à l'intérieur duquel il est permis

1. C'est ce schéma qu'a utilisé J. Starobinski dans son « Racine et la poétique
du regard », *L'Œil vivant.*
2. Dans son *Introduction aux existentialismes.*

de se mouvoir, fût-ce contradictoirement. L'éclectisme idéologique [1] consisterait, ici, à prendre un brin de platonisme, un
soupçon de kantisme et un zeste d'hégélianisme, et à remuer le
tout en une sorte de vaste et vague salade russe. Si l'on a pu
dire qu'une vie, c'est le changement perpétuel à l'intérieur d'une
permanence, les philosophies de l'existence constituent des
éclairages successifs, voire opposés, de nos relations fondamentales, dans le cadre d'une même démarche. Leurs catégories,
pour diverses qu'elles soient, gravitent autour d'un centre commun; leurs contradictions s'articulent autour des mêmes problèmes et passent par les mêmes points de compréhension,
qu'elles contribuent à préciser. Ainsi, pour revenir à l'exemple
déjà cité, une analyse du regard dans la littérature [2] peut et
doit, selon les cas, s'inspirer des interprétations de Sartre, de
Merleau-Ponty, de Mounier ou de Marcel, en fonction de leur
pertinence à l'œuvre étudiée, sans qu'il y ait là la moindre
trahison ou la moindre incohérence : les contradictions ne sont
pas ici des antinomies stériles de termes figés (du genre spiritua-
lisme-matérialisme, réalisme-idéalisme), mais des rapports mou-
vants de complémentarité dialectique. En bref, tout ce que l'on
peut et doit exiger d'une véritable critique, c'est qu'elle soit une
sémantique philosophique, qu'elle possède une théorie intelligible
du sens, consciente, autant qu'elle peut l'être historiquement,
au moment où elle s'élabore, des rapports essentiels à soi, à
autrui et au monde, à partir desquels toutes les significations
humaines se constituent.

1. Il convient de distinguer cet éclectisme idéologique de la démarche qui consiste,
pour toute réflexion moderne, à combiner et intégrer divers aspects de la psychanalyse, de la sociologie, etc., dans la synthèse pratique et nécessaire d'une compréhension unifiée.

2. Ou dans la peinture. Cf. l'étude récente de Jean Paris, *L'Espace et le regard*
(Le Seuil, 1965).

4. *Qu'est-ce que la critique?*

Rejetant ce « vraisemblable critique », justement dénoncé
par Roland Barthes (*Critique et Vérité*, pp. 14 *sqq.*), ramassis de
platitudes, d'incohérences et de clichés dont sont faits le « bon
goût » et le « beau style » des commentaires traditionnels, une
critique digne de ce nom commence donc par être une autocritique. Elle doit connaître ses propres postulats, pour revendiquer ses propres certitudes. En cela consiste sa rigueur, qui n'a
rien d'une rigidité : elle sait où elle va, elle sait ce qu'elle cherche,
ou plutôt la direction dans laquelle chercher. Elle sait ce qu'elle
peut et ce qu'elle ne peut pas trouver. Elle sait ses limites. Elle
sait que ses éclaircissements ne seront jamais une élucidation totale. Elle sait qu'elle dissimule, dans la mesure où
elle découvre, et que, par cela même, son mouvement de
totalisation ne peut aboutir à une totalité de connaissance, ni
son effort d'unification à l'unité du sens. Elle se sait elle-même
dialectique vivante, donc inachevée. Certes, elle sait qu'elle a
les moyens de circonscrire, avec toujours plus de précision, le
foyer rayonnant de l'œuvre d'art (et c'est pourquoi elle implique
un *cadre* de pensée); elle sait aussi qu'elle ne peut établir l'équation exacte de cette intentionalité profonde et de toutes les
significations qu'elle propose (et c'est pourquoi elle ne saurait
être un *système*). Merleau-Ponty disait qu'une philosophie
concrète n'est pas une philosophie heureuse : à cet égard, une
critique concrète non plus. Contrairement à ce que croit le sceptique, toutes deux se rendent compte qu'il y a une vérité des
rapports de l'homme et du monde, mais que toute expression
en est partielle et « profilée », et qu'il n'y a pas d'addition de
tous les profils. Admettons que, en tant qu'entreprises théoriques, la critique, comme la philosophie, c'est bien le supplice
de Tantale : elles cherchent à chaque fois, de toutes leurs forces,
à faire le livre « définitif », qui ne le sera jamais.

A la question posée au début : « le malheur de la critique

serait-il une tragédie? » (p. 80), il semblerait donc qu'il faille répondre franchement oúi. Mais c'est mal poser le problème que le situer tout entier, comme nous l'avons fait jusqu'à présent, *sur le plan de la connaissance*. La nouvelle critique comme l'ancienne se font illusion, quand elles se croient *dans un pur rapport d'objectivité* avec l'œuvre, et en train de constituer sur elle un savoir cumulatif et impersonnel. Le « Cogito du critique », dont j'ai esquissé l'analyse, serait radicalement faussé, si l'on y voyait un simple processus d'élaboration théorique : c'est, avant tout, une *entreprise pratique; ce* n'est pas un type particulier de connaissance, mais de praxis. Une critique existentielle, disions-nous (pp. 221-222), ne peut être fondée que sur l'existence du critique. Il faut en tirer enfin toutes les conséquences. L'erreur commune à maints tenants des écoles traditionnelles ou nouvelles, c'est de croire, en effet, que leur activité se borne à rendre compte de *ce qui est :* une fois établis le sens et la genèse des œuvres, qu'on fasse appel pour cela à l'histoire et à la psychologie, ou, plus récemment, à la psychanalyse et à la sociologie, à la phénoménologie et à la dialectique, le critique n'aurait plus, son travail terminé, qu'à se retirer discrètement sur la pointe des pieds. Ce qui a été ou ce qui est, c'est, par définition, ce qui devait être [1]. Racine ou Campistron, Molière ou Poisson, tous sont également des produits d'un déterminisme universel; chacun à sa place et tous ensemble, ils concourent à l'expression d'une culture, dont ils se présentent comme des signes, plus ou moins importants et complets, qu'il s'agit de déchiffrer. C'est se tromper du tout au tout sur le sens même de la critique. Car le critique n'est ni serviteur ni spectateur; ni « secrétaire du public », à la façon d'un Sarcey, ni ombre falote soucieuse de

---

1. Renan a eu la logique de tirer toutes les conséquences de ce positivisme philosophique : « Louer ceci, blâmer cela sont d'une petite méthode. Il faut prendre l'œuvre pour *ce qu'elle est,* parfaite dans son ordre, représentant éminemment ce qu'elle représente, et ne pas lui reprocher ce qu'elle n'a pas. L'idée de faute est déplacée en critique littéraire... Tout n'est pas égal sans doute, mais une pièce est en général *ce qu'elle peut être* » (*L'Avenir de la science,* souligné par nous). Du moins Renan a-t-il l'honnêteté de conclure que, lorsqu'on enferme la critique dans une connaissance des faits, on en exclut toute considération des valeurs.

« s'effacer » devant les textes, telles ces souris universitaires qui ne songent qu'à rentrer dans leur trou. Ce n'est pas non plus un savant penché sur les cornues et les alambics où se fabriquerait la littérature, ou un clinicien qui prononcerait un infaillible diagnostic. Anciennes ou nouvelles, traditionnelles ou modernisées, « modestes » ou agressives, « prudentes » ou systématiques, les critiques de l'objectivité ont un trait en commun (et c'est pourquoi je les ai groupées dans ce volume) : elles oublient, elles veulent ou feignent d'oublier *la propre personne du critique*, cet individu gênant dont elles rêvent de se défaire, comme la science se débarrasse du savant.

Ce rêve est un rêve absurde; et cette attitude de fuite, que nous avons décelée et dénoncée sous ses multiples formes, n'est qu'un mince subterfuge pour se dérober à une responsabilité première. Car, comme nous l'avons constaté maintes fois au cours de cet essai, je ne suis pas devant une œuvre littéraire comme devant la plénitude d'un objet qui est ou qui a été : l'œuvre a *à être*, et *je la fais être* [1]. C'est s'abuser, toutefois, que d'en tirer les seules conclusions sur un plan *épistémologique*, ainsi que nous avons fait jusqu'à présent. Le sens que l'œuvre littéraire porte en elle n'est pas une morte possibilité, inscrite une fois pour toutes dans les choses : c'est une possibilité prisonnière d'un ensemble de signes, que je libère et que j'anime, non pas à titre de signification qui viserait un aspect du monde ou un moment de l'histoire objectifs, mais qui *me* vise, parce qu'elle est *mienne*. Glorieux ou impur : l'amour de Tristan et Iseut *me juge;* il est la mesure même de mon être. *Toute critique n'est déchiffrement que pour se faire affrontement.* Quoi qu'on dise ou qu'on fasse, l'acte critique, ainsi que tout acte qui met en jeu nos relations fondamentales avec autrui, par-delà l'élucidation des signes, est *affirmation de valeurs*. Il ne s'agit pas, naturellement, de savoir si l'auteur aurait dû remplacer ici l'indicatif par le subjonctif, et là mieux respecter les règles de la composition, pour faire une plus « belle » œuvre : nous laissons

1. L'acteur est moins naïf que le critique : il sait que tout texte est toujours *à interpréter.*

ce genre de critique aux cuistres du xviie ou du xxe siècle. Simplement, si toute grande œuvre est apparition de l'Autre, en tant qu'il me propose une vision de l'existence et du salut, elle est, du plus profond d'elle-même, appel à mon adhésion. Cette adhésion, c'est la dignité éminente du critique qu'il soit libre ou non de l'accorder, dans l'admiration ou la répulsion, l'enthousiasme ou la tiédeur, l'amour ou la haine. Si *Tristan et Iseut* me juge, je juge *Tristan et Iseut*. Non de juge à partie; d'homme à homme, dans la mesure où chaque homme est juge de tout homme.

Juger, de nos jours, n'a pas bonne presse; c'est même un acte coupable : expliquer ou expliciter, structurer ou décrire, voilà la vocation de la critique. « L'honneur du critique n'est pas de louer, l'honneur du critique n'est pas de blâmer : l'honneur du critique est de comprendre... Pour comprendre il faut être libre. Et d'abord, être libre de soi [1]. » En un sens très différent, on trouve comme un écho de cet interdit lancé par André Suarès jusque dans le dernier texte de Roland Barthes : « ... La véritable ' critique ' des institutions et des langages ne consiste pas à les ' juger ', mais à les *distinguer*, à les *séparer*, à les *dédoubler* [2]. » Certes, la judicature ne peut que tourner à l'imposture, si elle s'exerce comme la sanction d'un conformisme collectif et fait du critique, dans une société donnée, le chien de garde de la « bonne pensée ». A cet égard, la méfiance de Barthes est trop souvent justifiée [3]. Le jugement est encore une supercherie, si le critique a l'incroyable prétention de se croire, par rapport à l'écrivain, dans une position de « supériorité » quelconque. Se faire juge est, par définition, suspect : au nom de quoi, au nom de qui? Du jugement, comme de toute chose, il y a le bon et le mauvais usage; mais il est impossible pourtant de s'abstenir. En droit, c'est trahir l'obligation éthique, qu'impose toute

1. Cité par R. Fayolle, *La Critique, op. cit.*, p. 329.
2. *Critique et Vérité*, p. 14.
3. « Tant que la critique a eu pour fonction traditionnelle de juger, elle ne pouvait être que conformiste, c'est-à-dire conforme aux intérêts des juges » (*op. cit.*, p. 14). Sur ce point, certaine critique « socialiste » a pris tragiquement la relève des Nisard et des Maurras.

œuvre véritable, de répondre à son appel. Rêver d'être une glace sans tain, un miroir ou même une loupe, c'est, pour le critique, une dérobade, qui détruit l'essence même de la communication littéraire. En fait, cette neutralité vide est impossible et « pour être subversive, la critique n'a pas besoin de juger, il lui suffit de parler du langage, au lieu de s'en servir [1] ». Ce que dit Barthes est parfaitement vrai, et comme toute critique consiste précisément à parler du langage, il n'y a pas, nous l'avons constaté à chaque instant, de critique « innocente ». Seulement, j'ai l'impression que la position de Barthes est sur ce point équivoque, et qu'au jugement ouvert, il préfère le jugement couvert qu'est le maniement d'un langage distant, comme moyen qu'a la subjectivité de se dissimuler, plutôt que de se révéler, disons comme mode de révélation négatif, au sens où l'on parle du « négatif » d'une photographie. Nous connaissons depuis longtemps, chez Barthes, cet amour de l'implicite dans la littérature; dans la critique, où tout l'effort est vers l'explicite, la révélation de la personne doit être totale et franche. Dans la mesure où toute œuvre a « à être » et où elle est dépassement du réel vers un possible humain, je fais surgir son sens quand, au-delà de *ce qui est*, je me commets et me compromets tout entier en disant *ce qui doit être*.

C'est bien pourquoi le moment où le « sens global » jaillit des significations innombrables, le moment où nous saisissons, à travers la variété de l'expression, l'unité d'une intention, ce moment où se dévoile la « vision du monde » de l'auteur, et dont toute la critique d'aujourd'hui est à l'affût, n'est pas le simple couronnement d'une recherche théorique et détachée : on ne comprend pas autrui, comme le croit naïvement Suarès, « en se libérant de soi », mais, comme le savait Proust, en allant jusqu'au bout et jusqu'au fond de soi-même. L'unification du sens est donc une *exigence pratique* de l'affrontement de deux hommes à travers un texte, quand, cessant de dégager d'une main experte les diverses structures avec ses divers instruments,

1. *Ibid.*

il faut que le critique porte enfin, sur l'univers humain qui le sollicite, un jugement d'ensemble; quand, au-delà des significations techniques que sa recherche accumule, il lui faut ramasser, pour dire *oui* ou *non*, le sens profond d'une expérience qui le met lui-même en question, dans son être et dans ses valeurs. C'est ce moment concret qui, en définitive, dépasse l'ambiguïté foncière de l'œuvre vers la synthèse du sens, comme le juge doit surmonter l'équivoque des gestes et des actes dans l'unité de sa sentence : en son âme et conscience, c'est-à-dire *à ses risques et périls*. C'est là ce qui sépare le domaine de la certitude et celui de la conviction, la vérité théorique et la vérité pratique. Si tragédie de la critique il y a, ce n'est pas sur le plan de la connaissance, dans l'échec du critique à être Dieu et de la science à être omniscience : ou alors c'est la tragédie de toute cognition, une tragédie de mauvaise foi, qui n'est, somme toute, qu'une comédie, par laquelle l'homme cherche en vain à dépasser sa condition. La vraie tragédie, ici, est celle de toute entreprise pratique, où la condition humaine est, au contraire, assumée : elle est dans ce choix nécessaire où je me pose et, au besoin, m'oppose, face à autrui; elle est dans l'inévitable *violence*, que l'acte critique, comme tout acte qui décide des valeurs fondamentales, requiert, et que les critiques « objectives » s'efforcent de dissimuler en la mettant au compte du savoir. Penser, comme vivre, c'est faire ses choix, prendre ses risques, y compris celui d'injustice et d'erreur. Quand l'homme doit inventer le sens de sa vie, les outils savants ne sont plus que des béquilles inutiles : c'est à mains nues, seul à seul, d'homme à homme, que, mesurant le texte, le critique se mesure au texte, et donne, par là, sa propre mesure. Écoutez Sartre : « ... La fonction du critique est de critiquer, c'est-à-dire de s'engager pour ou contre et de se situer en situant. » [1] L'écrivain, disions-nous, est un homme qui, dans son œuvre, parle de l'homme aux hommes : le critique est un homme qui lui répond.

Mais le critique ne répond ni n'importe quoi ni n'importe

1. *Situations I*, p. 231.

comment. Rendre à sa tâche le statut et la dignité d'une entreprise personnelle n'est pas le vouer pour autant à l'impressionnisme. L'impressionnisme (et c'est sa vérité limitée) est bien
rapport personnel à un texte, mais c'est celui de l'impulsion
momentanée, de la sensation fragmentaire et solitaire. L'impressionnisme tend toujours à être un solipsisme : mes réactions
d'humeur n'intéressent que moi; ou alors, elles ont un simple
intérêt sociologique (et c'est pourquoi on les accueille), si je
suis suffisamment représentatif d'un groupe ou d'une classe.
Il ne s'agit pas, toutefois, de « donner son sentiment » sur un
livre, comme une concierge sur un locataire : la vraie critique
n'est pas réflexe, mais réflexion. De sa vocation ultime, je ne
connais pas de définition plus exacte ni plus profonde que celle
qu'en donnait Baudelaire : « Pour être juste, c'est-à-dire pour
avoir sa raison d'être, la critique doit être partiale, passionnée,
politique, c'est-à-dire faite à un point de vue exclusif, mais au
point de vue qui ouvre le plus d'horizons. » Telle est la loi
essentielle de la critique : comme dans la littérature, on trouve
en elle, du même coup et par une postulation simultanée, un
enracinement subjectif radical et une exigence d'universalité
permanente. Comment un point de vue « exclusif » peut-il
« ouvrir le plus d'horizons » »? Il n'y a pas de point de vue privilégié par miracle, pas de don du ciel. Ce point de vue personnel
et pourtant ouvert, ou mieux, *ouvrant*, s'acquiert et se conquiert.
On ne naît pas plus critique que poète : on le devient par
un labeur. Non seulement la critique doit intégrer toutes les
connaissances pertinentes touchant son objet (elle traverse
donc une « zone d'objectivité » et se trouve modifiée par ce
processus même), mais elle implique aussi la pleine conscience
de ses rapports effectifs et affectifs à son objet et, à travers lui,
au monde. Il y a donc une dialectique propre de la critique,
qui va du sujet irréfléchi (lecture) au sujet réfléchi (synthèse du
sens), en passant par la connaissance de l'objet (variété des
ordres significatifs), et où l'impression est niée par le savoir,
pour être à la fois retrouvée et dépassée dans le jugement. Si
la subjectivité qui porte jugement est en droit universalisable,

c'est-à-dire peut légitimement appeler l'adhésion d'autrui, c'est que le moi du critique, comme le moi de l'écrivain, est une subjectivité *transformée par son propre travail,* et c'est en cela que la critique est, avant tout, une praxis. Le moi « travaillé » du critique, comme celui de l'écrivain, n'est pas un ego replié et refermé sur un sentir individuel : c'est parce qu'en lui le moi de *nature* a fait place au moi de *culture,* que le critique est en communication directe et ouverte avec autrui, sur le fondement commun d'un savoir et d'une histoire pleinement et lucidement assumés.

A l'appel de l'écrivain, le critique ne répond donc pas « n'importe quoi ». Il ne répond pas non plus n'importe comment. Dans son récent essai, Roland Barthes a raison de rappeler que le critique n'est pas un lecteur ordinaire : à l'œuvre de l'écrivain, le critique répond, à son tour, par une *œuvre.* Ce travail du moi sur lui-même pour devenir sujet universel, cette praxis propre du critique, nous l'avions déjà découverte et décrite chez l'écrivain, et ce n'est rien d'autre que *l'engagement dans l'écriture.* Car il est temps de comprendre, si ce n'est déjà fait, que la critique véritable, bien qu'elle utilise divers savoirs, n'est pas un type spécial de connaissance, ayant la littérature pour objet, mais *une branche particulière de la littérature, qui a la littérature pour sujet.* Très précisément, et dans la pleine acception du terme, le critique est un écrivain : un écrivain qui écrit sur l'écriture, comme le dramaturge et le romancier écrivent sur le monde. Pourquoi cette écriture seconde? Et la critique serait-elle alors un genre secondaire de littérature, une littérature parasite? Toute l'évolution de l'art moderne prouve le contraire. Depuis le *Contre Sainte-Beuve,* moment essentiel dans la création de la *Recherche* proustienne, depuis *Les Faux-Monnayeurs* et le *Journal* gidiens, depuis *Ulysse* et *La Nausée,* on sait qu'il n'y a plus d'œuvre littéraire qui ne contienne une réflexion de l'écrivain sur l'écriture, et où l'écriture elle-même ne constitue sa propre contestation. Certes, les rapports du critique et de l'écrivain ne sont pas ceux de l'écrivain avec soi : mais le critique est un écrivain exigé par l'écrivain, dans la mesure où l'écriture appelle l'écriture, comme tout acte de conscience appelle sa prise de conscience propre et sa reprise, sous forme de reconnaissance, par autrui. La littérature est, en soi, besoin impérieux, que vient satisfaire la critique, de ce *dialogue* où chacun devient lui-même en se confrontant à l'autre, de sorte que l'œuvre littéraire ne prend sa pleine existence que lorsqu'elle se fait renvoyer son sens par autrui, que lorsqu'elle est *critiquée*. La « psychanalyse existentielle », disions-nous, c'est, en l'occurrence, la psychanalyse du psychanaliste. Il faut aller plus loin : c'est aussi sa « guérison ». Dans la mesure où le critique dégage le sens d'une œuvre à travers le projet de son auteur, il découvre ses propres « complexes », qu'il lui faut désormais assumer. La catharsis, ici, est double, de la littérature, nous l'avons vu, par la critique, mais inversement, de la critique par la littérature. La critique écrite est la forme achevée de cette contestation intime et réciproque, qui commence avec la lecture.

Bien entendu, il existe de fausses contestations, qui conduisent à une pseudo-critique. Si la littérature, comme toute expression de l'homme, porte la trace de ses aliénations historiques, la création authentique réussit toujours, d'une certaine manière, à les transcender. La critique, au contraire, semble avoir été longtemps la victime d'une aliénation radicale, qui lui a dérobé sa fin propre, et dont elle commence seulement à se dégager. Ce n'est nullement par hasard que les rapports de la critique et de la littérature présentent l'aspect d'une longue hostilité, pour ne pas dire d'une guerre inexpiable. Quand, au xviie siècle, de Malherbe à Boileau, en passant par la cohorte des Chapelain et des d'Aubignac, les pédants prétendent régenter le Parnasse; quand, à l'apparition de chaque grande œuvre classique, il se trouve un plumitif pour la battre en brèche au nom du goût et de la vraisemblance (le « vraisemblable critique » ne date pas d'aujourd'hui), il est normal qu'à un moment ou à un autre, Corneille, Racine, Molière ou La Fonfaine se rebiffent. Les relations ne sont guère meilleures, dans l'ensemble, au xviiie siècle. Au xixe, Hugo, Balzac, Flaubert, Baudelaire sont dans une lutte perpétuelle, que Théophile Gautier résume assez bien : « Une chose certaine et facile à démontrer à ceux qui pourraient en douter, c'est l'antipathie naturelle du critique contre le poète, — de celui qui ne fait rien contre celui qui fait, — du frelon contre l'abeille, — du cheval hongre contre l'étalon. » Et Flaubert : « Voici les choses fort bêtes : 1° la critique littéraire quelle qu'elle soit, bonne ou mauvaise; 2° la société de tempérance... » Comment voudrait-on qu'il n'y ait pas « antipathie naturelle » entre la critique et la littérature, comment la contestation ne tournerait-elle pas au ressentiment, quand elle se fait *de l'extérieur*, au nom du bon goût, des canons esthétiques, de l'ordre moral, de la stabilité politique, ou encore en vertu de la Raison ou de la Science du moment? Comment le critique ne s'éprouverait-il pas, par rapport à l'écrivain, comme un castrat, dès lors que, traitant lui-même de créations, il s'interdit toute activité créatrice? Chaque fois que la rencontre de la littérature et de la critique est extérieure, ou, ce qui revient au même, *partielle*, c'est toujours de deux choses l'une : ou bien la critique opprime la littérature (et c'est le cas de la critique « dogmatique », de quelque bord qu'elle soit [1]); ou bien, ce qui est tout aussi fâcheux, la critique se supprime en tant que telle (et c'est ce qui arrive avec la fameuse « admiration historique » et, trop souvent, avec les approches objectives).

Pour éviter le meurtre ou le suicide, la critique doit enfin découvrir le vrai lien qui l'unit à la littérature, et qui n'est pas un rapport d'extériorité, mais une *relation interne*. S'il y a altérité, elle est du type de l'*alter ego* : à l'engagement total de l'écrivain dans son entreprise de salut par le langage correspond

---

1. On demandera à bon droit en quoi une « critique de jugement », telle qu'elle vient d'être proposée et défendue contre la pure critique de « compréhension » ou de « description », se différencie de la critique dogmatique. En ceci, que la critique dogmatique s'abrite justement derrière un *dogme*, c'est-à-dire une norme et un code objectifs et collectifs (bon goût, bonnes mœurs, ordre bourgeois, légalité socialiste, etc.), lesquels sont appliqués à la littérature de l'extérieur. Par contre, le jugement véritable implique la responsabilité personnelle et totale du critique; il s'exerce à l'intérieur même de la littérature, précisément au nom des exigences humaines qu'elle a faites siennes.

l'engagement total du critique dans une entreprise réciproque.
Et la réciprocité des fins exige une réciprocité des moyens. Pour
ne pas être autarcique, l'activité critique n'en est pas moins
autonome et, à son tour, *créatrice de sens.* Comme tout écrivain,
le critique doit d'abord créer son propre langage, dans un
rapport de compréhension direct et intime avec l'œuvre-mère,
mais gouverné par ses lois internes. Car il est évident que le
langage de la critique ne saurait être ni celui de la littérature
originelle ni encore moins celui du parler commun. A cet égard,
rien de plus absurde que le reproche couramment adressé à la
critique moderne d'utiliser un « jargon », comme si la banalité
du langage ordinaire, même redorée par ces fausses élégances
de plume qui se prennent pour du « beau style » et qui sont à
un style authentique ce que les roulis de hanche aguicheurs sont
à la grâce naturelle d'une démarche, pouvait être la mesure
d'un langage « clair » et rigoureux; comme si littérature et
critique, ensemble, et selon leurs besoins respectifs, n'avaient
pas à se conquérir sur les clichés de la parlerie quotidienne
comme sur les poncifs de l'écriture admise. Ce qui ne veut,
naturellement, pas dire qu'il n'y ait point de bons et de mauvais
langages critiques, de même qu'il y a de bons et de mauvais
langages littéraires : inventer un langage, c'est toujours inventer
un certain équilibre entre la langue commune et la parole
personnelle. Si la seconde se résorbe dans la première, c'est
l'insignifiance; si elle lui fait violence excessive, c'est l'incom-
municabilité et le baragouin. De toute façon, il n'y a jargon
que par rapport à un certain bonheur interne de l'écriture, et
non par rapport au langage de la rue ou des ruelles. (A ce
compte, les *Illuminations* de Rimbaud seraient du jargon, et
aussi les périodes torturées de Proust, dont, il n'y a pas si longtemps, les lumières du « classicisme » de l'époque assuraient
qu'il « écrivait mal ».) D'ailleurs, pas plus qu'il n'est un super-
produit du langage ordinaire, le langage critique est un sous-
produit du langage littéraire. La littérature critique ne saurait
parler comme la littérature originelle, puisqu'elles ne disent pas
la même chose, ni l'écriture seconde ressembler à l'écriture

première, puisque leur fin est différente. Si la thématisation critique consiste à faire passer le thématisé littéraire à l'explicite, langage second et langage premier sont dans un rapport réciproque, mais de sens inverse. Alors que la littérature, portée sur le monde, doit incarner le sens dans des mots concrets, la critique, qui est élaboration du même sens par une conscience réfléchie, doit intégrer à son discours les vocables de la réflexion, c'est-à-dire, aujourd'hui, ceux de la philosophie contemporaine et des diverses sciences humaines. Que cette intégration pose de difficiles problèmes d'écriture, nul ne le conteste et, à ce point de vue, les indignations de Raymond Picard devant le « style » de Roland Barthes, pour être faciles, n'en soulèvent pas moins une question réelle et urgente. La question serait, d'ailleurs, la même pour le style critique de Sartre, ou des disciples de Freud, de Marx, de Bachelard. Le langage critique ne peut être ni le langage ordinaire, ni le langage littéraire, ni le langage philosophique, ni le langage scientifique; irréductible par principe à ces divers langages, il doit pourtant en inventer la synthèse. Le langage critique, de ce fait, est un langage bâtard, un langage baroque, un langage étrange, qui a non seulement son utilité, mais peut et doit avoir sa propre beauté. Il en existe déjà, d'ailleurs, de remarquables exemples, chez Sartre, chez Poulet, chez Richard, chez Starobinski, chez Barthes lui-même, pour ne citer qu'eux. Seuls, quelques nostalgiques imbéciles peuvent croire que l'histoire est immobile, et qu'en 1966, « bien écrire » c'est toujours écrire « comme Voltaire ».

Il ne suffit pas au critique de créer, comme l'écrivain, un langage; il lui faut, comme à l'écrivain, refermer ce langage en une *œuvre*, c'est-à-dire en un langage dont la texture particulière renvoie, pour être comprise, à sa structure d'ensemble. Dans l'œuvre, la pensée analytique fait place à la pensée *dialectique*, car la synthèse qu'elle se propose n'est nullement de type additif. On ne peut prendre une œuvre critique par un bout ou par un autre, utiliser tel passage et laisser de côté tel développement, selon les besoins. L'œuvre critique forme

un tout, dont les parties ne se comprennent que par
leur relation interne, bien qu'elle soit en rapport constant
avec l'œuvre-mère, comme l'œuvre littéraire elle-même formait
une totalité intrinsèque, quoiqu'elle désignât perpétuellement
le monde. L'analyse immanente du sens aboutit donc à un
sens immanent de l'analyse : la réalité d'une œuvre critique, ce
n'est rien de plus, mais rien de moins quece la. Une œuvre,
quelle qu'elle soit, et c'est sa définition, renvoie sans cesse à
elle-même, sans cesser de renvoyer à autre chose : ce circuit,
on l'a reconnu, c'est celui de l'ipséité, c'est cette intériorisation
du monde qui constitue une subjectivité. La « vérité » d'une
critique n'est donc pas indépendante de la subjectivité du critique, comme nous l'avons constaté pour les approches « objectives » elles-mêmes : elle n'est rien que le mouvement de cette
subjectivité à l'œuvre, c'est-à-dire *faisant une œuvre.* Et cette
œuvre à son tour ne sera ni un reflet ni un doublet de l'œuvre
qu'elle commente : elle renvoie, pour sa compréhension, autant
à l'auteur du commentaire qu'à l'objet commenté. Puisque ce
dernier est toujours objet *révélé* par quelqu'un, la qualité de
l'objet ne fait qu'un ici avec la qualité du révélateur. Loin que
le critique puisse rêver de « s'effacer » devant les textes, ceux-ci
n'ont d'existence que par l'intensité de sa présence; de totalité
que par son mouvement de totalisation; d'unité que par la
synthèse qu'il constitue [1]. Le critique de Racine reprend en
charge Racine, il a la responsabilité de Racine. Et si la critique
est réponse totale, dans l'œuvre du critique, à la question
totale posée par l'œuvre de l'écrivain, c'est assez dire que la
cohérence de l'entreprise critique, comme celle de la création
littéraire, n'est pas uniquement ou essentiellement d'ordre

---

1. Il n'a été question jusqu'ici que de la critique écrite. Il est évident que ceci
s'applique, *mutatis mutandis*, à cette critique vivante et parlée qu'est le cours magis-
tral, où la *présence* du professeur joue un rôle essentiel. Un bon cours n'a jamais été
une variété de « dispatching », centralisant renseignements, indications, documents,
statistiques; il n'est pas d'ordre « informationnel » (pour cela, les manuels suffisent,
en attendant les machines). Un bon cours, c'est celui où la personne du professeur
est *irremplaçable*, puisqu'elle anime le texte et le *fait exister* comme synthèse d'une
expérience vécue, qu'elle s'efforce de communiquer aux autres.

intellectuel, mais, avant tout, existentiel. L'écrivain, disions-nous, est un homme qui se trouve en trouvant son langage; le critique est un homme qui se trouve et nous trouve en trouvant le langage de l'écrivain. Ne nous y trompons pas; la communication entre le critique et son lecteur est, à son tour, analogue à celle de l'écrivain et du critique : c'est, à travers un savoir, comme tantôt à travers un monde imaginaire, la communication d'une personne avec une autre personne. Comment? Pourquoi? Dans la mesure où la critique est une expérience radicalement menée, elle devient, pour le lecteur, une forme de compréhension de soi, comme l'œuvre littéraire était une image de sa propre condition. A travers le commentaire du critique portant sur l'œuvre de l'auteur, le lecteur découvre une compréhension de l'homme comprise par une autre compréhension, qui se présente à lui comme l'intelligible que son temps se donne du passé et du présent de l'homme. Et c'est parce que, comme dit Hegel, l'histoire de la pensée est toujours au présent, que l'œuvre littéraire pérenne appelle, pour être tout ce qu'elle peut être, à chaque moment de l'histoire, l'œuvre critique.

L'œuvre critique est donc, comme l'œuvre littéraire, datée; mais, comme l'œuvre littéraire, si elle a atteint un certain degré de rigueur et de profondeur, si sa clôture est totalisation vivante d'une expérience concrète, et son ouverture accueil permanent d'autres expériences possibles, la véritable œuvre critique doit pouvoir être dépassée, sans devenir pour autant passée. Le *Saint Genet* de Sartre durera autant que les œuvres de Genet, même si, dans un ou deux siècles, la compréhension de l'homme emprunte de nouvelles voies et un autre style, parce qu'il constitue, à un certain moment de l'histoire, une vision totale, à travers les sens fuyants que nous proposent l'existence et les œuvres de Genet, du sens de tout destin humain. La valeur du « Genet » de Sartre, ce n'est en rien d'épuiser Genet (même si l'impérialisme de l'analyse mime parfois une prise de possession), car la valeur même de Genet, c'est de survivre à toute visée particulière, y compris celle de Sartre. La critique ne saurait jamais se substituer à la lecture des œuvres, comme Renan le pensait sottement de l'histoire littéraire. Mais, inversement, la valeur du livre de Sartre survit à l'intérêt pour Genet : ensemble des réponses qu'une compréhension rigoureuse de l'homme permet d'apporter, au milieu du xxᵉ siècle, à la compréhension d'un homme et de son œuvre, la vision de l'homme que la critique constitue *en tant que telle* devient, pour le lecteur de Sartre, un ensemble de questions qui le mettent lui-même en question, tout comme Genet le mettait en jeu [1]. Portée sur les objets symboliques de l'écriture, comme la conscience perceptive sur les objets du monde réel, la nouvelle littérature critique tend peu à peu à constituer, à mi-chemin de la littérature originelle et de la réflexion philosophique et anthropologique, une compréhension particulière de l'homme, tel qu'il se révèle à lui-même dans l'univers imaginaire du langage. Bien qu'il doive s'aider des multiples connaissances que les disciplines scientifiques et la philosophie de notre temps nous apportent, et qu'il doive même en constituer, en quelque sorte, la *synthèse pratique*, seul, finalement un langage littéraire de type nouveau peut ressaisir *de l'intérieur* l'avènement du sens qu'est toute création littéraire.

En définitive, s'il y a tant de déchets dans l'histoire de la critique, si tant d'inutiles volumes encombrent les rayons des bibliothèques, lesquelles sont moins le musée que le cimetière de la critique, c'est que celle-ci a pris très tardivement conscience de sa nature et de son rôle propres; c'est, en un mot, que son histoire commence à peine. L'immense mérite de la nouvelle critique qui peu à peu se constitue aujourd'hui, quelles que soient par ailleurs ses divergences et ses insuffisances, son authentique *nouveauté*, chez ses représentants les meilleurs, c'est d'avoir enfin réveillé la critique de sa léthargie séculaire, de son sommeil dogmatique ou érudit, de l'avoir rendue à sa

---

1. On dira qu'en prenant l'exemple de Sartre, je me donne la partie belle, puisque le critique se trouve être ici à la fois un grand écrivain et un grand philosophe. C'est vrai. Mais toute critique véritable, et je songe ici, entre dix exemples, au *Rousseau* de J. Starobinski, constitue à sa façon une vision de l'homme incarnée dans son œuvre, et qu'il convient d'interroger comme telle. Sartre, si l'on veut, offre une expérience modèle, mais non une expérience unique.

vocation, bref, de l'avoir restituée à la littérature, au moment
où la littérature s'instituait en critique. Pour la première fois,
les hostilités cessent entre écrivains et critiques, puisque leur
expérience se recoupe et se réfléchit; puisque l'écrivain découvre,
au cœur de son activité, la critique, et que le critique trouve,
au centre de sa praxis, l'écriture. Le critique, devenu écrivain,
ne saurait plus éprouver contre l'écrivain de sourde envie, ni
l'écrivain, devenu critique, afficher, pour le critique, de mépris
ouvert. L'œuvre littéraire et l'œuvre critique ont désormais en
commun de se vouloir, à des niveaux d'expression différents,
chiffre intégral de l'existence humaine dans le langage. A cet
égard, elles sont dans un rapport de déchiffrement réciproque.
Univers personnel, par-delà la thématisation d'un savoir, affron-
tant un autre univers personnel, dans un rapport d'élucidation
mutuel qui passe par la totalité d'une culture historique, —
aujourd'hui celle de la seconde moitié du xxe siècle, — l'œuvre
critique appelle à son tour, pour être justifiée, la reconnaissance
et la contestation du lecteur. A ce mouvement de renvoi et de
dépassement perpétuels, à ce mouvement circulaire, pas d'arrêt;
pas de repos dans la Vérité et l'Évidence. La critique tire de la
littérature un sens qu'elle élabore en sa propre vision du monde;
et de ce double sens, la conscience du lecteur se nourrit dans sa
confrontation toujours inachevée à lui-même à travers les
autres. Écrivain, critique, lecteur : ce qu'on trouve invariablement, au point de départ comme au point d'arrivée de cette
aventure à la fois commune et intime, c'est une subjectivité
pleine et entière en exercice.

Paris, novembre 1965 - mars 1966.

TABLE

ACHEVÉ D'IMPRIMER
LE 21 SEPTEMBRE 1972
PAR L'IMPRIMERIE FLOCH
A MAYENNE (FRANCE)

N° d'éd. : 5450. — N° d'impr. : 11444
D. L. 3ᵉ trimestre 1972.